W OTCHŁANI
MROKU

MAREK KRAJEWSKI
W OTCHŁANI MROKU

WYDAWNICTWO ZNAK · KRAKÓW 2013

Projekt okładki
Katarzyna Borkowska
kb-design@o2.pl

Fotografia na pierwszej stronie okładki
© Margie Hurwich / Arcangel Images
© fotomy / istockphoto

Fotografia autora na czwartej stronie okładki
Grzegorz Hawałej

Opieka redakcyjna
Karolina Macios

Adiustacja
Urszula Horecka

Korekta
Barbara Gąsiorowska
Beata Trebel-Bednarz

Opracowanie typograficzne
Daniel Malak

Łamanie
Ryszard Baster

ISBN 978-83-240-2054-6 (oprawa twarda)
ISBN 978-83-240-2777-4 (oprawa broszurowa)

znak

Książki z dobrej strony: www.znak.com.pl
Społeczny Instytut Wydawniczy Znak, 30-105 Kraków, ul. Kościuszki 37
Dział sprzedaży: tel. (12) 61 99 569, e-mail: czytelnicy@znak.com.pl
Wydanie I, 2013. Printed in EU.

Mojej żonie, Małgorzacie

———————————————

Wer mit Ungeheuern kämpft, mag zusehn, dass er nicht dabei zum Ungeheuer wird. Und wenn du lange in einen Abgrund blickst, blickt der Abgrund auch in dich hinein.

————————————

Friedrich Nietzsche, *Jenseits von Gut und Böse*, 146

Kto walczy z potworami, ten niechaj baczy, by przy tym samemu nie stać się potworem. A jeśli długo patrzysz w otchłań, to otchłań również wpatruje się w ciebie.

————————————

Fryderyk Nietzsche, *Poza dobrem i złem*, 146

1946

1989 1989

2012 2012

1991 1991

TO, CO MŁODY FILOZOF miał dzisiaj uczynić, najpewniej zostanie uznane za okrutną zemstę. Ludzie się od niego odwrócą. Niektórzy nie będą go poznawać na uniwersyteckich korytarzach, inni będą prychać pogardliwie, jeszcze inni ogłoszą zakaz wstępu na wrocławskie salony. Nie przejmował się tym, bo musiał zrealizować plan. Zresztą już teraz, przed samym atakiem, jaki miał przypuścić, opadła nań nieusuwalna środowiskowa niesława. Nawet gdyby odwołał swoje rychłe wystąpienie na uczelnianym zgromadzeniu, to i tak dla wielu uniwersyteckich naukowców pozostanie na zawsze pariasem.

Nie przejmował się tym, bo nie miał najmniejszego wpływu na umysły tych ludzi – co więcej: nie chciał go wcale mieć. Był bowiem głęboko przekonany, że kierowanie myślami innych jest relacją zwrotną, że manipulant, wszedłszy w umysł innego człowieka, sam staje się bezbronny i nieświadomie otwarty na mentalną inwazję. A on sam nie zamierzał narażać na jakiekolwiek ataki swego subtelnego umysłu, wyostrzonego na gramatyce łacińskiej i na logicznych pismach Fregego i Carnapa. Ten na ogół niezawodny, lecz bardzo delikatny instrument filozof utrzymywał zawsze w gotowości. W pełni uruchamiał go zwykle w dwóch sytuacjach – wtedy gdy w czytelni Ossolineum zasiadał nad krętymi szeregami greckich liter lub nad kanciastą szwabachą albo gdy w czasie wakacji, wolny od zajęć uniwersyteckich, od konsultacji i od zaciekłości politycznej swych kolegów z Instytutu Filozofii, zaszywał się w małym, odziedziczonym po dziadkach domku w podtrzebnickich Siodłkowicach i tam, patrząc na łagodne i zalesione Góry Kocie, aż do bólu nadgarstka pisał swe analityczne rozprawy.

Zwykle ukrywał swój delikatny i łatwy do zranienia umysł pod grubą opończą obojętności. Tylko dwie rzeczy potrafiły przebić tę twardą skorupę.

NA PEWNO NIE BYŁ TO zgiełk ulicy, który teraz, w to wrześniowe przedpołudnie, szczególnie się natężał w jednym z najruchliwszych miejsc Wrocławia. Filozof, dzięki swym wyrabianym przez lata umiejętnościom psychicznym, zagłuszył w swej imaginacji ryk autobusu Ikarus, który właśnie go mijał z przeraźliwym skrzypieniem wysuszonego gumowego przegubu. Mężczyzna dmuchnął mocno nosem, by nie wtargnęły doń gęste słodkawe spaliny, i wszedł do wielkiego domu towarowego. Przez chwilę przyglądał się tłumowi kłębiącemu się pod samoobsługowym stoiskiem ze sztuczną biżuterią. Zastanawiał się, czyby nie kupić jakiejś błyskotki, lecz szybko odgonił tę myśl. Tandeta pozłacanych blaszek kłóciła się ze szlachetną urodą jego żony i z ich stosunkowo wysokim materialnym statusem. „Może jednak kupię coś dla Malwinki" – myślał. Jego sześcioletnia córka pewnie z radością włożyłaby jakiś kolczyk w malutkie, niedawno przebite ucho.

Filozof uznał pomysł za słuszny i wszedł w tłum starych i młodych kobiet. Było ciasno, nie mógł się dopchać do biżuterii wiszącej w plastikowych torebkach. Trochę wolnego miejsca ujrzał obok tęgiej, ubranej w kreszowy dres kobiety, która w zaciśniętej ozdobionej pierścieniami dłoni trzymała wypchaną kraciastą torbę. Stanął koło niej, lecz po chwili szybko się wycofał, a właściwie uciekł w panice, potykając się o nierówność linoleum. W pamięci został mu uśmiech kobiety odsłaniający złote zęby, w uszach słyszał wypowiadane przez nią rosyjskie słowa, a w nozdrzach czuł ciężki odór jej niemytego ciała. Stał przez chwilę na środku pedetu i zaciągnął się mocno powietrzem. Smród był jednym z dwóch najeźdźców, którzy potrafili przebić skorupę sztucznej, wytworzonej przez niego obojętności mającej go chronić przed złym światem.

Wyszedł szybko z pedetu i ruszył w stronę kościoła Bożego Ciała. Pod starą pogodynką na skwerze stała poobijana furgonetka Żuk, z której dwóch otyłych handlowców w kaszkietach sprzedawało tanią wódkę z wrocławskiej gorzelni. Handlowanie wprost na ulicy produktami państwowych przedsiębiorstw było ostatnimi czasy całkiem legalnym i dochodowym interesem. Filozof zastanawiał się przez chwilę nad mechanizmami tej działalności. Przyglądał się przy tym ludziom stojącym w sporej kolejce.

Nie ujrzał w niej Starca, który za chwilę poczuje smak jego zemsty.

„A TEN POWINIEN już tu stać – pomyślał filozof – i dopóki ma jeszcze za co, kupować gorzałę. Na zapas". Do tej pory Starzec rzadko kupował dla siebie wódkę. Nie musiał. Inni ofiarowywali mu – jako podziękowanie lub jako łapówkę – cysterny alkoholu. Wieczorami, po naukowych i administracyjnych posiedzeniach, zataczał się w korytarzach. Bulgotały w nim darowane mu w hołdzie peweksowski koniak, węgierski tokaj albo mocna wódka wyborowa. W ognistym rozmarzeniu śpiewał po rosyjsku *Międzynarodówkę* albo pieśni żołnierzy Budionnego. „A teraz nadejdą suche lata" – myślał złośliwie młody filozof, patrząc na czerwononosych ludzi kupujących etanol. Bez dużo młodszej kochanki-sekretarki, bez talonów na samochód i bez wczasów w Bułgarii.

Minął kościół Bożego Ciała i ogromną kamienicę z jubilerem i kawiarnią uczęszczaną głównie przez homoseksualistów. Koło zgrzytającego na szynach tramwaju przeskoczył pasy na przejściu dla pieszych i wszedł do potężnego narożnego gmachu zwanego Szklanym Domem lub krócej: „szklanką". W czasach niemieckich był tu dom towarowy z modą damską, w czasach polskich – studencka bursa, a od niedawna, lecz tylko do dzisiaj, jak sądził filozof, rządził tu niepodzielnie Starzec.

DYREKTOR. Tak wszyscy o nim mówili głośno. Profesor Koniaczek. To była wersja cicha i żartobliwa. Rzadko wymieniano jego nazwisko. Nie było potrzeby. Wiadomo, że w tym instytucie dyrektor może być tylko jeden. Wiadomo, że koniak za waluty może pić przede wszystkim samiec alfa.

W odróżnieniu od tych wszystkich ludzi młody mężczyzna wchodzący teraz na trzeszczące schody nazywał go „Starcem". Nie wymawiał nigdy jego nazwiska, lecz z zupełnie innych powodów niż wasale dyrektora. Obiecał sobie bowiem przed laty, że wstrętna i długa zbitka liter nigdy nie skala jego ust. Jej brzmienie było jak sygnał do inwazji na jego umysł. Było ono drugim – obok odoru – najeźdźcą, który potrafił zniszczyć kruchą równowagę duchową młodego uczonego.

WSZEDŁ NA PIERWSZE PIĘTRO i stanął pod drzwiami sali konferencyjnej. Czekając, aż zostanie wezwany, przyglądał się wyblakłemu
nieco plakatowi zawieszonemu tu w niedawnych jeszcze czasach, gdy
ten gmach był akademikiem. Z plakatu patrzyła na niego atrakcyjna
młoda kobieta w białej sukience bez ramion. Z jej ust, wygiętych
w pogardliwym uśmiechu, wychodził dymek z napisem.

– Z pijanym nie tańczę – mówiła kobieta.

Filozof, doktor Wacław Remus, uznał to za znak.

1946

1989

1989

2012

2012

1991

1991

PROFESOR MAŁGORZATA OLSZOWSKA-BIEDZIAK nigdy wcześniej nie widziała profesora Wacława Remusa, mimo że oboje byli naukowcami zatrudnionymi na wrocławskiej *Alma Mater*. Jak dotąd nie nadarzyła się okazja zapoznania się tych dwojga. Nie uczestniczyli oni bowiem nigdy w tych samych uczelnianych spotkaniach – ani w zebraniach rad wydziału, bo pracowali na innych fakultetach, ani w posiedzeniach senatu, bo profesor Remus nigdy nawet nie kandydował do tego gremium, ani na uroczystościach uniwersyteckich, bo znany filozof demonstracyjnie – jak szeptali złośliwcy – w takowych nie brał udziału. Występował natomiast często w telewizji, ale to niewiele pomogłoby Olszowskiej-Biedziak w rozpoznaniu jego twarzy. W jej dwupoziomowym mieszkaniu na Sępolnie nie było bowiem telewizora. Co więcej – posiadanie tego sprzętu było sprzeczne z jej zasadami. Ta niespełna pięćdziesięcioletnia uczona, światowej sławy specjalistka w zakresie biologii teoretycznej, była znaną ekscentryczką, zawzięcie tępiącą wszystko, co – jak sądziła – zagraża jej wolności. Nienawidziła wszelkiej presji i od wczesnych lat młodzieńczych swoje pragnienie swobody i niezależności demonstrowała w sposób niezwykle radykalny. Kiedy w początkach lat osiemdziesiątych można było na kartki kupić tylko ograniczone ilości mięsa i wędlin, studentka Gośka Olszowska, chcąc wyzwolić się z ograniczeń skrzeczącej codzienności, z dnia na dzień stała się wegetarianką. Kiedy także wówczas nie mogła znieść nachalnej propagandy komunistycznej wybrzmiewającej w czasie programów informacyjnych, w jednym błysku decyzji wyrzuciła swój telewizor przez okno. Kilka lat później, zanim powiedziała fundamentalne „tak" oświadczającemu się jej młodemu doktorantowi z politechniki, wymusiła na nim przyrzeczenie, że w ich domu nigdy nie będzie tego urządzenia. Jej narzeczony, dobrze zapowiadający się informatyk, nie widzący świata poza swoją ukochaną oraz poza algorytmiką, zgodził się chętnie na ten warunek, upewniwszy się jednak pierwej, że zakaz nie obejmuje monitora komputerowego. Do tego sprzętu, ku jego radości, młoda asystentka Instytutu

Biologii nie miała żadnych zastrzeżeń, tym bardziej że wkrótce okazał się on niezbędny w jej zmatematyzowanych badaniach naukowych nad ewolucją przyrody. One to wypełniły życie pani adiunkt, a wkrótce pani profesor – ten tytuł uzyskała w wieku lat trzydziestu siedmiu – i w ciągu dwudziestu lat zaowocowały sześcioma monografiami i dziesiątkami artykułów po angielsku, rozsławiając ją zwłaszcza za Oceanem. Z większości uniwersytetów amerykańskich sypnęły się zaproszenia oferujące prestiżowe i samodzielne stanowiska badawcze. Niepokorna pani profesor wszystkie je odrzuciła, kierując się swoją konsekwentną do bólu pryncypialnością. Każdemu rektorowi i kanclerzowi uniwersyteckiemu odpisywała niezmiennie: „Nie skorzystam z Pana uprzejmego zaproszenia, a o powody niech raczy Pan zapytać profesora Ralpha Wileya z Cleveland State University". Nieszczęśnik ten w późnych latach osiemdziesiątych odrzucił był podanie stypendialne młodej doktor Małgorzaty Olszowskiej-Biedziak i tym samym sprawił, że pani biolog zacięła się i powiedziała: „Nie chcą mnie za granicą teraz, no to nie będą mnie tam mieli nigdy!". Decyzja Ralpha Wileya przysporzyła mu wątpliwej popularności w amerykańskim świecie naukowym, a rezygnacja jego niedoszłej stypendystki z kariery akademickiej za oceanem nie odbiła się w najmniejszym stopniu negatywnie na jej dalszych eksploracjach natury. Zupełnie jej wystarczały zaawansowane programy komputerowe do badań ewolucyjnych i genetycznych, które jej mąż, już profesor, Witosław Biedziak tworzył z informatyczną wirtuozerią.

Dzisiejszego poranka komputer przydał się jej jeszcze do czegoś innego. Dzięki materiałom dostępnym w Internecie zapoznała się bowiem wcześniej z obliczem profesora Wacława Remusa i nie musiała teraz w klubie uniwersyteckim rozglądać się bezradnie w nadziei, że ona sama zostanie przez niego rozpoznana. Dostrzegła go natychmiast. Szybkim krokiem podeszła do stolika w kącie sali. Mężczyzna wstał na jej widok i uśmiechnął się promiennie. Wyglądał lepiej niż na zdjęciach w Internecie. Był szczuplejszy, jego cera nie była tak ziemista, a łysina tak spiczasta, jak to się jej wcześniej zdawało. Miał na sobie jasnoszary garnitur z delikatnej wełny, niebieską koszulę i czarny, jakby robiony na drutach krawat. Zupełnie nie pasował do stereotypu profesora z Wydziału Nauk Społecznych, gdzie w dobrym guście był styl posthipisowski albo postrewolucyjny *à la* Che Guevara, a wypastowane buty były symbolem znienawidzonego systemu korporacyjnego. Remus wyglądał raczej na naukowca z Wydziału Prawa, gdzie wymóg noszenia garnituru był – jak głosiła plotka – zadekretowany przez kolejnych dziekanów specjalnym tajnym rozporządzeniem. Profesor Olszowska-Biedziak – elegancka, z dyskretnym makijażem *au naturel* – musiała przyznać sama przed sobą, że nie pozostała całkiem obojętna na rozsiewany przez mężczyznę zapach dobrych perfum oraz harmonię barw, jaką tworzyły części jego garderoby.

Podała mu rękę i usiadła. Zgodziła się na kawę i coś słodkiego. Kiedy poszedł do bufetu, rozglądała się po klubie, w którym ostatni raz była chyba z dziesięć lat wcześniej. Pamiętała dobrze tę ciemną boazerię z kwadratowych płyt, wieszaki na gazety, na których nie wisiało nic poza „Przeglądem Uniwersyteckim", wytarty czerwonawy dywan i piękny fresk na suficie. Po chwili uznała, że nie zmienił się również kiepski smak kawy rozpuszczalnej.

– Przepraszam, nie mają tu żadnych słodyczy – uśmiechnął się i spojrzał jej w oczy.

Dobrze wyglądał jak na swoje pięćdziesiąt sześć lat. „Pewnie uprawia biegi długodystansowe – myślała – goli się dwa razy dziennie, a przed snem wklepuje w policzki dobry krem". Nie odwzajemniła jego uśmiechu. Postanowiła być zimna i profesjonalna.

– Pański projekt edukacyjny – zręcznie zdarła sreberko z plastykowego pojemniczka, w którym była śmietanka – jest interesujący. Powiem więcej: jest świetny. Liceum akademickie, średnia szkoła odwołująca się do tradycji polskich gimnazjów klasycznych, szkoła płatna, ale jednocześnie pozbawiona jakiegokolwiek wpływu rodziców. Żadnych dzikich pretensji z ich strony, żadnych wycieczek szkolnych, żadnych wywiadówek, żadnej sprawozdawczości. Uczeń sprawia problemy wychowawcze? Nikt z nim nie idzie do psychologa, lecz się go po prostu usuwa ze szkoły. Wysoki poziom nauczania, sami dydaktycy uniwersyteccy, każdy z tytułem przynajmniej doktorskim.

Pensje nauczycielskie imponujące... Idealny projekt, panie profesorze. – Zabarwiła śmietanką brązową lurę. – Ale mnie daleko jest do ideału... Dlaczego pan zaproponował posadę nauczycielki biologii właśnie mnie?

Remus wyjął z kieszeni marynarki elektronicznego papierosa i zaciągnął się nim głęboko. Na jego serdecznym palcu zalśniła ciężka szeroka obrączka.

– Właściwsze jest określenie „stanowisko profesor historii naturalnej". – Wydmuchiwał powoli obłoczki pary wodnej. – To stare, piękne określenie i adekwatne do Lycaeum Subterraneum. Będzie ono szkołą humanistyczną. Jak pani profesor doskonale wie, termin „humanista" w dzisiejszych czasach oznacza tylko „ten, który nie lubi matematyki". Tymczasem nad wejściem do naszej humanistycznej na wskroś szkoły będzie, jak nad Akademią Platońską, grecki napis *ΑΓΕΩΜΕΤΡΗΤΟΣ ΜΗΔΕΙΣ ΕΙΣΙΤΩ*, żaden nie znający geometrii niech tu nie wchodzi. Oczywiście pod słowem „geometria" kryje się „matematyka". Ten zakaz dotyczy nauczycieli.

Urwał i czekał na jej reakcję. Było nią milczenie i zamyślone spojrzenie rzucone na jego kwadratowy zegarek z białym cyferblatem.

– Jest pani profesor wybitnym biologiem teoretykiem, znającym dobrze matematykę, i jednocześnie subtelną humanistką, znawczynią filozofii, zwłaszcza filozoficznych aspektów ewolucjonizmu. Poglądów Spencera, Bergsona i Teilharda de Chardin, a ostatnio Ayali i innych ewolucjonistów współpracujących niedawno pod patronatem Jana Pawła II. Czytałem pani świetne rozprawy o symetrii w przyrodzie w materiałach Studium Generale... Mimo swojej ogromnej wiedzy i licznych zaproszeń nie wyjeżdża pani ani na stałe, ani jako *visiting professor* do żadnych ośrodków zagranicznych. Dwukrotnie odrzuciła pani propozycję zostania dziekanem. Administrowanie pani nie pociąga, zaszczyty również. Jest pani znakomitym dydaktykiem. Nie moglibyśmy sobie wymarzyć lepszej profesor historii naturalnej w naszej niezwykłej szkole.

– Zapomina pan profesor – nie potrafiła darować sobie tej złośliwości – że należę również do pokolenia, które uczyło się jeszcze w szkole łaciny. I dziwi mnie nazwa pańskiej niezwykłej instytucji. Dlaczego „Liceum Podziemne"?

– Tradycja – odparł. – To szczególna wrocławska tradycja. Gymnasium Subterraneum. Tak nazywała się tajna prywatna szkoła średnia, która działała we Wrocławiu w roku szkolnym 1946/1947. Jej założyciele słusznie uznali, że należy zejść do podziemia, aby tam przechować święty ogień, najlepsze tradycje polskiej edukacji. Szczytne wzory dawnych polskich gimnazjów klasycznych. Szkoła ta miała być przeciwwagą dla marksistowskiej i komunistycznej indoktrynacji, jakiej wówczas poddawano młodzież. Była to też reakcja na początki degeneracji polskich szkół. W Gymnasium Subterraneum nauczano młodzież filozofii oraz niezafałszowanej historii. Czy widzi pani profesor jakąś analogię tamtej sytuacji w polskiej oświacie do sytuacji obecnej?

– Zaraz mi ją pan odmaluje z właściwą sobie jasnością – mruknęła ironicznie.

– Cytat z *Lalki*. – Remus oparł na stole silne, smukłe dłonie. – Proszę mi wybaczyć ten komplement, ale cytowanie Prusa również świadczy o pani formacji umysłowej.

Dałaby wszystko, aby teraz się nie zaczerwienić. To się jej jednak nie udało. Najbardziej rozdrażniło ją nie to, że Remus zauważył jej rumieniec, lecz jego uśmiech, który zdawał się mówić: „To normalne, tak właśnie kobiety reagują na moje komplementy". Czuła wzbierającą falę irytacji.

– Sytuacja jest groźna. – Zauważył to i zgasił uśmiech. – Polska oświata obumiera. Matura straciła swe znaczenie. Jest byle jakim sprawdzianem, który byle kto zdaje. Absolwenci tak zwanych liceów nie potrafią się skupić, nie potrafią składnie pisać ani mówić. Historię spycha się na margines. W odróżnieniu od francuskich czy niemieckich szkół średnich w naszych nie ma miejsca dla filozofii, logiki i łaciny. Projekt Lycaeum Subterraneum jest reakcją na to obumieranie. Chcemy ocalić choćby garstkę młodzieży. Dajemy jej najlepszych nauczycieli w tym mieście, ludzi wszechstronnych, którzy mogą być mistrzami. Takimi jak pani profesor.

– Ale ja nie będę pracować w pańskiej szkole. – Olszowska-Biedziak spojrzała ostro na Remusa. – Chyba że rozwieje pan profesor trzy moje wątpliwości...

– Rozwieję – powiedział zdecydowanie, choć jego dłonie lekko zadrżały.

– Wątpliwość pierwsza, natury organizacyjnej. – Wychyliła resztkę kawy. – Dlaczego uczniami Lycaeum Subterraneum będą wyłącznie chłopcy i dlaczego ja mam być jedyną kobietą w składzie pedagogicznym?

– Odpowiedź na to drugie pytanie jest bardzo prosta – odparł Remus. – To czysty przypadek. Dobierałem nauczycieli wedle następującego klucza: nauczyciele przedmiotów humanistycznych muszą się wykazywać zainteresowaniami matematycznymi i przyrodniczymi i *vice versa*: nauczyciele ścisłowcy i przyrodnicy muszą mieć formację i zainteresowania humanistyczne. Zapewne moje możliwości rozpoznania takich ludzi były niezwykle skromne, ale w naszym wrocławskim środowisku oprócz pani profesor znalazłem wyłącznie mężczyzn spełniających ten warunek. – Odsapnął, jakby ta odpowiedź wiele go kosztowała, choć Olszowska-Biedziak była pewna, że już wcześniej się przygotował na to pytanie. – A teraz następna kwestia... Pyta pani, dlaczego uczniami będą tylko chłopcy... To warunek patrona naszej szkoły.

– Autorytet *ipse dixit* – usta uczonej aż zadrgały z ironii – nie jest dla mnie przekonujący. A poza tym jakoś nie mogę sobie wyobrazić żadnego wybitnego człowieka żyjącego w nieodległych czasach, który mówi: „Jeśli zostanę patronem jakiejś szkoły, to zakazuję przyjmowania do niej dziewcząt"...

Remus zamilkł. Najwyraźniej go trafiła.

– Warunek patrona o monoedukacji – powiedział po chwili, prawie sylabizując – jest związany z bardzo smutnymi przeżyciami, jakie go dotknęły we Wrocławiu tuż po wojnie. Czy to pani profesor wystarczy?

– Nie, nie wystarczy. – Olszowska-Biedziak udatnie naśladowała Remusa. – Abym pracowała w jakiejkolwiek instytucji, musi być spełniony jeden z dwóch warunków: albo ja sama będę dyrektorem tej instytucji, albo będzie nim człowiek, do którego mam pełne zaufanie.

A tego o panu profesorze nie mogę powiedzieć... Odpowiada mi pan półsłówkami... Ponadto nie wiem, dlaczego to właśnie pan przejmuje duchowe posłannictwo patrona. Przyzna pan, że w środowisku naukowym ma pan opinię, delikatnie mówiąc, dość kontrowersyjną. Jest pan, jak powiadają, „jedynym sprawiedliwym", „tropicielem plagiatów", „Katonem"... Ja osobiście pochwalam pańskie postępowanie i pańskie zasady, ale wielu się ono nie podoba... Ta głośna sprawa sprzed dwudziestu lat wciąż za panem idzie jak cień. Całkiem niedawno słyszałam od pewnego profesora ironiczną opinię na pański temat. Przypominając tę dawną sprawę, nazwał pana „uniwersyteckim Brudnym Harrym"... – Remus roześmiał się głośno, ale Olszowska-Biedziak nie podzielała jego wesołości. – Ma pan tylko jedną możliwość zdobycia mojego zaufania – powiedziała, starannie dobierając słowa. – Wyjaśni mi pan, dlaczego w pańskiej szkole nie będzie dziewcząt, *ergo* opowie mi pan o tych smutnych przeżyciach patrona szkoły. A potem może się dowiem, dlaczego to właśnie pan został wykonawcą jego duchowego testamentu...

Remus westchnął i opuścił płasko dłonie na stół.

– Opowiem pani – zagrał palcami na blacie – ale to bardzo długa opowieść... I ostrzegam: bardzo drastyczna... Pełna zbrodni i przemocy...

Olszowska-Biedziak spojrzała na swój mały podłużny zegarek.

– Ja mam czas, a pan?

– Ja też, ale nie wiem, od czego tu zacząć... Od patrona czy od siebie?

– Najlepiej od kawy. – Pani biolog spojrzała na puste dno swej filiżanki. – A potem od siebie...

– Musiałbym wyjawić pani wiele szczegółów osobistych... Zbyt mało się znamy...

Wstała.

– Do widzenia, panie profesorze...

– Proszę usiąść. – Remus sapnął zirytowany. – Powiem pani wszystko. – Usiadła. – Moje osobiste zaangażowanie w projekt Lycaeum Subterraneum jest wyjaśnione w dużej mierze przez pewne fakty biograficzne. Od mojego życiorysu zatem zacznę. Urodziłem się...

1946

 1989

2012   2012

1991   1991

URODZIŁEM SIĘ w roku 1956 we Wrocławiu, gdzie mieszkam do dziś. W roku 1975 z dyplomem maturalnym IX Liceum Ogólnokształcącego w kieszeni rozpocząłem *cursus studiorum*. Chciałem studiować filozofię, ale nie było to takie proste. Trzeba było najpierw skończyć inny kierunek studiów. Wybrałem zatem filologię klasyczną, bo łacina – obok matematyki – należała do moich ulubionych przedmiotów szkolnych. W roku 1979 ukończyłem te pierwsze studia i rozpocząłem następne. Po roku postanowiłem się specjalizować w filozofii greckiej, a zwłaszcza w jej okresie przedsokratejskim. Wykładowcy szybko dostrzegli moje językowe atuty – oprócz łaciny i greki, które wcześniej studiowałem, mówiłem dobrze po niemiecku. Szybko ujawniły się również moje matematyczno-logiczne zainteresowania. Po roku zaproponowano mi tak zwany indywidualny tok studiów. Trzy lata później byłem już magistrem filozofii, a doktorat obroniłem w roku 1985. Był to rok bardzo ważny w moim życiu. Wtedy bowiem nie tylko pojawiły się dwie literki przed moim nazwiskiem, ale także to nazwisko objęło swym zasięgiem moją dawną koleżankę z roku oraz małą płaczącą istotę o gęstych ciemnych włosach, która to w listopadzie tegoż roku pojawiła się na tym najlepszym z możliwych światów. Miałem lat dwadzieścia dziewięć, kawalerkę na Ostatnim Groszu, małego fiata, mnóstwo energii i planów na przyszłość, cieszyłem się szczęśliwą rodziną, dobrym zdrowiem i stałą pracą na uniwersytecie. Nie zamierzałem emigrować z Polski jak wielu moich przyjaciół zniesmaczonych mizerią życia codziennego i ideologicznym smrodem. W odróżnieniu od wielu z nich miałem bliską rodzinę w Niemczech Zachodnich, zwłaszcza w Hanowerze, gdzie mieszkało mnóstwo kaszubskich krewnych mojej matki. Tam spędzałem każde wakacje, pracując na zmianę na budowie lub w kartoffelbarze – a moją erudycją wprawiałem w osłupienie kolegów budowlańców: różnych Turków, Serbów i innych volkswagendeutschów. Dzięki potędze marek niemieckich, które w Polsce wymieniałem u cinkciarzy, żyliśmy na nie najgorszym poziomie. Peweksowskie oznaki mojej względnej zamożności – papierosy Marlboro, dżinsy Wildcat i swetry szetlandzkie – wzbudzały zainteresowanie studentek i zawiść kolegów. Pierwsze mnie nie interesowało, o drugie nie dbałem. Byłem dzieckiem szczęścia, aż na moim horyzoncie wyrosła złowroga postać Starca.

* * *

TAK NAZYWAŁEM i nazywam ówczesnego dyrektora Instytutu Filozofii. Aby nie kalać mych ust, postanowiłem nigdy nie wymieniać jego długiego nazwiska. Jako naukowiec nie był szeroko znany. Pisywał prace filozoficzne pełne logicznej symboliki, które miały obłaskawić dialektykę Hegla i Marksa, pogardzaną przez klasycznych logików. On sam uważał, że przyczynia się do rozwoju logiki matematycznej, lecz było to przeświadczenie megalomana. Jego prace ignorowali matematycy, co go szczególnie rozwścieczało, a filozofowie ich nie rozumieli z powodu ogromnej liczby greckich cytatów, tłumaczonych przez niego samego z dużą dowolnością – zgodnie z bronioną tezą. Jako jeden z nielicznych rozumiałem te cytaty i zdawałem sobie sprawę, że ich tłumaczenie z prezentowaną tezą ma związek ścisły, z oryginałem zaś – bardzo luźny.

Mimo że prawie żaden filozof ich nie studiował, wszyscy wychwalali je pod niebiosa i oddawali Starcowi nieustanne hołdy. Mieli w tym swój osobisty interes. Starzec był w czasach PRL-u jednym z najważniejszych członków państwowej komisji do spraw nadawania stopni naukowych i redaktorem naczelnym kilku ważnych periodyków. Mógł utrącić każdą habilitację z zakresu nauk społecznych, a żaden artykuł z tych dziedzin nie miał szans ukazania się bez jego *imprimatur*. Trzeba przyznać, że na ogół był ludziom życzliwy, ale ta życzliwość miała swoją cenę. Kiedyś zawsze nadchodził czas okazania mu wdzięczności, co przypominał wszystkim beneficjentom bez ogródek, a czasem nawet dość brutalnie. *Do, ut des* było zawsze jego zasadą.

W latach osiemdziesiątych Starzec był wrocławskim, jak to byśmy dziś powiedzieli, VIP-em. Bywał na rautach, premierach, brylował na salonach, zabiegał o dobre stosunki ze wszystkimi stronami bardzo spolaryzowanej wówczas sceny politycznej. Podejmowano go radzieckim kawiorem w komitecie wojewódzkim partii, a jesiotrem – w pałacu arcybiskupim. Poza tymi miejscami świadomie roztaczał wokół siebie prymitywny, proletariacki urok, który – o dziwo! – pociągał kobiety. Zawsze uważałem, że Starzec sprawia groteskowe wrażenie swoim dwudniowym zarostem *à la* Bertolt Brecht, jedwabnym fularem i welurowym brązowym garniturem, do którego nosił drewniaki. Nie uważały go jednak za groteskowego ani dużo młodsza żona, ani liczne kochanki. Miał razem pięcioro dzieci, w tym dwie córki z nieprawego łoża. Jedna mieszkała wraz z samotną matką w Dreźnie, inną zaś wychował w błogiej nieświadomości jako własną pewien czeski dygnitarz komunistyczny. Ta progenitura poczęła się w murach komitetu wojewódzkiego na pijackich balangach integracyjnych, które były odreagowaniem nudnych ideologicznych dysput toczonych przy deficytowej coca-coli.

Starcowi nieobce było jednak cierpienie. Brało się ono z dwóch przyczyn. Po pierwsze, pogłębiał się jego alkoholizm, który domagał się coraz to większych dawek etanolu – i to zażywanych już nie tylko wieczorami, ale i o poranku. Po drugie, brakowało mu następców. Niby wielu robiło u niego doktorat, ale nie stworzył żadnej własnej szkoły, o czym zawsze marzył. Nikt nie chciał iść jego śladem oprócz kilku miernot, których nędzę naukową on sam dobrze widział. Już prawie popadł w desperację i zaczął głosić publicznie, zawsze po pijanemu, poglądy o degeneracji polskich filozofów, którzy rzekomo nie znają ani logiki, ani greki. Nadszedł jednak dzień, kiedy obudziła się w nim nadzieja. Było to w listopadzie 1982 roku, kiedy – jeszcze jako student – wygłosiłem na posiedzeniu Wrocławskiego Towarzystwa Filozoficznego referat, mały przyczynek do Arystotelesowej sylogistyki. Wtedy Starzec dostrzegł we mnie swego następcę.

* * *

NA POCZĄTKU NIE WIEDZIAŁEM, czy zaakceptować tę rolę. Zdawał sobie sprawę z moich wahań i postępował ze mną bardzo umiejętnie. Nadzwyczaj dyplomatycznie. Nie obdarzał mnie, jak innych asystentów i adiunktów, jednostronnym bruderszaftem i zwracał się do mnie zawsze per „panie kolego". Obiecywał przy tym, że po doktoracie przejdziemy na „ty", co wielu by uznało za oszałamiający zaszczyt. Zapraszał mnie wraz z moją Joasią – wtedy jeszcze studentów! – do siebie, gdzie w przepychu raczył nas wódką z pepsi i z cytryną, co wówczas uchodziło za niezwykle szlachetny napitek. Ten zdobywca cudzych żon nie próbował uwodzić mojej. Odnosił się do niej z wielkim, by nie rzec: przesadnym, szacunkiem. Cierpliwie czekał dnia, kiedy uznam go za swego mistrza. Tymczasem ja okazałem mu czarną niewdzięczność.

Magisterium z filozofii napisałem nie u niego, lecz u pewnej pani profesor filologii klasycznej, odmawiałem mu też konsekwentnie – co u studenta było szczytem odwagi lub głupoty – kiedy mnie prosił o przetłumaczenie wielu greckich i łacińskich tekstów, których potrzebował do aktualnie pisanych prac. Znosił długo moją brawurę, aż w końcu się rozzłościł. Krótko po obronie mojej pracy magisterskiej wezwał mnie do siebie i przyjąwszy, wbrew dotychczasowym zwyczajom, obraźliwą formułę jednostronnego bruderszaftu, postawił taki oto warunek: „Albo nie podskakujesz i robisz, co ci każę, albo możesz się pożegnać z marzeniami o asystenturze. Jaka jest twoja decyzja?". Nie odpowiedziałem wtedy na to pytanie i poprosiłem o kilka dni do namysłu.

Z tego decyzyjnego pata wybawił mnie jego alkoholizm. Kiedy rektor dwa dni przed rozpoczęciem roku akademickiego ofiarował instytutowi etat asystenta, Starzec oficjalnie był na urlopie, w rzeczywistości zaś leżał w szpitalu psychiatrycznym na oddziale detoksykacji alkoholowej, o czym nie wiedział nikt oprócz jego aktualnej utrzymanki, młodziutkiej ekspedientki z Domu Towarowego Feniks. Wicedyrektorka instytutu, nie mogąc się z nim skontaktować w sprawie przyjęcia mnie do pracy, zwołała posiedzenie wszystkich pracowników instytutu, którzy w ogromnej mierze poparli moją kandydaturę.

* * *

I TAK WBREW WOLI STARCA zostałem asystentem w Katedrze Historii Filozofii. Wciąż miałem szczęście. Nie świadczyłem na jego rzecz żadnej pańszczyzny, a mimo to dwa lata później zostałem doktorem. Nie mógł mi w tym przeszkodzić, bo doktorat napisałem u znanego profesora filologii klasycznej, który w komitecie wojewódzkim był lepiej ustosunkowany niż Starzec i storpedował jego intrygi.

Po uzyskaniu doktoratu wydawało się, że nic nie może mi już przeszkodzić w karierze. Pracowałem bardzo intensywnie, publikowałem dużo, głównie w filozoficznych periodykach zachodnioniemieckich. Byłem lubiany przez studentów. Starzec okazywał mi publicznie wielką życzliwość, prywatnie, a zwłaszcza po pijanemu, ubliżał mi najbardziej plugawymi słowami. Zdałem sobie sprawę, że może utrącić moją habilitację – o ile alkoholizm mu w tym nie przeszkodzi. Pragnąłem, żeby jego nałóg stał się totalny, żeby go powalił na amen, żeby go wepchnął do końca życia w kaftan bezpieczeństwa. Niegodnie i małostkowo modliłem się do Boga o zespół Korsakowa dla Starca.

Moje modlitwy stały się nadzwyczaj intensywne około roku 1987. Wtedy to jego nienawiść zaczęła mi wyjątkowo doskwierać. Dostawałem od niego najgorsze zajęcia. Późnym wieczorem zdzierałem głos na wykładach dla dwustu studentów prawa, którym grały puste żołądki, albo wczesnym porankiem zasiadałem przed rozespanymi studentkami pedagogiki, tyle dbającymi o Platona i Kartezjusza, ile ja o zasoby naturalne Burkina Faso. Co gorsza, choć byłem oficjalnie historykiem filozofii, Starzec nakazał mi prowadzenie w naszym instytucie zajęć z filozofii marksistowskiej. Były to zajęcia często przez niego wizytowane. Nie szczędził mi upokorzeń, przerywał w pół zdania i z uśmiechem wyjaśniał studentom moją niewiedzę. Kiedy nie gnębił mnie akurat wizytacją, prowadziłem ćwiczenia marksistowskie dość opieszale i w żartobliwym nastroju, o czym też się dowiedział. Skutkiem tego dorobiłem się cienkiej teczki w archiwum Służby Bezpieczeństwa. Zostałem kiedyś wezwany do pogestapowskiego gmachu na Łąkowej. Kulturalny pan położył na biurku deklarację o współpracy z SB i zapytał mnie, czy wciąż pragnę jeździć do pracy do Hanoweru. Odmówiłem podpisania. Otrzymałem zapewnienie, że już więcej nie ujrzę stolicy Dolnej Saksonii.

WTEDY MOJE ŻYCIE rodzinne zaczęło podupadać. Oszczędności topniały. Pozbawiony możliwości wyjazdów zarobkowych, musiałem przeżyć za chudą uniwersytecką pensyjkę. Moja delikatna i subtelna żona, wówczas nauczycielka polskiego w osiedlowej podstawówce, po nocach płakała, przypominając sobie ryki i wyczyny swoich uczniów. Rano bolał ją brzuch, gdy miała iść do pracy. Mój blok opanowały karaluchy. Kiepskich środków owadobójczych, a tylko takie były w sprzedaży, żona nie pozwoliła stosować w obawie przed zatruciem naszej córeczki. Kiedy pewnego ranka zobaczyła prusaka na policzku śpiącego dziecka, spakowała swoje rzeczy i ogłosiła chęć wyprowadzki do rodziców, zajmujących ogromną poniemiecką willę na Biskupinie. Chciała, abym się wyprowadził wraz z nią. Przez kilka dni zapraszała mnie łagodnie, choć stanowczo. „Wytrzymasz jakoś z moim z ojcem – mówiła. – Przecież nie musisz z nim wciąż dyskutować o polityce. Zrozum go. Polska Ludowa dała mu wszystko. Sprzedajmy naszą kawalerkę! Będziesz miał pieniądze na biznes: wstrzeliwanie kołków, produkcję galanterii drewnianej albo montowanie okapów nadkuchennych". Nie widziałem siebie w wymienianych przez nią zawodach. Odmówiłem, a ona wciąż nieugięcie obstawała przy swoim. Kilka dni później zostałem w pustym mieszkaniu całkiem sam, wśród stosów książek filozoficznych. Po tygodniu, zataczając się, zwalałem te stosy, potykałem się o puste butelki po wódce, a pod moimi kapciami trzaskała chityna insektów. Na szczęście był wtedy lipiec 1989, Polska odzyskiwała wolność, a ja miałem wakacje. Nie musiałem prowadzić żadnych zajęć i mogłem się spokojnie zatracić. Po dwóch tygodniach nie mogłem niczego jeść i wymiotowałem żółcią. Jedyna aktywność, jaką przejawiałem, to było chodzenie do sklepu osiedlowego i przysięganie, że moje usta nigdy już nie wymówią nazwiska Starca. Od całkowitego upadku uratował mnie telefon z Niemiec.

* * *

– *Herr Doktor* Remus? – usłyszałem. – Czy rozmawiam z doktorem Remusem?

Potwierdziłem. Słowa z trudem przechodziły mi przez wysuszone gardło.

– Mówi doktor Rüdiger Habe z wydawnictwa Fischer Verlag z Frankfurtu nad Menem. Chcemy panu powierzyć pewną delikatną misję... W tym tygodniu oddajemy do druku wybitną książkę filozoficzną. Książka ta będzie wielkim wydarzeniem kulturalnym. Jej autor dowodzi niezwykle przekonująco, że cała historia ludzkości to wielka ewolucja ku dobru. Że cały świat zmienia się na lepsze, że wojny i tragedie to tylko pozorne spowolnienia tego procesu, po których znów następuje rozkwit dobra. Ta książka będzie rewelacją, bestsellerem, przyniesie autorowi światową sławę. Otóż, jak mówiłem, ta praca musi być oddana do druku jeszcze w tym tygodniu. Tymczasem jest w niej jeden zagadkowy przypis. Odsyła on do rękopisu jakiegoś scholastycznego filozofa, którego dzieło jest w jednym tylko miejscu na świecie – we wrocławskiej Bibliotece Kapitulnej. Autor nam nie wyjaśnił, mimo licznych monitów, co to za rękopis, i nie podał właściwego adresu bibliograficznego. Powiedział, że nie może znaleźć zapisków tego scholastyka i chce z tego przypisu w ogóle zrezygnować. Nie zgodziliśmy się na to, bo ten przypis ma znaczenie kluczowe dla pewnego wątku rozważań. Jesteśmy poważnym wydawnictwem i nie możemy wydawać książek, w których nie ma odsyłaczy w takich ważnych miejscach. Autor obiecał nam, że dzisiaj – podkreślam: dzisiaj – się tym ostatecznie zajmie. Tymczasem dowiedzieliśmy się, że wczoraj, tak, właśnie wczoraj, wyjechał na wczasy nad morze i jest nieuchwytny telefonicznie. *Herr* Remus – ton mojego rozmówcy stał się proszący – jest pan naszą ostatnią deską ratunku! Książkę musimy oddać do drukarni najpóźniej za trzy dni, a Biblioteka Kapitulna odmówiła nam skopiowania najważniejszego źródła, nie mówiąc już o jego wysłaniu! Źródła, bez którego nasza książka będzie niewiarygodna naukowo! Przyjechałbym osobiście do

Wrocławia, ale dyrektor tej instytucji powiedział nam, że rękopis ów należy do prohibitów. Co za absurd! Nie rozumiem, dlaczego scholastyczny rękopis mógłby być zakazany! Błagam, niech pan pójdzie, doktorze, do Biblioteki Kapitulnej, wypożyczy tę książkę za łapówkę w dowolnej wysokości i sprawdzi dokładny zapis na stronie szesnastej. Zapłacimy panu za to godziwe honorarium! Proszę podać jego wysokość w markach niemieckich, a my ją zaakceptujemy! I oczywiście doliczymy wysokość łapówki!

Zamiast podania sumy wykrztusiłem z siebie pytanie:

– Jak się nazywa autor?

– Profesor Feliks Zinowiew.

– Na pewno Zinowiew? – prawie się zadławiłem tym układem dźwięków.

– Tak – potwierdził Habe.

ZNIENAWIDZONE NAZWISKO Starca było jak nieoheblowany kloc, który mnie dławił. Przełykałem ślinę, a suche zaklinowane drewno tkwiło nieruchomo, jedynie drzazgi się od niego odrywały i wbijały w mój przełyk. Bez słowa odłożyłem słuchawkę i pobiegłem do toalety, zaciskając mocno obie dłonie na ustach.

Po chwili, kiedy już ustąpiły konwulsje przy muszli klozetowej, telefon znów zadzwonił. Powlokłem się na czworakach do aparatu.

– Doktorze Habe – mówiłem bardzo wolno. – Nie mam zamiaru przyczyniać się do zyskania światowej sławy przez tego człowieka, a jedyne, co mógłbym i chciałbym dla niego uczynić, to zapalić świeczkę na jego grobie, na który wcześniej bym oddał mocz.

*   *   *

ODŁOŻYŁEM SŁUCHAWKĘ, wyszedłem na balkon i ryknąłem w dzikim radosnym szale na całe osiedle: „Starzec nie wyda książki! Zdechnie na detoksie! Na pohybel Starcowi!". Tego dnia nie piłem. Nie musiałem niczym wspomagać mojego wspaniałego nastroju. Napawałem się zemstą i spryskując kuchnię i łazienkę preparatem na karaluchy, wyobrażałem sobie, że tępię genialne myśli Starca. Telefon dzwonił wielokrotnie. Odbierałem go i odkładałem bez słowa słuchawkę, ilekroć słyszałem język niemiecki.

NASTĘPNEGO DNIA dzwonek telefonu obudził mnie o ósmej rano. Usłyszałem zalotny kobiecy głos mówiący po niemiecku z silnym szwajcarskim akcentem. Tym razem nie przerwałem połączenia, bo byłem ciekaw, kim jest moja rozmówczyni. Otóż była sekretarką w getyńskiej fundacji Siemens Kulturstiftung i zapytała, czy nie zechciałbym porozmawiać z jej prezesem panem Arnem Negelem. Zgodziłem się zaintrygowany i zaraz usłyszałem męski dudniący głos. Ponownie usłyszałem prośbę o sprawdzenie rękopisu i – zanim zdążyłem odmówić – otrzymałem ofertę rocznego stypendium w Getyndze. Otrzymałbym do dyspozycji czteropokojowe mieszkanie – mówił Negele – w którym mógłbym zamieszkać z żoną i z córeczką, oraz stypendium. Kiedy usłyszałem, jaka jest jego wysokość, zaszumiało mi w głowie. Szybko policzyłem i zrozumiałem, że żyjąc oszczędnie, zarobiłbym na nowe mieszkanie w Polsce. „Nie musi się pan niczego obawiać, *Herr Doktor* Remus – mówił prezes, po czym zdradził, jak wiele o mnie wie. – Po czerwcowych wyborach zakaz pańskich wyjazdów na Zachód wydany przez polską policję polityczną jest już nieaktualny. Pański szef profesor Zinowiew z pewnością też się zgodzi na pański roczny urlop po tym, co pan dla niego zrobi".

Długo milczałem, podobnie jak mój rozmówca. Z kuchni wypełzł karaluch w agonii. Przewrócił się na grzbiet i wyprostował odnóża. Spojrzałem na insekta i panu Negelemu powiedziałem zdecydowane „tak!".

* * *

DWIE GODZINY PÓŹNIEJ stałem przed obliczem kierownika działu rękopisów Biblioteki Kapitulnej. Wysoki, łysy ksiądz wciąż patrzył z niedowierzaniem na jedną z kartek, które bez słowa położyłem mu przed oczami. „Hermias Scholasticus, *De providentia*, rkps nr 13 634" – głosił napis na pierwszej kartce. Nie w nią się jednak wpatrywał bibliotekarz. Na drugim świstku papieru widniała duża liczba ozdobiona symbolem bardzo szanowanej w Polsce jednostki monetarnej: 500 DM. Ksiądz prychnął pogardliwie i przekreślił długopisem tę sumę.

Po minutowym milczeniu zażądał mojego dowodu osobistego. Twierdził, że ten rękopis jest cennym depozytem. Podałem mu sfatygowaną zieloną książeczkę, a bibliotekarz wyszedł z pokoju i długo nie wracał, czym nawet mocno mnie zaniepokoił.

Po chwili znów się pojawił. Oddał mi dowód. Jego dłonie opięte były białymi rękawiczkami. W rękach trzymał oprawioną w półskórek niewielką książeczkę. Położył ją przede mną i wskazał palcem na trzy małe rzeźby stojące na jego biurku. Wyobrażały one trzy małpki. Jedna z nich łapami zamykała sobie oczy, druga zatykała uszy, a trzecia – usta. „Nic nie widzę, nic nie słyszę, nic nie mówię". Mądre małpki bibliotekarza wpatrywały się we mnie swymi bakelitowymi oczami.

Usiadłem przy stole w czytelni i otworzyłem rękopis. Zrobiło mi się ciemno przed oczami, i to wcale nie z powodu dwutygodniowego picia. To nie była ta książka. Nie był to rękopis żadnego filozofa scholastycznego. Autorem był ktoś całkiem inny.

„W połowie października 1946 roku zamieszkałem wraz z mą kochaną kuzynką Leokadią na ulicy Grunwaldzkiej 10, tuż obok zakładu fryzjerskiego. Pan Bugiel, mistrz nożyczek i grzebienia, niewiele miał pożytku z takiego jak ja sąsiada, który mógłby się czesać gąbką" – mówiło pierwsze zdanie, zapisane równym, kaligraficznym pismem. Jeszcze raz przeczytałem zdanie pierwsze, a potem drugie i trzecie. Wszystko stało się jasne. Po zdaniu czwartym nie mogłem już przestać czytać.

1989   1989

2012   2012

1991   1991

W połowie października 1946 roku zamieszkałem wraz z mą kochaną kuzynką Leokadią na ulicy Grunwaldzkiej 10, tuż obok zakładu fryzjerskiego. Pan Bugiel, mistrz nożyczek i grzebienia, niewiele miał pożytku z takiego jak ja sąsiada, który mógłby się czesać gąbką.

BYŁY KOMISARZ sanacyjnej Policji Państwowej, a później kapitan Armii Krajowej o pseudonimie Cyklop, ubrany tylko w podkoszulek i spodnie od piżamy, siedział przy stole w swym nowym wrocławskim lokum na ulicy Grunwaldzkiej. Na gładkim okrągłym blacie intarsjowanym czterema muszlami świętego Jakuba opierał mocne przedramiona, a dłońmi oplatał byczy kark, ponad którym wznosiła się łysa, pokryta kilkoma szramami głowa. Patrzył spode łba na eleganckiego mężczyznę, który stał w drzwiach obok jego kuzynki i zadawał mu wciąż to samo pytanie. Kilkakrotnie wymienił jego prawdziwe nazwisko, chcąc się upewnić, czy rzeczywiście ma do czynienia z jego posiadaczem.

To nazwisko wzbudzało u przedwojennych lwowskich bandytów respekt, u tych ukraińskich chłopów, którzy popierali UPA, strach, a u funkcjonariuszy gestapo oraz powojennej polskiej i sowieckiej bezpieki bezsilną wściekłość. Pierwsi szanowali go za godność osobistą i za dotrzymywanie słowa, drudzy lękali się wściekłości, z jaką palił ich wsie w odwecie za mordowanie przez UPA ich polskich sąsiadów, a pretorianie nowych zaborców nienawidzili go za bezkarne i zuchwałe akcje, które organizował prawie na ich oczach.

Teraz naprawdę groźni byli tylko ci ostatni. Jego nazwisko budziło natychmiastową reakcję wszechwładnych funkcjonariuszy UB i NKWD – gotowość do ścigania. Jego podobizna, wyrysowana na listach gończych wiszących jeszcze do niedawna na każdym posterunku milicji, śniła się po nocach nowym robotniczo-chłopskim milicjantom – ambitnym i prymitywnym młodzieńcom z podlubelskich i z podkieleckich wiosek – którzy wśród wrocławskich ruin paradowali w cudacznie skompletowanych mundurach i w walonkach.

U niego samego brzmienie własnego nazwiska, wymienianego urzędowym tonem albo podniesionym głosem, budziło natomiast gwałtowną reakcję warunkową – chęć ucieczki.

Tym razem ta myśl nie przyszła mu do głowy, bo mężczyzna koło trzydziestki stojący w drzwiach jego pokoju mówił spokojnie i zapytywał teraz po raz czwarty bardzo uprzejmie:

– Czy mam zaszczyt i przyjemność widzieć się z panem komisarzem Edwardem Popielskim?

– Tak, to ja. – Zapytany wstał od stołu i wtedy dopiero przeszył go ostry niepokój. – A gdzie pańscy ludzie? Już czekają pod oknem z karabinami?

Wstał i podszedł do okna zabezpieczonego pięknymi secesyjnymi kratami, za którymi kłębiły się dawno nie przycinane krzewy i chwasty, oddzielone od chodnika rozrosłym nadmiernie żywopłotem.

– Jestem sam, panie komisarzu – odparł gość. – A może by pan wolał, bym mówił do niego „panie doktorze" albo „panie kapitanie"?

– Z uwagi na wiek może pan do mnie mówić „panie starszy". – Popielski zarzucił marynarkę na gołe ramiona. – Tytuły, szlachta, drogi panie, to wszystko było za sanacji... Podobnie jak polski Lwów i polskie Wilno...

– „Panie starszy"? – zdziwił się przybyły. – Nie, to nie uchodzi... Ma pan dopiero sześćdziesiąt lat, a będzie pan żył jeszcze ze trzydzieści, czego panu serdecznie życzę i co jest nadzwyczaj prawdopodobne. Zważywszy na pańskie dramatyczne przeżycia i na pańską formę fizyczną, jest pan chyba niezniszczalny...

Gość, nie proszony, usiadł przy stole, dłonie w eleganckich skórzanych rękawiczkach oparł na gałce laski. Leokadia udała się do nyży i zamknęła za sobą drzwi.

– Ja sam też posiadam taki sam jak pan tytuł naukowy. A to sprawia, że jesteśmy sobie równi – rzekł nieznajomy. – Pozostańmy zatem przy „proszę pana". Pozwoli pan, że się przedstawię... Doktor Mieczysław Stefanus, asystent i wykładowca filozofii i logiki na Uniwersytecie Jana Kazimierza, obecnie profesor fizyki we wrocławskim liceum...

Rozpiął palto, zdjął rękawiczkę i podał Popielskiemu rękę. Ten zauważył, że rękawiczkom gościa nie dorównują klasą i szykiem ani okrycie o postrzępionych rękawach, ani niezbyt świeża koszula, ani krawat przekrzywiony i popstrzony plamami po jedzeniu. „Niezły elegant – pomyślał – z rosołem na krawacie".

Zawstydził się swoich małostkowych myśli. Sam ubrany w rozdarty pod pachą podkoszulek, nie był zbyt wiarygodnym *arbiter elegantiae*. Włożył ręce w rękawy marynarki kupionej niedawno na szaberplacu za dwie puszki wołowiny. „Ubek czy nieubek?" – zadawał sobie w myślach wciąż to samo pytanie.

Po chwili przyjął drugą część tej alternatywy. Młoda, inteligentna pociągła twarz profesora różniła się radykalnie od tępych kwadratowych mord jego jeszcze niedawnych ubeckich prześladowców. Wyszukany język przybysza odbiegał od prymitywnej i zabarwionej dialektami mowy strażników nowej władzy. Nawet jego śniada cera i kruczoczarne lśniące włosy nie miały nic wspólnego z ich czerwonymi zapijaczonymi facjatami zwieńczonymi sztywną sierścią, burożółtego zwykle koloru. Popielski wiedział, że jego konstatacje są irracjonalne i pozorne, ale jego zaciekawienie chciało te pozory przyjąć za pewnik.

– Zapali pan? – Stefanus wyciągnął w jego stronę papierośnicę, podniósł brwi w niemym pytaniu i wskazał oczami dwuskrzydłowe drzwi widoczne w pokoju. Nie zainteresowały go natomiast te, za którymi zniknęła Leokadia.

Popielski sięgnął po papierosa i przyjął ogień. Wiedział, że kuzynka, zatroskana o stan jego zdrowia, będzie mu robiła wyrzuty o palenie na czczo, ale po zaciągnięciu się aromatycznym tytoniem uznał, że nie takie wybuchy złości gotów jest zaryzykować dla pierwszego od miesięcy dobrego papierosa.

– Jeśli dobrze rozumiem pańską pantomimę – z przyjemnością wypuścił słup dymu aż po wysoki, ozdobiony sztukateriami sufit – to jest pan ciekaw, czy ktoś za drzwiami może nas podsłuchiwać, czy tak?

Stefanus najwyraźniej dobrze się czuł w roli mima, bo w milczeniu pokiwał głową.

– Proszę się nie obawiać. – Popielski sam sobie odpowiedział na pytanie. – Za drzwiami, którymi pan wszedł, jest szeroki stary próg. On swym przeraźliwym skrzypieniem zdradzi każdego, kto zbliżyłby się do drzwi. A te oto – wskazał na ogromne i zamknięte na klucz dwuskrzydłowe drzwi – prowadzą do sąsiedniego pokoju, który zajmuje doktór Paul Scholz, przedwojenny właściciel tej kamienicy. On i jego żona osiągnęli pierwszy stopień slawistycznego wtajemniczenia. Odróżniają mianowicie język słowiański od niesłowiańskiego. Podsłuchiwanie nas da im tyle rozrywki, ile mnie słuchanie japońskiego wykładu o teatrze kabuki.

– No to dobrze – Stefanus odetchnął – bo chcę panu przedstawić nadzwyczaj delikatną prośbę...

– Nie jest dobrze – przerwał mu Popielski. – W tym pokoju jest dwoje drzwi. Nie wskazał pan na drzwi od nyży, gdzie zniknęła moja kuzynka. Dlaczegóż to?

– Drogi panie – przybysz się uśmiechnął – osoba, która jest teraz w nyży, może nas podsłuchiwać do woli. Przypiekana na rusztach, nie puści pary z ust... Wiem doskonale, ile dzielna i szlachetna panna Leokadia Tchórznicka wycierpiała u ubeckiego oprawcy Placyda Brzozowskiego i jego podwładnego Artura Wajchendlera... Wszyscy we Wrocławiu chylimy czoła przed jej heroizmem. My wszystko wiemy...

Popielskiemu zimno się zrobiło na brzmienie nazwiska szefa wrocławskiego Urzędu Bezpieczeństwa Publicznego i jego kata. Zaraz potem na łysinie wykwitły mu purpurowe plamki. Nagłym ruchem chwycił młodego uczonego za krawat i przyciągnął do stołu. Papieros wypadł z ust gościa i potoczył się po blacie, a potem po podłodze. Popielski kopnął pod stołem krzesło, na którym siedział Stefanus. Ten stracił równowagę i upadł na podłogę.

Popielski okrążył stół, wdeptał w podłogę kapelusz gościa, podniósł papierosa, zgniótł go w popielniczce. Kiedy przybysz już się podnosił, stary policjant, nie zważając na przerażone okrzyki Leokadii, pociągnął Stefanusa za krawat w stronę wielkich drzwi przejściowych. Wolny koniec materiału owinął wokół klamki.

Nie wiadomo, co by się stało z zaatakowanym, gdyby miał solidniejszy krawat. Być może by się wyrwał agresorowi, być może – straciwszy równowagę – udusiłby się, zadzierzgnąwszy szubieniczny węzeł, a być może jego grdyka wytrzymałaby ucisk. Nie wytrzymał jednak krawat. Trzasnął materiał, jego część została w garści Popielskiego, a Stefanus zarył twarzą w świeżo wypastowane deski podłogi.

– Myślisz, ubeku – Popielski pochylił się nad nim i sączył mu do ucha swoją nienawiść – że nie znam waszych sztuczek? Że nie słyszałem nigdy waszego dumnego „my wszystko wiemy"? A teraz wynoś się stąd, ale już!

Stefanus usiadł na podłodze i oparł się o drzwi, za którymi słychać było jakieś szmery i powtarzane szybko „Ruhe, Ruhe". Ciężko dyszał i charczał. Potem zakaszlał – miękko i głucho.

– Lepiej będzie dla mnie – ledwo szeptał, co chwila dysząc jak astmatyk – jeśli pańska kuzynka będzie nam towarzyszyć przy rozmowie. Przy niej może będzie pan bardziej opanowany... Wysłucha mnie pan do końca czy będzie pan szalał, kiedy coś się panu znowu skojarzy z ubecją?

Popielskiemu zrobiło się głupio. Podsunął krzesło przerażonej Leokadii, która wyszła z nyży, i ucałował ją w dłoń. Potem podniósł drugie krzesło z podłogi i przetarł jego siedzenie rękawem marynarki.

– Nic się nie stało, Lodziu, możesz zostać z nami, jeśli chcesz.

Leokadia poprawiła chustkę, która okrywała jej głowę, i nie usiadła. Oparła się o piec i patrzyła na profesora bez słowa.

– Proszę się nie przejmować moją osobą – powiedziała, głaszcząc kafle pieca. – Ja tu postoję, bo tutaj cieplej...

Stefanus ukłonił się jej i zajął miejsce przy stole. Chusteczką wytarł krew z rozbitej wargi i usiłował nadać pożądany kształt kapeluszowi podeptanemu przez Popielskiego. Po przybyszu nie było widać śladu złości ani gniewu. To jeszcze bardziej zdeprymowało Popielskiego. Choć ze wstydu spuścił oczy jak sztubak, wiedział, że jeszcze nie jest gotów powiedzieć „przepraszam".

– Drogi panie – ciągnął Stefanus, jakby właśnie to słowo usłyszał – najwyraźniej nie potrafię rozmawiać z ludźmi czynu takimi jak pan. Panu pewnie nie raz i nie dwa podczas przesłuchań wbijano do głowy to butne „my wszystko i tak wiemy". A dzisiaj ja się tak nieopatrznie wyraziłem... Skojarzenie z ubekami było u pana natychmiastowe i stracił pan panowanie nad sobą... Trudno, nie gniewam się, powinienem był lepiej przygotować się do rozmowy... – Popielski teraz już był gotów go przeprosić, ale nie chciał przerywać swemu rozmówcy. – Podkreślając „my" w zdaniu „my wszystko wiemy", miałem na myśli pewną grupę osób z wrocławskiego środowiska naukowego. – Stefanus zaciągnął się nowym papierosem. – Ponieważ działamy w ścisłej konspiracji, w podziemiu, nazywamy samych siebie „subterranistami". Subterraniści to ludzie jeszcze wpływowi, jeszcze ustosunkowani... Ale być może niedługo skończymy gdzieś na Sybirze albo z kulą w tyle głowy zakopani na jednym z podwórek na Kleczkowskiej. Na razie jeszcze żyjemy i wciąż jeszcze mamy dobre kontakty tu i ówdzie. Wiele wiemy o panu, wiele też wiemy o niezłomności pani. – Wstał i ponownie ukłonił się Leokadii. – Pani koleżanka z celi, nie mówię tu oczywiście o tej biednej i zdegenerowanej dziewczynie kupczącej własnym ciałem, lecz o pani Stefanii Wałkówskiej, otóż właśnie pani Stefania Wałkówska, więźniarka i współtowarzyszka szanownej pani, z którą dzieliła pani siennik, przesłała gryps do jednego z „subterranistów"... Z niego wiemy o pani harcie ducha.

– Do rzeczy, mój panie – mruknęła niechętnie Leokadia. – Niedługo przyjdzie tu do mnie uczennica na lekcję fortepianu... I proszę już nie palić. – Spojrzała z wyrzutem na kuzyna.

– Zanim uczynię to, czego słusznie pani sobie życzy – Stefanus spojrzał na wciąż zażenowanego Popielskiego – powiem, co nam wiadomo o pani szanownym kuzynie. Był pan, panie komisarzu, jednym z najlepszych śledczych oficerów w wolnej Polsce. Kiedy Lwów zajęli Sowieci, pan się im nie poddał i dzięki temu uniknął pan Katynia. Ukrywał się pan we wsiach Strzelczyska i Ostrożec pod Mościskami, a potem przedostał się do Jarosławia, gdzie prowadził pan tak zwaną małą dywersję przygraniczną. Potem, jako kapitan AK, szkolił pan we Lwowie zajętym przez Niemców młodych żołnierzy armii podziemnej. Uczył ich pan policyjnego rzemiosła: jak mają śledzić, jak konspirować, jak unikać kotła i jak rozpoznawać szpicli i zdrajców. Był pan katem tych ostatnich jako szef plutonu likwidacyjnego. Później gromił pan Ukraińców, którzy współpracowali z UPA i mordowali Polaków. Potem już pan walczył przeciwko komunistom. W tej walce sprzymierzył się nawet ze swoimi niedawnymi wrogami z UPA. Po waszym wspólnym rajdzie na Hrubieszów, bodaj w kwietniu, UB dostało szału. A pan przeniósł się do Wrocławia i tutaj się pan ukrywał. Gdzie i jak, tego nie wiemy. Wiemy natomiast, że we wrześniu uczynił pan dla Placyda Brzozowskiego coś, co sprawiło, że pańska kuzynka została wypuszczona z więzienia, a ten wszechwładny ubek rozłożył nad panem we Wrocławiu parasol ochronny. To coś nie wiązało się z utratą honoru, nie było konfidencją: o tym pewna dobrze poinformowana osoba zapewniała nas kilkakrotnie. Jak pan widzi, wiele wiemy o panu. Nie wahamy się zatem pana prosić, aby podjął się dla nas pewnego niebezpiecznego i bardzo delikatnego zadania...

– Subterraniści chcą mnie wynająć jako prywatnego detektywa, czy tak? – nie bez ironii zapytał Popielski, wciąż unikając wzroku Stefanusa.

– Właśnie tak – odparł filozof. – Prowadzimy coś w rodzaju tajnego kursu różnych nauk dla wybranej młodzieży. To nasze tajne nauczanie określamy jako Gimnazjum Podziemne, Gymnasium Subterraneum. Nauczamy prawdziwej historii, nie zaś jej sowieckiej wersji. Ważną częścią naszego programu są filozofia i język grecki...

– Chwalebne. – Popielski dopiero teraz spojrzał prosto w oczy swojemu rozmówcy.

– Tym razem nie słyszę w pana głosie ironii, mój panie. – Gość promieniał. – I nawet się jej nie spodziewałem. Wiem, że był pan kiedyś uczonym filologiem, a nawet udzielał pan lekcyj z języków klasycznych... Ale ad rem. Ostatnio wydarzyła się rzecz straszna. Niedawno po wykładach szedłem wieczorem z jednym z uczniów Gymnasium Subterraneum przez most Trzebnicki w stronę Karłowic. Nagle rozpędzona ciężarówka runęła na grupę ludzi, w której byłem i ja, i ów uczeń. Mnie się nic nie stało, ale chłopiec umarł na moich rękach... Przyglądał się temu sowiecki pijany szofer, jakiś Tatar, który rano pewnie nie pamiętał, że zabił chłopaka... Oczywiście wsiadł do ciężarówki, a jakiś milicjant patrzył tępo, jak odjeżdża zakosami...

– To straszne... – szepnęła Leokadia.

– Owszem, to okropne, kiedy gaśnie młode życie – przyznał ze smutkiem Stefanus. – Ale coś innego bardziej mnie przygnębiło. Z kurtki zabitego chłopca wysunął się kajet z moimi wykładami. Schowałem go szybko. W domu odruchowo przekartkowałem zeszyt, który miałem zamiar oddać rodzinie po sprawdzeniu, czy nie ma w nim czegoś, co mogłoby zdekonspirować Gymnasium Subterraneum. I wśród stronic znalazłem dziwną kartkę... Struchlałem po jej przeczytaniu... Kartka była napisana na maszynie. Zawierała prośbę skierowaną do wszelkich organów władzy. Oto pełne jej brzmienie – profesor wyjął z kieszeni kartkę i przeczytał: – „Do wszelkich organów władzy państwowej. Uprasza się wyżej pomienionych, by udzielili wszelkiej niezbędnej pomocy posiadaczowi tego pisma, obywatelowi Marcinkowskiemu Zygmuntowi". Podpisano – „ppłk Brzozowski, szef Wojewódzkiego Urzędu Bezpieczeństwa Publicznego we Wrocławiu". Zabity uczeń był ubeckim donosicielem...

ZAPADŁA CISZA. W kamienicy słychać było odgłosy poranka. Zza drzwi dobiegała monotonna niemiecka modlitwa, a zza okna skrzypienie żaluzji podnoszonych naprzeciwko w sklepie spożywczym pana Barszcza. Gdzieś na klatce schodowej zapłakało dziecko, zaszumiała woda we wspólnej toalecie na parterze, jakieś drewniaki załomotały na schodach.

– Na razie zawiesiliśmy lekcje w Gimnazjum Subterraneum. – Stefanus przerwał milczenie. – Ale nie możemy tego robić w nieskończoność... Chcemy, aby pan sprawdził, komisarzu, czy wśród naszych uczniów nie ma już żadnego donosiciela... To jest właśnie to zlecenie dla pana, za które oferujemy godziwe honorarium...

Stefanus patrzył na Popielskiego z nadzieją. Ten wstał, podszedł do pieca w rogu pokoju i – niezadowolony z jego temperatury – otworzył drzwiczki i szufelką dorzucił doń trochę węgla. Potem w zamyśleniu wszedł do nyży. Leokadia i filozof usłyszeli zgrzyt otwieranej szafy. Po chwili stał znów przed nimi.

– Sponiewierałem pana, profesorze – cedził wolno słowa stary policjant – bo uznałem pana za prowokatora... – Chciał powiedzieć „przepraszam", ale to słowo znów uwięzło mu w gardle. – Teraz muszę się zastanowić nad pańską propozycją... I porozmawiać z kuzynką. – Spojrzał na Leokadię.

– Gdybym był prowokatorem i agentem – Stefanus się zarumienił – to czy chciałbym, aby pan śledził moich własnych ludzi?

– Nie przekonuje mnie pańska implikacja – odparł Popielski. – Nie znam wszystkich danych...

Stefanus wyjął z kieszeni marynarki dwie koperty i położył je na stół. Z jednej z nich wysypały się nowiutkie banknoty. Drugą sam otworzył i podsunął pod nos Popielskiemu. Były policjant wyjął z niej urzędowe pismo z Wojewódzkiego Urzędu Bezpieczeństwa Publicznego we Wrocławiu oraz spis siedmiorga uczniów Gymnasium Subterraneum wraz z zawodami ich ojców i dokładnymi adresami. Przeczytał uważnie pismo i stwierdził, że ten właśnie dokument nosił przy sobie nieżyjący uczeń Zygmunt Marcinkowski.

– Oto pańskie dane, komisarzu, kapitanie czy też doktorze – powiedział poważnie Stefanus.

Popielski długo myślał, aż w końcu schował obie koperty do wewnętrznej kieszeni marynarki.

– Czy ten gest oznacza pańską zgodę? – zapytał profesor.

– Tak – odparł Popielski. – To moja zgoda.

A potem wyjął z kieszeni elegancki jedwabny krawat i podał go Stefanusowi.

– A to moje przeprosiny.

———————————

Moja kochana Lodzia ucieszyła się z pieniędzy od Stefanusa, a ich wartość postanowiła natychmiast zabezpieczyć. Było to rozsądne w dobie, gdy z dnia na dzień spadała siła nabywcza nowych polskich pieniędzy, które – w odróżnieniu od pełnego szacunku miana „złoty", jakim obdarzano monetę przedwojenną – teraz potocznie nazywano „złotówkami”. Na szaberplacu za całe honorarium, które nam profesor Stefanus, tak niegodnie przeze mnie sponiewierany, zapłacił był z góry, nakupiliśmy zatem spirytusu. Cóż to był za pyszny obrazek! Jakbym się przeniósł na lwowskie Krakidały! Wytworna Leokadia, absolwentka romanistyki mówiąca biegle dwoma językami i grająca na zawołanie koncert fortepianowy f-moll Chopina, zaciekle się targowała i bałakała przy tym przepięknie z żydowskim kramarzem. Tymczasem ja z jego bratem sprawdzaliśmy w ciemnym kącie za budą jakość płynu. Była pierwszorzędna. Zresztą ci handlarze to ludzie godni zaufania. W końcu są ze Lwowa, z Wagowej ulicy!

Butelki zakorkowałem i schowałem w piwnicy, w tajnej skrytce, którą mi był wskazał mój niemiecki sąsiad, godny zaufania i poczciwy doktór Scholz. Ten były właściciel kamienicy, dziś wraz z żoną zdegradowany do rangi jednopokojowego lokatora, znał tutaj oczywiście każdą mysią dziurę. Za jego pomoc ofiarowałem mu pół butelki spirytusu, a kolejne pół zostawiłem Lodzi i sobie ku zimowej rozgrzewce.

Pewnego ponurego poranka po cieniutkim śniadaniu (placki kartoflane i kawa zbożowa) Leokadia pogrążyła się w lekturze Anatola France'a, a ja zasiadłem nad spisem uczniów Gimnazjum Subterraneum. Przeczytałem te siedem nazwisk i na wszelki wypadek zanotowałem w notesie adresy i dane rodziców. Sprawa wydawała się dość prosta. Wystarczyło tylko tych gimnazistów śledzić przez kilka dni, a może tygodni, co nie nastręczało żadnych trudności, bo młodzi i niedoświadczeni byli łatwymi obiektami inwigilacji. Moje rozumowanie było następujące – w końcu ten szpicel będzie musiał pójść po wypłatę na Łąkową albo spotkać się z ubekiem w jakiejś cukierni i tak oto zostanie przeze mnie zdemaskowany.

Przez chwilę zastanawiałem się, od kogo by tu zacząć. Pierwsza w spisie była „Teresa Bandrowska, córka Witolda, notariusza, ur. 24 XI 1930 r. w Podweryszkach, woj. wileńskie, zamieszkała we Wrocławiu, ul. Ziębicka 39”. Było to bardzo daleko, jakieś półtorej godziny drogi ode mnie na piechotę. Mogłem jechać na rowerze, ale zbyt dużo bym ryzykował. W tamtych okolicach włóczyło się wielu Sowietów, którzy nie przepuściliby takiej gratki, i mógłbym wrócić do domu nie tylko bez roweru, ale i z rozbitym nosem lub pogruchotanymi żebrami. Spojrzałem przez okno. Poranna mżawka zamieniła się w ulewny deszcz. Wiatr szarpał gałęziami krzewów i rozrosłym żywopłotem. Nie uśmiechało mi się w ten zimny listopadowy dzień brnąć na drugi koniec miasta wśród ruin. Postanowiłem zacząć od jutra. I tak oto popełniłem grzech lenistwa, za który nie znana mi młodziutka Teresa Bandrowska zapłaciła straszną cenę.

KIEDY TERESA BANDROWSKA, uczennica klasy przedmaturalnej, kończyła przepisywać do zeszytu grecką czytankę o Solonie, usłyszała dalekie okrzyki. Jej matka, pani Gabriela Bandrowska, natychmiast zgasiła lampę naftową i otworzyła okno. Do izby, prawie całkowicie wypełnionej przez wielki piec kuchenny i dwa łóżka zbite z desek, wtargnęło zimne listopadowe powietrze. Wiatr sypnął drobnym deszczem po szkolnych zeszytach i zaszeleścił kartkami. Teresa szybko odsunęła od okna *Wstępną naukę języka greckiego* Mariana Goliasa. Musiała dbać o tę książkę. Tylko jednym jej egzemplarzem dysponowali ona i jej koledzy z tajnych kompletów, wobec czego musieli nieustannie wypisywać z tego podręcznika czytanki i słówka.

– Może nam się zdawało? – zapytała drżącym głosem starsza z kobiet. – A może to znów hałasują ci pijacy? – Wskazała głową na rozświetlony dom, na którego podwórzu stało ich prowizoryczne jednoizbowe domostwo, dawna kuchnia letnia niemieckiego gospodarstwa florystycznego.

– Nie, na pewno zdawało się coś mamusi – odpowiedziała młodsza. – Niech się mamusia nie boi, jesteśmy we Wrocławiu, tu nie ma szaulisów...

– Tu są jeszcze gorsi. – Matka sapała astmatycznie.

– W razie czego schowamy się w piwnicy. – Teresa uśmiechnęła się z trudem.

– Idziemy stąd! – rozkazała matka. – Uciekamy!

– Dokąd? – Córka podeszła do niej i pocałowała ją w policzek. – Mamusiu, nie możemy ciągle uciekać, kiedy zawyje wiatr albo zaszczeka pies w podwórzu. Przez chwilę nie mówmy i posłuchajmy, co się dzieje...

Nie słyszały nic. Tylko wycie wichru. W pokoju zrobiło się bardzo zimno. Zamknęły okno.

WIATR WSZYSTKO ZAGŁUSZAŁ i miotał mokrymi liśćmi na błotnistych kartofliskach rozpościerających się za pobliską ulicą Strzelińską, gdzie w czterdziestym piątym roku miało zostać wybudowane osiedle małych domków, podobnych do tych, które w karnych szeregach stały za ulicą Ziębicką. Plany te byłyby pewnie zrealizowane, gdyby nie pokrzyżowało ich ogłoszenie Wrocławia twierdzą przez generała Guderiana na rozkaz obłąkanego Führera. Na mocy tego rozkazu wrocławscy geometrzy zabrali z kartoflisk planimetry i tyczki geodezyjne, a całą swą inżynierską wiedzę wykorzystali do budowy bunkrów i tuneli mających ochronić Festung Breslau przed bolszewicką zarazą.

TRZEJ MĘŻCZYŹNI, którzy teraz brnęli w pijanym marszu przez owe kartofliska, należeli właśnie do tej znienawidzonej przez Niemców zarazy, choć w najmniejszym nawet stopniu nie przyczynili się do upadku twierdzy Breslau. Krótko przed jej zdobyciem wszyscy trzej – po zaleczeniu swych gruźliczych płuc w lasach pod Otwockiem – otrzymali przydział do strzeleckiej brygady Szóstej Armii Pierwszego Frontu Ukraińskiego. Nigdy jednak nie dotarli do swej nowej jednostki, choć w ruinach Wrocławia znaleźli się zaraz po jego zdobyciu. Mimo nieuczestniczenia w morderczych walkach o ostatni bastion hitleryzmu uważali, że mają moralne prawo do wszystkiego, co w tym mieście może paść ich wojennym łupem. „Może i nie zdobyliśmy Wrocławia – mawiał najwyższy rangą z całej trójki, starszyna Borofiejew – ale i tak nam się należy wdzięczność polaczków za to, że wyzwoliliśmy ich kraj od faszystowskiego jarzma!"

Ci trzej mężczyźni w sfatygowanych mundurach Armii Czerwonej, ukrytych pod kożuchami, od półtora roku brutalnie egzekwowali tę wdzięczność. Napadali na mieszkania Polaków, terroryzowali ich i zabierali stamtąd wszystko, co miało jakąkolwiek wartość.

W odróżnieniu od swych pobratymców nie wywozili jednak niczego do Rosji, lecz spieniężali wszystko tutaj. Za zrabowane dobra otrzymywali hojną zapłatę w dolarach lub w wódce od pewnego polskiego pasera, który swe mieszkanie na ulicy Świętej Jadwigi zamienił w ogromny skład wszelkich najbardziej pożądanych towarów. Dolary nie były jedynym środkiem płatniczym, za który ów paser kupował ich fanty. Inną, choć niewidzialną monetą były cenne informacje, których im dostarczał i za które odliczał sobie wysoki procent z ich doli. Na pozór nie było to nic specjalnego – jedynie wrocławskie adresy. W rzeczywistości były to miejsca, gdzie przy minimalnym ryzyku starszyna Borofiejew i jego ludzie mogli zażyć – cytując Napoleona – godziwego „odpoczynku wojownika".

Borofiejew nigdy się nie targował o wysokość odliczeń, choć paser z dnia na dzień je powiększał. Starszyna i jego ludzie mieli dzięki paserowi to, czego najbardziej pragnęli. Kobiety pod wskazanymi przez pasera adresami były bardzo młode, ładne i bezbronne. A nade wszystko miały najcenniejszy skarb żołdaków – czyste łono nie naznaczone wojennym syfilisem. Gwarancją zdrowia było bowiem ich dziewictwo.

Właśnie dzisiaj trzej maruderzy otrzymali swoją zapłatę w trojakiej postaci. Wódkę wypili, dolary wepchnęli za onuce, a starszyna Borofiejew uznał, że wszyscy zasłużyli na dodatkową premię za swój ciężki trud ogałacania polskiej ziemi ze wszystkiego, co przypominałoby o jej niemieckiej przeszłości. Zza pazuchy wyjął trzy wrocławskie adresy. Uznali, że w takim deszczu nie będą szli zbyt daleko, i wybrali adres najbliżej swojej meliny, która znajdowała się na ulicy Strzelińskiej, w piwnicach dawnego domu dla samotnych matek.

Kiedy dotarli do rozświetlonego domostwa na Ziębickiej 39, byli całkiem przemoczeni. Borofiejew podszedł do okna i nasłuchiwał. Zza podwójnej szyby doszedł do jego uszu pijacki ryk mężczyzny i śmiech kobiety. Wtórowały im dziecięce wesołe okrzyki.

Borofiejew kiwnął głową swym ludziom. Podeszli do niego.

– A to swołocz ten Pasierbiak. – Dowódca zazgrzytał zębami. – Miało być dziewczątko niewinne i same, a tu chłop jakiś jest. I dzieci też są...

– Pijany ale – szepnął Kekilbajew z głupkowatym uśmiechem. – Dostanie w mordę i najwyżej sobie popatrzy, jak mu córeczki ruchamy.

Twarz Borofiejewa wyrażała rozczarowanie. Nie odbiło się jednak na niej najmniejsze wahanie.

Wtargnęli do domu tak jak zwykle – z łomotem kolb o drzwi i z rykiem „*Aufstehen!*". Wiedzieli, że nic tak bardzo nie przeraża ludzi, którzy przeżyli niemiecką okupację, jak krzyk w języku dawnych gnębicieli. Szczęśliwcy, którzy wyszli cało z niemieckich obozów koncentracyjnych, ulegali wręcz paraliżowi, gdy słyszeli głośny rozkaz w języku Goethego.

Na dwoje dorosłych mieszkańców małego mieszkania ten krzyk niespecjalnie jednak podziałał. Siedząca przy stole tęga kobieta i rudowłosy mężczyzna uśmiechali się głupkowato i przyjaźnie – jakby ich odwiedzili jacyś znajomi. Jedynie dzieci wpełzły z płaczem pod stół, skąd wpatrywały się nieufnie w przybyłych. Kekilbajew ukucnął i wsadził głowę pod blat. Dzieci, widząc go, wybuchły płaczem.

– *My szutili tolko*, żartowali znaczy – powiedział Borofiejew łamaną polszczyzną. – *My w gosti priszli. Dawaj, krasawica, wodku i zakusku.* A ty, Bachtijar, *sobaka moja* – uderzył swego przybocznego dłonią w potylicę – nie strasz dzieci, kazachska morda!

Oczy Kekilbajewa zniknęły pod mongolską fałdą, kiedy targnął nim potężny wybuch śmiechu. Kobieta nazwana pięknotką zaczęła się krzątać koło kuchni, udając, że czegoś szuka. Zataczała się przy tym od wódki i opierała o stół, a jej brudna halka opinała się na tłustych biodrach ku uciesze, a nawet ekscytacji Kekilbajewa. Niespecjalnie zasługiwała na określenie, jakim ją obdarzył Borofiejew. Była otyła, krótkonoga, a wydzielana przez nią woń aż zagęszczała powietrze. Z licznych pieprzyków, którymi upstrzone były jej kwadratowa twarz oraz pryszczate ramiona, wystawały szorstkie włoski.

Trzeci żołnierz, jefrejtor Kołdaszow, zbliżył się i szepnął dowódcy:

– To jakaś brudna maciora... Oszukał nas Pasierbiak! Miały być dwie... A gdzie druga?

Borofiejew czuł, że wódka wzmaga w nim wściekłość. Zbliżył się do kobiety i chwycił ją za ramiączko halki. Trzasnął materiał. Kobieta wyrwała się i odwróciła. W jej ręce tkwił kuchenny nóż.

Rudowłosy patrzył na tę scenę szeroko rozwartymi oczami. Wydawało się, że lufa tetetki trzymanej przy jego głowie przez Kołdaszowa naciska mu na skroń z taką siłą, że oczy wychodzą z oczodołów.

Dzieci płakały, choć Kekilbajew usiłował je rozbawić – siedział na podłodze, wywracał oczami, wywalał język i podrzucał swoją baranią czapę. Efekt był odwrotny do zamierzonego.

Borofiejew wyjął pistolet i – mierząc w kobietę – powoli rozpiął spodnie.

– Jesteś tak brudna, świnio – mówił powoli – że *kipiatok* mnie nie umyje. Dlatego w mordę *bieri*!

Kobieta odłożyła nóż na kuchenną blachę. Otworzyła usta, pokazując liczne dziury pomiędzy zębami.

– Tam, tam! – wrzasnęła nagle, wskazując palcem na okno. – W tamtym domu! Tam dziewczyna, krasawica jak malina!

Borofiejew z trudem zapiął spodnie. Podszedł do okna i wyjrzał przez nie. Mały dom na podwórzu był całkiem ciemny.

– *Skaży, drug* – zwrócił się do mężczyzny – tam też Ziębicka 39?

– Tak – mruknął przerażony rudzielec. – Tam mieszkają dwie... Matka z córką...

Starszyna kopnął lekko Kazacha, który się natychmiast poderwał z podłogi.

– Pilnuj tych, Bachtijar – wydał suchy rozkaz. – A my z Saszką pójdziemy, zobaczymy...

– One może w piwnicy! – powiedziała na odchodne pijana kobieta.

BOROFIEJEW I KOŁDASZOW wybiegli na podwórko i zakosami zbliżyli się do małego domu. Drzwi nie chciały ustąpić pod ich butami. Roztrzaskali okno i weszli na stojący przy nim stół z lampą naftową. Ich zabłocone podeszwy stratowały zeszyty szkolne. Zapalili lampę. W małej izbie były duże palenisko, stół, dwa krzesła i dwa łóżka. Borofiejew obejrzał dokładnie podłogę w poszukiwaniu włazu do piwnicy. Znalazł go Kołdaszow, podniósłszy chodnik biegnący na ukos przez pomieszczenie.

Borofiejew dał mu znak ręką, aby nie otwierał. Sam zaczął chodzić tam i z powrotem po niewielkim pomieszczeniu. Trwało to może pięć minut. Jego buty uderzały mocno w deski podłogi. Jeśli rzeczywiście ktoś pod nią był, to musiał w tej chwili już zmięknąć ze strachu. „Jest miękki, a właściwie miękka – poprawił się w myślach – miękka i wilgotna".

Jednym ruchem podniósł klapę i wciągnął w nozdrza kartoflaną woń piwnicy. Z ciemności doszedł go szybki astmatyczny oddech, a potem rozległo się ciche łkanie. Już nie musiał się obawiać, że ktoś zgotuje mu niemiłą niespodziankę, kiedy będzie schodził po drabinie. Nie bał się zdradzieckiego strzału w ciemnościach ani świstu noża. Mimo wszystko ostrożnie opuścił lampę naftową w otwór piwniczny. Zobaczył je po dłuższej chwili skulone w kącie. Kiedy wtaczał się tam pijany, kobiety zaczęły głośno płakać.

Stanął przed nimi, podał lampę Kołdaszowi i po raz drugi w ciągu ostatniego kwadransa rozpiął spodnie. Zdarł z siebie kalesony. Pozwolił im opaść aż na kolana.

– Rozbierzesz się sama czy ja mam ciebie rozebrać? – powiedział prawie bezbłędną polszczyzną do młodej dziewczyny, która głowę wciskała między kolana.

Po chwili rozwarli te kolana i wywlekli ją na górę. Wyciągnęli z piwnicy drabinę. Kołdaszow swymi kolanami ściskał skronie dziewczyny, a jej ręce przygniatał do podłogi. Borofiejew gwałcił powoli do wtóru zdławionych matczynych krzyków, jakie dochodziły z piwnicy. Kiedy skończył, poklepał kolegę po spoconym karku. Wtedy zamienili się rolami. A potem Borofiejew znów zaspokoił jej ciałem swoją żądzę. Kołdaszow poszedł w jego ślady. Nie chciał być gorszy od swojego dowódcy.

Potem porzucili nieprzytomną dziewczynę na jednym z łóżek.

W ROZŚWIETLONYM MIESZKANIU Bachtijar Kekilbajew pił wódkę z kobietą i rudowłosym mężczyzną. Jego tetetka leżała na stole. Na widok swych kolegów aż skoczył na równe nogi.

– Teraz ja idę ruchać, ruchać. – Zatoczył się na kuchnię.

Borofiejew usiadł przy stole, swą przystojną twarz w typie gruzińskim oparł na mocnych smukłych dłoniach i zapatrzył się melancholijnie w jakiś niewidoczny punkt.

– Ty idź lepiej na dół, do piwnicy – powiedział cicho. – Bo na górze to już nie ma co ruchać...

Następnego dnia rozpocząłem śledztwo. Do głowy przyszły mi dwa nowe sposoby jego przeprowadzenia. Pierwszy był bardzo prosty – skontaktować się z dobrze mi znanym jeszcze ze lwowskiej policji, obecnie służącym nowej władzy milicjantem Franciszkiem Pirożkiem i poprosić go, by po starej znajomości sprawdził w kartotece UB, kto z uczniów Gymnasium Subterraneum w niej figuruje. Niestety, zdawałem sobie sprawę, że Pirożek, obarczony w podeszłym wieku małymi dziećmi, bojąc się o swoją posadę, może mi najzwyczajniej odmówić. Asekurując się przed takim obrotem spraw, postanowiłem zastosować inną metodę, którą zresztą niegdyś wypróbowałem we Lwowie. Przedstawiłem profesorowi Stefanusowi zabieg służący rozpoznaniu kapusia. Filozof zaaprobował ten plan bez zastrzeżeń i zaraz przystąpił do działania. Następnego dnia porozmawiał osobno z każdym ze swoich uczniów. Każdego z nich poinformował, że po śmierci ich kolegi, agenta UB, następuje przerwa w lekcjach, ale potem zjawi się na tajnych kompletach nowy nauczyciel greki, były oficer AK, człowiek wrogo nastawiony do obecnego szczęśliwego ustroju. Dodał ponadto, że ten nowy profesor na razie się ukrywa w nieznanym miejscu w okolicach Ciążyna lub Wyspy Opatowickiej, a on, Stefanus, kontaktuje się z nim tylko w jeden sposób. Otóż ów hellenista jest człowiekiem bardzo pobożnym i raz w tygodniu odwiedza kościół na ulicy Świątnickiej, gdzie przystępuje do spowiedzi. I tu dochodzimy do istoty mej metody. Ta fikcyjna opowiastka profesora Stefanusa, przedstawiona poszczególnym uczniom, różniła się w sposób bardzo charakterystyczny. Filozof każdemu z sześciorga gimnazjalistów (siódma uczennica, Teresa Bandrowska, nie przychodziła ostatnio do szkoły) podał inny dzień tygodnia, w który to dzień tenże nauczyciel odwiedza rzekomo dom Boży.

Zarzuciwszy taką oto przynętę, cierpliwie czekałem na wynik tego eksperymentu, który nazwałem świątnickim. Moja cierpliwość szybko została nagrodzona. Za kilka dni późnym wieczorem zjawił się w naszej kamienicy młody ksiądz z wiatykiem. Nie poszedł on jednak do żadnego chorego, lecz wprost do mnie. Szeptem przekazał mi informację od księdza proboszcza Mieczysława Kurasia z parafii na Świątnikach. Otóż ten mój stary lwowski kolega, drugi duchowny – obok kochanego Jasia Blicharskiego – współbiesiadnik kolacyj u Atlasa, donosił, że dnia poprzedniego, czyli w środę szóstego listopada, kilku jego penitencjariuszy, wychodząc z konfesjonału, zostało – o zgrozo, w czasie mszy świętej! – zatrzymanych przez dwóch elegancko ubranych młodych panów, którzy wieczorem odjechali w siną dal czarnym citroenem.

Mimo współczucia, jakie odczuwałem dla ujętego przez bezpiekę Bogu ducha winnego penitencjariusza, rozsadzała mnie radość. Miałem szpicla! Wystarczyło tylko zapytać Stefanusa, któremu z uczniów profesor podał środę jako dzień spowiedzi fałszywego AK-owca! Nie zważając na sowieckich bandytów i rabusiów, pojechałem wieczorem rowerem do profesora Stefanusa aż na Oporów. I tu spotkał mnie srogi zawód. Filozof zgubił gdzieś notes, w którym zapisał tę informację! Wszystko na nic! No, niezupełnie wszystko. Profesor był pewien, że o środzie powiedział jakiejś uczennicy. Której? Jednej z dwóch, bo trzecia od niedawna była chora i nie chodziła na zajęcia. Której z tych dwóch – tego już nie był pewien. Mimo wszystko odetchnąłem z pewną ulgą i zaproponowałem Stefanusowi łatwe rozwiązanie problemu. Niechże pan rozpocznie znów zajęcia Gymnasium Subterraneum, mówiłem, ale bez tych dwóch uczennic. Będzie to niezawodny sposób na pozbycie się konfidentki. Wprawdzie jedna z tych dwóch będzie niewinna, ale cóż... Gdzie drwa rąbią, tam wióry lecą... Profesor zareagował bardzo gwałtownie i wygłosił płomienną mowę o szpetocie odpowiedzialności zbiorowej. Ustąpiłem, zwłaszcza że profesor obiecał dodatkowe honorarium za przeprowadzenie znacznie utrudnionego już teraz śledztwa. Potem podsumowaliśmy eksperyment świątnicki.

Primo, mieliśmy tedy pewność, że wśród uczniów podziemnego gimnazjum wciąż jest szpicel, *secundo*, ten szpicel był dziewczyną – jedną z dwóch, które uczestniczyły w eksperymencie. Aby wyłapać konfidentkę, musiałem każdą z nich poddać starannej inwigilacji.

EDWARD POPIELSKI PRZESZEDŁ przez małą ślepą uliczkę Przeskok na podwórko półokrągłej pięknej kamienicy Pod Złotym Słońcem. Było ono otoczone ze wszystkich stron domami, z których jeden – podparty tu i ówdzie drewnianymi słupami – był przeznaczony do rozbiórki, o czym informowała nalepiona na drzwiach kartka z urzędowymi pieczęciami. „Wstęp wzbroniony. Grozi zawaleniem" – wołał ponadto wielki napis nabazgrany na murze i ozdobiony trzema wykrzyknikami.

Popielski wiedział doskonale, że pieczęcie mogą być sfałszowane, a sam napis może być zaporą przed wścibskimi. Nieraz widział, jak wrocławscy Niemcy opatrują swe domostwa napisem *„Achtung Typhus!"*, łudząc się, że nazwa strasznej choroby uchroni ich i ich córki przed Rosjanami. Wiedział też, że zignorowanie ostrzeżenia może być niebezpieczne, i to z całkiem innego powodu. Takie kamienice były bowiem często zamieszkiwane przez ludzi, którzy nie wahali się przepędzić obcych nie tylko złym słowem, ale i nożem lub nabijaną gwoździami pałką. Nie miał jednak wyboru – ta stara kamienica była jedynym dobrym miejscem, skąd bez ryzyka zdekonspirowania można było obserwować całe podwórko. Po wejściu do bramy od razu poznał po czysto utrzymanych schodach, że znalazł się na zamieszkanym terytorium. Starał się zatem nie wchodzić nań zbyt daleko, by nie drażnić gospodarzy tego miejsca. Stanął na samym progu, ukryty za lekko uchylonym skrzydłem drzwi. Patrzył przed siebie, a nasłuchiwał tego, co miał za plecami. Przez godzinę niczego nie słyszał, co go specjalnie nie zmartwiło, i niczego nie widział, co go bynajmniej nie cieszyło.

W końcu, kiedy w pobliskiej Państwowej Fabryce Chleba na ulicy Sienkiewicza zaryczała tuba, oznajmiając koniec pierwszej zmiany, na podwórko weszła piękna panna, którą śledził dziś od momentu, kiedy opuściła pobliskie i jedyne zresztą wrocławskie liceum. Miała nie więcej niż szesnaście–siedemnaście lat. Była niezwykle wiotka i wysoka. Kiedy przechodziła obok jego punktu obserwacyjnego, spojrzała szybko na walący się budynek i zaraz cofnęła wzrok. Popielski w jej wielkich ciemnych oczach dostrzegł niepokój i niepewność. To dodatkowo utwierdziło jego podejrzenia co do mieszkańców tego przeznaczonego do rozbiórki domu. Dziewczyna musiała nie raz i nie dwa doświadczyć ich zaczepek. Jeśli ktoś tu mieszkał, nie byli to na pewno członkowie kółka różańcowego z pobliskiego kościoła Świętego Idziego.

Dziewczyna olśniła Popielskiego swą młodością i harmonijną budową ciała. Granatowy mundurek licealny spływał po wąskich ramionach, a spódnica po kształtnych biodrach. W swym czystym i świetnie dopasowanym uniformie wyglądała, jakby ją żywcem przeniesiono ze szczęśliwych lat przedwojennych.

Mięśnie szczupłych łydek zadrgały, gdy wspięła się na palce i wysypała zawartość swojego kubła na górę innych odpadków wypływających z przepełnionego śmietnika. Potem, broniąc się przed smrodem, zacisnęła na aksamitnym nosku swe długie palce i zniknęła z podwórka równie szybko, jak się tam pojawiła. Wróciła do kamienicy, w której – o czym doskonale od rana już wiedział – mieszkała wraz ze swoją dużo starszą siostrą. Uroda śledzonej dziewczyny wprowadziła ścisły umysł Popielskiego w osobliwy stan poetyckiego uniesienia. W myślach przyrównał ją do trzciny. Szybko jednak zdusił ochotę do poetyzmów i zganił się za zachwyt, jakiemu chwilowo uległ. „Może to właśnie ona jest ubecką donosicielką z Gimnazjum Podziemnego" – przekonywał sam siebie. Młodość i uroda nigdy nie były gwarancją moralnej czystości.

DRGNĄŁ. Usłyszał hałas gdzieś z tyłu. Tuż obok niego zadrżały schody. Mali chłopcy zbiegli szybko, waląc z całej siły buciorami o stopnie. Minęli go obojętnie i rzucili się na kupkę śmieci, którą usypała dziewczyna podobna do trzciny. Byli ubrani w brudne i zbyt duże kapoty. Połatane kaszkiety przykrywały ich głowy, a strupy i niezagojone rany oblepiały ich chude nogi. Popielski znał dobrze takie dzieci ulicy, zdziczałe sieroty wojenne, które uległy już tak silnej zwierzęcej degeneracji, że żyły tylko w zhierarchizowanych stadach, gotowe uciekać przed silniejszymi lub kąsać i atakować słabszych.

Podszedł do chłopców i posłał im swój najszczerszy uśmiech. Ci najwidoczniej natychmiast zaliczyli go do pośredniej grupy – ani silnych, ani słabych – bo wprawdzie uciekli ze śmietnika, ale niezbyt daleko, i natychmiast zaczęli go obrzucać obelgami.

– Ty chuju połamany! – wrzeszczał jeden z nich, który napychał kieszenie czymś, co znalazł wśród śmieci wysypanych przez dziewczynę. – Ty łachmyto! Wypierdalaj z naszego rewiru!

– Won stąd, dziadek! – darł się następny. – Bo mój brat ci kulosy połamie!

– Co zęby suszysz, pedale?! – naigrawał się kolejny, a po chwili zaczął drzeć się na całe podwórko: – Ludzie, ludziska kochane, pedał jakiś, dzieci zaczepia!

– Co jest?! – ryknął jakiś gruby głos z okna kamienicy. – Co to za krzyki?! Ten stary to pedał?!

POPIELSKI OPUŚCIŁ PODWÓRKO wśród wrzasków i szyderstw. Chciał uniknąć nie tyle zaciekłości uliczników czy pięści właściciela grubego głosu, ile pięknych oczu dziewczyny, która w każdej chwili mogła wyjrzeć przez okno zaintrygowana hałasem. Wiedział, że jeszcze będzie ją śledzić, i nie chciał zostać zdemaskowany przedwcześnie.

Nie uciekł jednak daleko. Wszedł do ostatniej kamienicy na Przeskoku, przeszedł przez nią na tyły, po czym, usunąwszy wiszącą na jednym gwoździu sztachetę, wszedł na kolejne podwórko, z którego można było wejść do walącego się domu, gdzie mieszkali chłopcy i gdzie on sam przed chwilą miał swój punkt obserwacyjny. Wlazł przez okno na parterze, stanął znów na swoim dawnym miejscu, za skrzydłem drzwi, i czekał z nadzieją, że mali śmieciarze wrócą do meliny. Tak się też stało. Kiedy go mijali, Popielski wyskoczył z rykiem „Stać, łobuzy!". Chłopcy na chwilę zamarli, po czym rzucili się po schodach do ucieczki. Chwila zawahania jednak Popielskiemu wystarczyła. Chwycił za kołnierz paltota jednego z nich, tego, który wcześniej jakimiś śmieciami napychał kieszenie. Szamoczące się ciało zrzucił ze schodów. Dopadł chłopca i szarpnięciem wolnej ręki wywrócił jego kieszenie. Wysypały się z nich niedopałki papierosów i jakieś buteleczki, które się rozbiły o granitowy próg z mozaiką „*Cave canem*". Takie szklane pojemniki Popielski widział już wielokrotnie.

Schwytany sypał przekleństwami i próbował się wyrwać. Chciał starym sposobem wywinąć się jak piskorz, uwalniając ręce z rękawów paltota, ale to mu się nie udało, Popielski nie bawił się bowiem w żadne subtelności i chwycił malca wprost za tłuste strąki włosów. Kiedy ten zawył z bólu, stary policjant zerwał mu szalik z szyi i wepchnął mu między zęby.

– Skąd wziąłeś te buteleczki? – zasyczał wprost do ucha łobuza. – Z tych śmieci, co ta lala wysypała?

Ulicznik kiwnął głową. Wtedy Popielski go puścił. Zahuczały kroki na schodach i ucichły gdzieś na wysokim piętrze domu.

Stary policjant podniósł z ziemi rozbite buteleczki apteczne. Ostrożnie, by się nie skaleczyć, złożył resztki jednej z nich i przeczytał łaciński napis.

ZNAŁ JUŻ TAJEMNICĘ dziewczyny podobnej do trzciny. Fryderyka Pasławska, piękna uczennica klasy maturalnej liceum ogólnokształcącego i słuchaczka tajnych kompletów profesora Stefanusa, wyrzuciła do śmieci fiolki po morfinie – jednym z najbardziej deficytowych towarów w mieście.

Nie miał zielonego pojęcia, czy morfinistką jest panna Pasławska, czy jej jedyna krewna, trzydziestoletnia siostra Wanda, czy też jeszcze kto inny z jej otoczenia. Obojętne mu zresztą było, czy licealistka albo ktoś jej bliski cierpi fizycznie lub psychicznie tak mocno, że musi ból swój koić morfiną. Był natomiast pewien, że za cudowny narkotyk, który niezawodnie łagodził cierpienie ludzi chorych i na ciele, i na duszy, można było kupić we Wrocławiu wszystko. Również lojalność młodej uczennicy.

W jednej chwili przypomniał sobie, że niedawno czytał w prasie o trudnej sytuacji wrocławskich aptek. Chorzy nierzadko byli odprawiani z kwitkiem przez aptekarzy, kiedy nie mieli ze sobą buteleczek, w które nalewano mikstury. Dlatego większość ludzi nigdy nie wyrzucała pojemniczków, a jeśli już te znalazły się na śmietniku, to natychmiast padały łupem śmieciarzy, którzy sprzedawali je aptekarzom. Wystarczyło kilka, by śmieciarz uzbierał na papierosy. Popielski spojrzał na niedopałki, które się wysypały z kieszeni chłopca, i na szklane okruchy, za które ulicznik już nigdy niczego nie kupi.

Wyjął z kieszeni ledwo rozpoczętą paczkę dobrych papierosów, Bułgarskich, które kupił kilka dni temu spod lady w sklepie Społem. Ciężko sapiąc, wszedł po schodach i położył je na podeście pierwszego piętra. Patrzył w górę klatki schodowej, ale zadymiony czarny świetlik prawie nie przepuszczał światła.

– Ty, młody! – krzyknął w ciemność. – Masz tu papierosy w prezencie! Pierwszorzędne!

Nie usłyszawszy odpowiedzi, zszedł ze schodów. Kiedy zamykał bramę od strony podwórka, usłyszał jakiś szelest. Na drugim piętrze przy otwartym oknie stał chłopiec i z drwiącym uśmiechem rzucał na ziemię podarowane sobie papierosy. Potem rozpiął rozporek. Niektóre z długich strug jego uryny zmoczyły pierwszorzędne papierosy Bułgarskie rozsypane na klepisku podwórka.

Popielski patrzył na to z oddalenia i dobrze rozumiał nienawiść młodego ulicznika.

Dobrze rozumiałem jego gniew i pogardę. Na pewno chłopiec nie raz i nie dwa doznał przemocy ze strony takich jak ja „dobrych wujków", którzy najpierw chcą się przypodobać, a później biją i szarpią za włosy lub – jeśli zboczeni – robią coś zgoła gorszego. Nic zatem dziwnego, że honorowy łobuz wzgardził moimi papierosami, które miały być nędzną zapłatą za jego upokorzenie. Niestety, czułem, że w tej sprawie upokarzanie innych będzie moim chlebem powszednim.

To śledztwo było bardzo nietypowe, a jego wyniki niepomiernie mgliste. Osiągnięcie pewności wydawało się niezwykle trudne – przy mych szczupłych możliwościach prowadzenia przesłuchań. Wszystko, co mogę uzyskać – myślałem – to jedynie powzięcie mocnych podejrzeń. Na razie miałem możność jedynie ustalić, *primo*, czy któraś z uczennic ma jakąś słabość, *secundo*, czy tę słabość UB mogłoby przeciwko niej wykorzystać, by zamienić ją w swą donosicielkę. Dopiero po ustaleniu tego czekał mnie decydujący krok – wymuszenie na podejrzanej przyznania się do winy.

Nie miałem jednak powodów do całkowitej desperacji. W wypadku Pasławskiej był jakiś punkt zaczepienia, jakiś trop, którym mogłem pójść – morfina. Narkotyk, zażywany albo przez samą uczennicę, albo przez jej najbliższych, na przykład przez starszą siostrę.

Trop tropem, ale jak nim skutecznie podążać – mówiłem do siebie w cichej irytacji – bez całego policyjnego aparatu? Bez prawa do przesłuchań, bez szpicli, bez imadła na podejrzanych – by zacytować pewnego starego niemieckiego policjanta? Gdzie to wszystko? Mam tylko przekupstwo i nagą przemoc, a człowiek skuszony pieniędzmi albo zastraszony mówi to, co mu ślina na język przyniesie, przemoc zaś wyradza się w krzywdę.

W czasie mej następnej inwigilacji, której poddałem uczennicę Janinę Maksymońko, wydarzyło się i jedno, i drugie.

POPIELSKI NIE PRÓŻNOWAŁ i po obiedzie jeszcze tego samego dnia, kiedy to poszarpał młodego ulicznika, kontynuował swoją misję. Zrobił to tym chętniej, że kolejna licealistka z listy mieszkała sto metrów od jego lokum. Ze starannie wykaligrafowanej przez profesora Stefanusa notatki wyczytał, że panna Janina Maksymońko jest jednocześnie i córką, i uczennicą Władysława tegoż nazwiska, rusycysty nauczającego we wrocławskim liceum. O panu Władysławie Maksymońce profesor Stefanus dopisał ołówkiem dwa słowa – „alkoholik prawdopodobnież". Owego popołudnia Popielski przekreślił to ostatnie i napisał „z całą pewnością".

Uczynił to, stojąc w ubikacji na korytarzu trzeciego piętra kamienicy numer 27 na ulicy Ładnej. Zamek u drzwi tego pomieszczenia otworzył był wytrychem i zaryglował się od wewnątrz. W ciągu dwóch godzin, które spędził w tych mało komfortowych warunkach, cztery razy ktoś się dobijał do drzwi. Popielski ryczał wtedy: „Sraczki dostałem! Smród jak jasna cholera i kibel zachlapałem! Poczekaj, muszę umyć!". Te komunikaty skutecznie odstraszały mieszkańców, którzy od swych sąsiadów pożyczali klucze do ubikacji na innych piętrach i tam oddawali dług naturze.

Tymczasem Popielski stał w dość niewygodnej pozycji na muszli klozetowej i przez lekko uchylone okienko dyskretnie wpatrywał się we wnętrze jednopokojowego mieszkania sąsiadującego z toaletą. Widział sporo, ponieważ studnia wewnętrznego podwórka była bardzo wąska. Ponadto pijanemu profesorowi Władysławowi Maksymońce było najwyraźniej gorąco, bo otworzył na oścież jedno z dwóch okien, umożliwiając tym samym detektywowi dokładną obserwację.

Nauczyciel, dobrze znany Popielskiemu z widzenia, pociągał co chwila z butelki, rozpierał się z gitarą na kanapie i śpiewał smętną rosyjską balladę, w której pojawiała się co rusz nazwa „Odessa". Jego córka Janina, również widziana przez detektywa wielokrotnie, choćby w piekarni na ulicy Benedyktyńskiej, wykonywała teraz pracę chałupniczą, polegającą na stemplowaniu kartek wielką pieczęcią. Po chwili wątpliwej jakości baryton Maksymońki stał się mocno przytłumiony, bo jego córka, najwyraźniej zmarznięta i zirytowana, krzyknęła coś ostro na ojca i zamknęła okno. Pieśniarz uśmiechał się dobrotliwie, kiwał głową i grzecznie słuchał energicznej dziewczyny, która zaraz wróciła do swej roboty.

Minęła kolejna godzina. Mimo zamkniętego okna Popielski wciąż słyszał wzmocniony przez alkohol ryk kiepskiego śpiewaka oraz stukot stempla, który to odgłos kojarzył mu się nieodparcie z pocztą. Zaczynał się niecierpliwić.

W końcu coś zaczęło się dziać. Dziewczyna wstała, włożyła paltot i beret i – wyraźnie rozzłoszczona – pogroziła ojcu palcem. Zaskrzypiały drzwi i po korytarzu rozeszła się melancholijna pochwała nadwołżańskiego krajobrazu. Trzasnęły drzwi i licealistka zbiegła po schodach, głośno tupiąc pantoflami. Popielski wyszedł z kibla i ruszył za nią. Wypadł z bramy i nie spuszczał oczu z niskiej i przyjemnie zaokrąglonej sylwetki dziewczyny. Szedł równie szybko jak ona, wierząc, że intesywny ruch przywróci jego zdrętwiałym nogom i plecom dobrą formę.

ZAPADAJĄCY ZMIERZCH, podnosząca się mgła oraz spory ruch na ulicach wokół placu Grunwaldzkiego były sprzymierzeńcami zarówno śledzącego, jak i śledzonej, gdyby ta oczywiście zdawała sobie sprawę z inwigilacji. Dziewczyna była jednak zajęta czymś zupełnie innym, co było związane właśnie z jej chałupniczą pracą. Stanęła na chodniku na ulicy Curie-Skłodowskiej, tuż obok wyjścia z bazaru, sięgnęła do torby i zaczęła wychodzącym ludziom rozdawać stemplowane przed chwilą kartki papieru. Z rumieńcem na twarzy, wywołanym szybkim marszem i zimnem listopadowego popołudnia, z jasnymi lokami wymykającymi się spod czapki, była wdzięcznym obiektem zainteresowania wielu mężczyzn wychodzących z bazaru. Kilku do niej coś zagadało, kilku skomentowało wystemplowany na kartce napis, kilku usiłowało ją nawet podrywać. Zwłaszcza jakiś śniady i czarnowłosy sołdat w kożuchu uśmiechał się wciąż do niej, oddalał się i wracał, chcąc na wszelki sposób przyciągnąć uwagę dziewczyny. A to częstował ją cukierkami, a to grał na organkach, a to – najwyraźniej pijany – usiłował śpiewać i tańczyć przed nią kazaczoka. Panna Janina była zażenowana i odganiała sołdata czystą ruszczyzną, co miało skutek odwrotny do zamierzonego. Dziewczyna powściągnęła jednak swój gniew, bo wnet się zorientowała, że na popisach krasnoarmiejca nie cierpi specjalnie jej działalność reklamowa. Nie musiała bowiem biegać i wciskać ulotek ludziom, gdyż ci sami gęsto się wokół nich gromadzili, by patrzeć na działalność artystyczną podpitego zalotnika. Niejedna osoba wyrzuciła kartkę, ale niejedna też czytała ją z pewnym zainteresowaniem.

Do tych ostatnich należał Edward Popielski. Podniósł z ziemi wyrzuconą przez kogoś ulotkę i analizował w myślach jej treść.

„Słynna grafologini Winiarska jest przejazdem we Wrocławiu. Jeśli kto z bliźnich chce skorzystać z jej bogatej wiedzy duchowej, to mieszka ul. Worcella 7 m. 16" – głosiła odbita pieczęcią informacja. W innych okolicznościach Popielski – niegdysiejszy nauczyciel języków klasycznych i wielbiciel gramatyki – pewnie by skrytykował niezdarność komunikatu albo śmiałby się z żeńskiej formy rzeczownika „grafologini". Teraz jednak całą jego uwagę pochłaniał trud skojarzeń, które wiązały się z procederem owej pani Winiarskiej.

Po chwili licealistka rozdała wszystkie ulotki, burknęła coś ostro na rosyjskiego żołnierza, który klękał przed nią i chciał ją całować po rękach. Odwróciła się na pięcie i ruszyła w stronę domu, mijając po drodze Popielskiego. Ten w obawie przed rozpoznaniem szybko ukrył twarz w dłoniach. Rosjanin patrzył za panną tęsknie, a potem podrapał się po głowie pod baranicą i zniknął gdzieś w tłumie, który się przewalał przez bramę zamykanego właśnie bazaru.

Popielski przez chwilę się wahał, czy iść za dziewczyną. „Pewnie wraca do domu – myślał – i znów mnie czeka siedzenie w śmierdzącym kiblu i słuchanie pijackich porykiwań".

Ta myśl wydała mu się odpychająca, ale wcale nie z powodu nudy i niewygód, jakie miały się stać jego udziałem w czasie dalszej inwigilacji panny Maksymońko. Był zbyt stary i doświadczony, by nie wiedzieć, że policyjna robota to przede wszystkim monotonia. Już dwadzieścia lat temu powtarzał, że jeśli kto szuka przygód i urozmaiceń w pracy, to niech raczej postara się o posadę w cyrku, nie w policji. Nie, to nie detektywistyczna rutyna odpychała go od obserwacji mieszkania, to było coś innego; coś, co się wiązało z osobliwym zawodem „grafologini". Czuł, że jest to bardzo ważne i może go pchnąć na nowy trop w tym dziwnym śledztwie.

Nie śpieszył się nigdzie. Dziewczynę na pewno znajdzie znów w jej mieszkaniu u boku ojca – łagodnego melancholika, który miał pieniądze na wódkę być może dzięki działalności reklamowej córki. Nie, Popielski nie mógł teraz nigdzie iść, bo straciłby na pewno tę nieuchwytną myśl, jakieś istotne przypomnienie, którego zalążek ledwie nabierał w jego umyśle nieostrych kształtów.

Panna Janina dawno już zniknęła, a on stał na resztkach gruzów na rogu Reja i Ładnej i niewidzącym wzrokiem przypatrywał się kapuścianym głowom i szatkownicy, które jakiś sprzedawca z okrzykiem „Szatkowanie równe, piękne!" wywoził z bazaru na dwukołowym wózku.

– Winiarska – szeptał Popielski, mało pochlebnie porównując swoją głowę do kapuścianego głąba, który podrzucał sprzedawca, chcąc przyciągnąć uwagę nielicznych już przechodniów. – Grafologini Winiarska... Grafolog Winiarska... Grafolog...

I wtedy doznał iluminacji. Pojawiła się ono, gdy wypowiadał pojedyncze słowo „grafolog". W jednej chwili przypomniał sobie opowieść swojego żołnierza, niejakiego kaprala Frątczaka, dezertera z rzeszowskiego pułku Korpusu Bezpieczeństwa Wewnętrznego. Historia jego byłego podwładnego była odpowiedzią na pytanie: „Dlaczegoście uciekli do nas z KBW?", które on, Popielski, wówczas porucznik AK, pseudo Cyklop, zadał Frątczakowi późną jesienią 1945 roku. „A w kiblu żem węglem wypisał – odpowiedział Frątczak – »Do dupy tera wojsko polskie«. Dowódca szału dostał. Zrobił apel. »Przyznać się do winy, bo was zajebę« – darł się kanalia. Siedziałem cicho jak mysz pod miotłą. I wycięli deskę z kibla i posłali ją do jakiegoś grafo... grafologa czy do jakiego innego diabła. Wtedy żem zwiał tutaj do was".

W umyśle starego policjanta pojawiła się natychmiastowa asocjacja: z usług grafologów korzystają politruki z KBW, ubecy i im podobni, *ergo* grafologini Winiarska może współpracować z UB; panna Maksymońko współpracuje z grafologinią Winiarską, *ergo* może też współpracować z UB.

– Może czas skorzystać – zapytał sam siebie, patrząc na trzymaną w dłoni ulotkę – z „bogatej wiedzy duchowej" tej pani?

W domu wyjąłem z szafy mojego browninga o złotej rękojeści. Był to prezent od pewnego milionera z Borysławia za odzyskanie jego córki, którą dla okupu porwała przed samą wojną szajka niejakiego Burmyły z Drohobycza. Znajomy dotyk broni napełnił mnie spokojem.

Obciążywszy sobie nią kieszeń, poszedłem na podwórko, aby zwerbować doraźnego pomocnika. Uczyniłem to, a potem wraz z nim udałem się do domu, gdzie dla rozgrzewki wypiliśmy pod kilka plasterków słoniny po pół szklanki spirytusu. Lodzia była trochę niezdrowa. Pogoda teraz zgniła, a ja ostatnio zaniedbałem domowe obowiązki i nie zawsze pamiętałem, by w piecu napalić. Zaziębiło się biedactwo. Leżała teraz w gorączce na tapczanie w nyży i słuchała cicho piosenki płynącej z naszego nowego radia Aga. Doktór Scholz siedział obok i ordynował jej jakieś pastylki. Zachowałem się jak człowiek nieczuły, bo nie tylko nie słuchałem zaleceń doktora, nie tylko nie zapytałem Lodzi o zdrowie, ale na dodatek wraz z moim towarzyszem opuściłem bez słowa mieszkanie. Nie zapomnę wzroku, jakim mnie Lodzia odprowadzała. Był zaniepokojony, bolesny i – jak zwykle – nieco ironiczny. Umiałem sprawiać ból bliskim mi osobom. Po chwili się okazało, że potrafię go zadawać również obcym.

PRZED KAMIENICĄ Popielski podał ogień niejakiemu Andrzejkowi Buko, sąsiadowi z oficyny. Oprócz niewielu cech pozytywnych ten młody gwałtownik, obibok i złodziejaszek miał dwie, które stary policjant niezwykle cenił. Jedną z nich był talent niemalże estradowy, jaki Buko demonstrował po podwórkach, śpiewając przy wtórze akordeonu lwowskie ballady, drugą zaś stanowiła małomówność i niezłomna lojalność wobec przyjaciół, do których zaliczał „pana kumisarza". Andrzejek był dawnym lwowskim paserem i zdążył poznać Popielskiego w policyjnej roli jeszcze przed wojną, nie popadając z nim jednakże w żaden konflikt. W czasie wojny – o czym Cyklop dobrze wiedział – ukrywał w jednej ze swoich melin żydowską rodzinę.

Gdy tu, we Wrocławiu, a na dodatek na własnym podwórku, Buko zobaczył Łyssego, jak nazywała komisarza lwowska ulica, aż zaśpiewał z radości początek jakiejś batiarskiej ballady i polecił mu natychmiast swe usługi. Szybko się zresztą wykazał w ich wykonywaniu. Pośredniczył bowiem w spieniężaniu przez kuzynostwo różnych dóbr, które panna Leokadia Tchórznicka przywiozła ze Lwowa – w tym najczęściej biżuterii, porcelany i złotych austriackich guldenów. Odliczał przy tym dla siebie odpowiedni procent, taki w sam raz – by nie urazić „pana kumisarza" okazywaniem mu łaski ani nie wyjść w jego oczach na bezdusznego spekulanta.

Dzisiejsze zlecenie, które dostał od Popielskiego, postanowił wykonać za „bezdurnu", i ani chciał słyszeć o jakimkolwiek honorarium.

OBAJ MĘŻCZYŹNI, pokrzepieni spirytusem, udali się w stronę ulicy Szczytnickiej, a potem przeszli w milczeniu szybkim krokiem ulicę Wrocławczyka i wstąpili na kładkę przy zniszczonym moście Wojewódzkim. Z lekkim niepokojem minęli dwa milicyjne patrole, które krążyły pod oknami Urzędu Wojewódzkiego na placu Stanisława Piaskowskiego, aktualnego wojewody.

Popielski i Buko, kiedy już byli w bezpiecznej odległości od milicjantów, wulgarnie i głośno wymienili swoje zgodne opinie na temat sytuacji, kiedy to urzędnik już za życia jest honorowany placem swojego imienia. Skrytykowawszy w ten sposób bizantyjskie zwyczaje rodem z Rosji, ruszyli przez gruzy ulicy Dobrzyńskiej.

Tu nie było już tak bezpiecznie jak pod gmachem urzędu. W wypalonych oknach zrujnowanych kamienic błyskały tu i ówdzie płomyki świeczek i małych ognisk palonych na piętrach, z piwnic dochodziły okrzyki, a nawet śpiewy, a z ciemnych bram wyskakiwał co chwila chudy pies lub spasiony szczur. Obaj mężczyźni zaciskali dłonie na kolbach pistoletów i rozglądali się uważnie dokoła, wiedząc, że nieostrożni przechodnie wychodzili z tych ruin nie raz i nie dwa w samych tylko gaciach.

W końcu bezpiecznie doszli do kościoła Świętego Maurycego, a potem już całkiem odetchnęli z ulgą, bo ulice Traugutta i Pułaskiego, którymi zaraz szli, były – mimo wieczoru i listopadowego chłodu – dość tłumnie uczęszczane.

Na ulicy Worcella natomiast, w okolicach bramy kamienicy numer 7, nie było prawie nikogo, co nadzwyczaj ucieszyło Popielskiego. Razem z Buką weszli do okazałego budynku i stanęli oko w oko z dozorcą, który zapytał ich śląskim dialektem:

– A kaj to idymy?

Popielski rozejrzał się po klatce schodowej i ujrzał tablicę na ścianie, która informowała po niemiecku, iż właściciel domu pan Reinhold Gerstenberger osobiście dyżuruje przy telefonie pod numerem 35 362 codziennie od dwunastej do pierwszej po południu.

– Co to jest, do jasnej cholery! – wrzasnął Popielski na stróża, wskazując na tablicę. – Wy tu ślady niemczyzny tolerujecie?! A wyrzucić mi tę wstrętną tablicę, ale już! Na śmietnik z tym! Wasze nazwisko?

– Horst Gunia – odparł przerażony dozorca.

– No nie, trzymajcie mnie! – Popielski zwrócił się do Buki ze sztucznym uśmiechem. – Patrzcie no, obywatelu poruczniku, teraz to wszystko jasne. – Zwrócił piorunujący wzrok znów na dozorcę. – Niemiec chroni niemczyznę!

Wyciągnął starą legitymację lwowskiego klubu brydżowego i pomachał nią przed oczami nieszczęśnika.

– Urząd Bezpieczeństwa Publicznego, Szwabie!

– Ja Ślunzok, Polok, panie – mówił przerażony Gunia i wpatrywał się z szacunkiem w drugiego mężczyznę, który z niejakim zdziwieniem zareagował na swoją oficerską szarżę. – Ja z Rudy, ni!

– Idę do pani Winiarskiej, rozumiecie, Horst? – powiedział Popielski wolno i wskazał na tablicę. – A jak wrócę, to ma tu nie być tego szwabskiego gówna! Zrozumiano, Horst?!

– Tak jest – wykrzyknął szybko dozorca, jakby przerażony powtarzaniem swego niemieckiego imienia.

Zapalił im światło i przypatrywał się z lękiem, jak wbiegają na schody. Popielski pewnym krokiem załomotał obcasami po drewnianych stopniach i podestach. Po dwóch minutach byli na ostatnim piętrze, pod drzwiami mieszkania numer 16. Były lwowski paser nie mógł opanować śmiechu.

– Ali pan kumisarz mi, kindrowi z Kliparowa, ta szarży nadał! Porucznik! Ta, ludzi, trzymajci!

– Należy ci się, Buko – odparł wesoło Popielski. – Wolne państwo polskie powinno ci nie taką rangę ofiarować. Działałeś na czarnym rynku we Lwowie podczas wojny? Działałeś! Prowadziłeś tym samym walkę handlową z Niemcami i Sowietami? Prowadziłeś. A i kilku Żydów ukrywałeś, jak słyszałem...

– Nie kilku, dwóch mośków – odparł zadowolony Buko. – Ojcic i syn... Ali jak tu buło ich nie kitrać, kiedy to był sam pan profesór Sandman...

Buko chciał coś jeszcze dodać, ale Popielski położył palec na ustach i zapukał do drzwi. Prawie natychmiast szczęknął zamek i w drzwiach stanęła niska, tęga kobieta koło pięćdziesiątki. W jej mocno podmalowanych oczach pojawiło się wahanie.

– Przepraszam panów – powiedziała. – Ale dzisiaj to jest już późno... Ja już nie pracuję... Proszę mi zostawić próbkę swojego pisma i umówimy się na jutro...

– Urząd Bezpieczeństwa Publicznego – warknął Popielski. – My w sprawie ekspertyzy grafologicznej. Jak wtedy gdy niedawno tu byli nasi koledzy...

Winiarska nie okazała najmniejszego zdziwienia tym ostatnim zdaniem, odsunęła się od drzwi i wpuściła ich do mieszkania. Potem ruszyła przez długi, ciemny przedpokój, lekko utykając. Szli za nią i widzieli, jak uchylają się drzwi do różnych pomieszczeń. W ciemnym pokoju zatańczyły błyski światła.

Popielski był zadowolony. Zachowanie grafologini potwierdzało jego podejrzenia. Jego prowokacja potwierdziła, że istnieje współpraca pomiędzy Winiarską a UB. „Milczenie to potwierdzenie" – myślał prostodusznie Popielski.

Weszli do pokoju, w którym przyjmowała interesantów. Był on urządzony jak gabinet wróżki. Różne elementy wystroju tak mocno przyciągnęły uwagę obu mężczyzn, że na moment zapomnieli, po co właściwie tu przyszli. Buko z wielkim upodobaniem stukał palcem w pręty klatki zajmowanej przez nastroszonego puchacza, a Popielski przyglądał się makatce, na której były wyhaftowane różne kabalistyczne symbole i astrologiczne znaki. Podniósł ku górze wyszywany materiał i dokładnie obejrzał ścianę pod nim. Potem to samo uczynił z wyobrażającym rozgwieżdżone niebo kilimem oraz z zasłonami okien. Nigdzie nie było żadnych ukrytych przejść do pokojów obok, skąd mogliby wypaść jacyś ludzie, by pokrzyżować mu plany. Otworzył na oścież okno.

– Słucham panów! – powiedziała nieco zdenerwowana Winiarska.

Popielski skinął Buce głową. Ten wyjął pistolet i przystawił kobiecie do skroni.

– Do okna! – stary policjant wydał to polecenie zimnym głosem. – Do samego parapetu! I siadaj na nim!

Podeszła, dokąd jej kazał, i usiadła między dwiema paprotkami. Za nią rozpościerała się zimna, ciemna otchłań wąskiego podwórka o betonowym dnie. Drżała. Pod pachami jej ciemnozielonej sukienki rozlały się dwie plamy. Na meszku górnej wargi pojawiły się drobne kropelki. Jedna stopa w eleganckim pantoflu podrygiwała jakby w takt muzyki, druga, zamknięta w but ortopedyczny, tkwiła nieruchomo. Czerwone cętki rozchodziły się po szyi i po policzkach.

– Panowie, nie zabijajcie mnie – szepnęła. – Ja łagier przeżyłam, Kazachstan, nie chcę teraz umierać...

Buko spojrzał na Popielskiego zakłopotany. Winiarska dostrzegła to spojrzenie i wstała z parapetu.

– Siadaj tam, ubecki szpiclu! – Z ust Popielskiego wychodziły chmurki lodowatego oddechu. – Jeden mój ruch i wyfruniesz... Nie umrzesz od razu. Jeszcze długo będziesz się męczyć, czołgać po betonie, ciągnąc za sobą zgruchotane biodra, złamany kręgosłup, bezwładne nogi...

Kobieta zaczęła łkać cicho, a łzy ryły wąwozy w kiepskim pudrze pokrywającym jej policzki.

– To panowie nie są z UB?

– Jak zwerbowałaś do współpracy pannę Janinę Maksymońko? – Popielski zignorował jej pytanie.

– Mówiła, że jej ojciec pije – odparła Winiarska, trzęsąc się w przenikliwym chłodzie bijącym od otwartego okna. – Że ostatnio znaleźli go na ulicy i zanieśli na komisariat na Piastowskiej...

– Nie odpowiedziałaś na pytanie! Jak ją zwerbowałaś?

– Sama do mnie przyszła... Znalazła ogłoszenie w gazecie i sama zaproponowała... Jasia potrzebuje pieniędzy... Jej ojciec...

– No to za pieniądze ją zwerbowałaś do współpracy z UB, tak? Za ubecką forsę?

– Z jakim UB? O czym też pan mówi? Ja ze swoich jej płaciłam... Jasia to dobra dziewczyna... Pracowita... Ulotki dla mnie stemplowała.

– Nie opowiadaj mi tu bajek! – warknął Popielski i wykonał gwałtowny ruch, jakby ją chciał wypchnąć przez okno.

Kobieta kurczowo chwyciła się parapetu. Stary policjant zauważył, jak u jej kciuka odgina się paznokieć. Poczuł zimny dreszcz.

– Przychodzi do ciebie UB po ekspertyzę grafologiczną?

– Przychodzi.

– Wcale się nie zdziwiłaś, kiedy powiedziałem, że jesteśmy z UB...

– Wyglądacie jak oni – szeptała pobielałymi wargami. – Ale się różnicie od panów z Łąkowej... Nawet tacy bandyci jak oni mówią do mnie „pani"...

Zapadło milczenie. Wiatr poruszał makatką haftowaną w kabalistyczne symbole, a dłonie Winiarskiej drżały; szklana kula migotała w blasku świecy, a kobieta siedziała zgięta wpół, na parapecie, chcąc stłumić ból brzucha; z biurka sfruwały astrologiczne wykresy, a po pończochach grafologini płynęły wątłe strużki i kapały na podłogę. Na wszystko to patrzył puchacz i mrugał co chwila swym mądrym okiem.

Popielski przełknął ślinę. Czuł, jak po jego przełyku przesuwa się gorące, lepkie ciasto.

Wyszedł z pokoju, a za nim wyskoczył Andrzejek Buko.

Kiedy stary policjant schodził po schodach, jego doraźny pomocnik trzymał się od niego z daleka. Kiedy wyszli z bramy, Buko podszedł do dawnego komisarza i splunął mu siarczyście pod nogi. Potem zniknął w wątłym świetle gazowych latarni.

POPIELSKI WIELOKROTNIE już tracił szacunek ludzi. Mało go obchodziło, kiedy tymi ludźmi byli politycy. Pamiętał, jak niezłomni moraliści, katoni z Delegatury Rządu, którzy w tej wojnie prochu nie wąchali, wyliczali mu, ile wiosek ukraińskich spalił, na ilu domniemanych konfidentach niemieckich wykonał wyrok śmierci, łamiąc starorzymskie prawo *in dubio pro reo*. „Co pan wtedy czuł, kiedy mordował niewinnych ludzi?" – pytali ze świętym oburzeniem potomkowie Seneki. „Jest krwawa wojna – odpowiadał – kodeks honorowy został zamrożony, a mordowanie Polaków nie przypomina rycerskich turniejów. Nie widziałem ludzi honoru wśród Niemców, którzy rozstrzelali moją chorą psychicznie córkę". Milkli wtedy, milczał i on. Nie potrafił opisać swego buntu przeciwko Bogu, ale nie umiał też przedstawić łaski wzajemnego przebaczenia, jaka nań spłynęła, kiedy wraz z dowódcami kurenia Berkuta UPA zawierał wiosną 1946 roku sojusz przeciwko Sowietom i komunistycznym zdrajcom.

Popielski nie potrafił mówić o uczuciach, a w matematycznym swym umyśle potrafił je tylko określać liczbowo na jakiejś skali. Kiedy tracił szacunek u ludzi, wtedy swojemu psychicznemu dyskomfortowi przypisywał zwykle wartość „3" lub „4" na „10". Dziś, kiedy podeptał godność niewinnej starszej kobiety, a lwowski batiar splunął mu pod nogi, ocenił swoje mentalne cierpienie na „7".

Z bramy wyskoczył Horst Gunia i przymilnie się uśmiechając, rzekł:

– Nic żem nie widzioł, nic żem nie słyszoł!

– I tylko niektórzy ze strachu mnie szanują – mruknął do siebie Popielski i ruszył w noc.

Nie wróciłem do domu od razu. W pobliskiej restauracji Warszawianka zastanawiałem się nad dalszym postępowaniem. Zamówiłem dwie setki monopolowej i dwadzieścia deka serdelowej na gorąco. Barmanka nie była specjalnie zachwyconą moją późną wizytą, ale udobruchałem ją, płacąc dwusetką i nie żądając reszty.

Po pierwszym łyku wódki rozwikłałem problem moralny: czy człowiekowi w dobie powszechnej trwogi i niepewności wolno krzywdzić swych bliźnich? Odpowiedź nasunęła mi się od razu: tak, ale tylko wtedy, gdy są spełnione trzy warunki: (a) człowiek wyczerpał już inne sposoby walki o przetrwanie, (b) broni się przed agresją, (c) czyni świat lepszym, likwidując przyczynę zła. Upokarzając panią

Winiarską, nie spełniłem żadnego z tych warunków. Sam popełniłem zatem zło. Jak je naprawić? Prosząc o przebaczenie. Kiedy przebaczenie jest możliwe? To zależy od głębokości, na jaką weszło żądło krzywdy. Ponieważ jej głębię zna tylko skrzywdzony, winowajcy pozostaje jedynie ponawianie swej prośby o wybaczenie, aż w końcu usłyszy od bliźniego najpiękniejsze słowa: *ego te absolvo*. Przy drugim łyku wódki postanowiłem od jutra rozpocząć prywatną krucjatę przeciw wyrządzonemu przeze mnie złu i po raz pierwszy błagać panią Winiarską o wybaczenie, a w razie niepowodzenia mojej misji – co było nadzwyczaj prawdopodobne – powtarzać tę czynność wielokrotnie.

Upiłem połowę drugiego kieliszka i postanowiłem kontynuować swoją pracę, czyli śledzić obie licealistki. Nie była to łatwa decyzja, bo do obu inwigilowanych czułem niekłamaną sympatię, wywołaną oczywiście – co tu kryć! – ich urodą. Miałem lat równo sześćdziesiąt, mimo to – a może raczej dlatego – młodość i niewieści wdzięk działały na mnie piorunująco. Nie mogłem uwierzyć, że któraś z tych uczennic jest agentką UB, a niezbite na to dowody – gdyby mi je ktoś inny przedstawił – przyjąłbym z wielkim żalem. Ale to nie kto inny, to ja sam musiałem te dowody znaleźć, czyli miałem szukać czegoś, czego sam naprawdę nie pragnąłem!

Zdenerwowało mnie to *soliloquium*. Sięgnąłem po stopkę wódki. Przestań hamletyzować – mruknąłem sam do siebie, wypijając ostatni łyk – świat nie staje się lepszy tylko dlatego, że czasami traci swoją zwykłą brzydotę!

Wróciłem do domu przed północą. Po drodze nic złego mnie nie spotkało, może dlatego, że zastosowałem dość skuteczny sposób – udawałem bardziej pijanego, niż byłem, a pijak wśród wrocławskich bandytów zwykle cieszy się sporą sympatią, opartą oczywiście na wspólnocie doświadczeń.

Rano wstałem rześki i zmarznięty. Napaliłem w piecu i zająłem się Lodzią. Zmierzyłem jej temperaturę, pocieszyłem, ucałowałem gorące czoło i zostawiłem przy jej łóżku dwie kromki chleba z miodem i dzbanek gorącej herbaty. Obiecawszy, że kupię jej jeszcze cytryn na szaberplacu, opuściłem mieszkanie. Na ulicy stał Andrzejek Buko. Udał, że mnie nie widzi.

Zapomniałem o cytrynach. Pół godziny później byłem na Worcella.

HORST GUNIA, widząc Popielskiego, prawie wyprostował się na baczność.

– Godzina tymu blank se przekludziła, obywatylu kapitanie – zameldował, uznawszy najwidoczniej, że Popielski musi być wyższy rangą od swojego wczorajszego towarzysza, nazywanego porucznikiem.

– Mówcie mi tu po polsku! – nakazał Popielski.

– Zmieniła mieszkanie... – szybko odpowiedział stróż. – Na Karłowicach, na Asnyka czy kajś... Tak formon godał... Wszystkie klamory wzina, ni?...

Popielski przetłumaczył sobie w myślach „klamory" na lwowskie „bambetli", a potem na polskie „bagaże". Odwrócił się plecami do dozorcy, który jeszcze próbował mu relacjonować, jak to odkręcił niemiecką tablicę informacyjną i ją „na hasiok wyciepał".

Po dwudziestu minutach niespełniony pokutnik stał na przystanku tramwajowym w Rynku, gdzie między innymi miał swoją pętlę tramwaj numer 1, który wkrótce zresztą przyjechał. Popielski wsiadł i stanął w rogu na przednim pomoście, ściśnięty pomiędzy jakąś przekupką a koszem pełnym piszczących kurcząt. Trzymał przy tym ręce głęboko w kieszeniach w obawie przed doliniarzami, których w tramwajach nigdy nie brakowało.

Wyjął je dopiero wtedy, kiedy wysiadł na ulicy Stalina. Zapalił papierosa i szedł najruchliwszą i najbardziej uczęszczaną ulicą Wrocławia, której patronowała znienawidzona przez niego figura sowieckiego satrapy. Bogate życie społeczne kłębiło się tutaj we właściwych sobie miejscach. Handel kwitł na chodnikach i za witrynami sklepów, przyjaźnie i znajomości zawierano przy butelce wódki w restauracji Kresowianka lub przy kawie w cukierni Jeskego, a nierząd uprawiano w bramach, piwnicach i komórkach. W imaginacji Popielskiego ta część miasta, którą właśnie przemierzał w drodze do liceum, była za dnia odpowiednikiem eleganckiej lwowskiej ulicy Leona Sapiehy, lecz nocą wilgotne zaułki i ciemne studnie podwórek pokrytych górami śmieci przypominały staremu lwowiakowi zakazane zakątki Kleparowa. Podobnie jak w batiarskiej dzielnicy Lwowa, tak i tu – w centrum Wrocławia – nocą można było stracić wszystko, a zyskać tylko dwie rzeczy: siniec pod okiem lub wenerę w spodniach.

Ta coraz powszechniejsza dolegliwość trapiła na pewno niejednego przechodnia na ulicy Poniatowskiego, gdzie Popielski właśnie się znalazł, ale – jak mniemał naiwny – nie imała się licealistów, których dzwonek szkolny właśnie wzywał na kolejne lekcje.

Detektyw wszedł do szkoły i – nie odezwawszy się słowem ani do woźnego, ani do dwóch dyżurnych – zaczął lustrować plan lekcyj, który wisiał przy wejściu. Upewniwszy się, że klasa Fryderyki Pasławskiej ma właśnie lekcję z dyrektorem Franciszkiem Jankowskim, wyszedł z budynku, odprowadzany podejrzliwym wzrokiem przez zniszczonego życiem portiera. Ruszył raźnym krokiem w stronę domu Pod Złotym Słońcem, gdzie mieszkała uczennica, którą porównał był w czasie swej ostatniej tu bytności do wiotkiej trzciny.

Mieszkała z siostrą na parterze, w pierwszej bramie półokrągłej kamienicy. Kiedy to ustalił, zapamiętał też istotny fakt – góra odpadków, na której szczycie mały ulicznik znalazł parę dni temu buteleczki po morfinie, była pomnikiem lenistwa stróża.

Detektyw dyskretnie się rozejrzał po klatce schodowej i po otoczeniu kamienicy. Jak przypuszczał, dozorcy nie było ani w bramie, ani na podwórku. Zdjął kapelusz i przystawił swe ucho, zdeformowane kilka lat wcześniej przez niemiecką kolbę, do drzwi mieszkania numer 2. Po minucie nasłuchiwania wyjął wytrychy i tak długo nim manipulował, aż w końcu usłyszał szczęk zapadki w zamku.

Modląc się, by zawiasy zbyt głośno nie skrzypiały, wślizgnął się do mieszkania. Znalazł się w ciemnym pomieszczeniu, które zaraz rozjaśnił blaskiem płomienia zapalniczki.

Jeśli zamiłowanie do porządku miałoby być – jak sądził dotąd Popielski – charakterystyczną cechą kobiet, to mieszkanki tego lokalu musiały być bardzo nietypowe. W przedpokoju, służącym również za kuchnię, panował bowiem tak nieopisany bałagan, że byłemu policjantowi wydało się, iż jest na miejscu zbrodni lub włamania. Wyjął swego pamiątkowego browninga z rękojeścią o złotych nakładkach i bardzo cicho rozsunął czubkiem buta leżące na podłodze kartonowe pudła i worki z jakimiś szmatami. Minął ostrożnie taboret wsparty na stosiku cegieł i poobijane wiadro z węglem. Odsunął lekko kotarę zasłaniającą wejście do pokoju.

W zagraconym wnętrzu nie było nikogo. Aby je dokładnie zlustrować, wtargnął pomiędzy bezładne stosy ubrań. Z trudem się przecisnął pomiędzy wielkim tapczanem, na którym piętrzyły się nie obleczone pierzyny, a stołem, gdzie wśród książek stał słoik z jakąś mętną zawiesiną.

Zbliżył się do stołu i wlepił wzrok w dwie rzeczy, z których jedna się ruszała, a druga była nieruchoma. Pierwszą był duży brązowy karaluch, który pływał w otwartym słoiku ze śledziami marynowanymi, drugą – zdjęcie dwóch młodych kobiet w mundurowych bluzach z biało-czerwonymi opaskami na ramionach. Pomiędzy nimi stał wysoki przystojny mężczyzna około trzydziestki i otaczał je ramionami. Był ubrany również w mundurową bluzę i niemiecki hełm opasany biało-czerwoną wstążką. Jedną z kobiet była młodziutka Fryderyka Pasławska, drugą, starszą, najprawdopodobniej jej siostra. Za ich plecami wznosiła się jakaś na wpół zrujnowana kamienica.

Popielski poczuł złość na samego siebie, zdeklarowanego antykomunistę, który musi teraz śledzić łączniczkę z powstania warszawskiego. Nagle jego złość zamieniła się w niepokój, usłyszał bowiem szczęk zamka w drzwiach. Rzucił się do półotwartej szafy i ledwo wcisnął swe potężne dziewięćdziesięciokilogramowe ciało pomiędzy sukienki i płaszcze wydzielające już to woń perfum, już to swąd naftaliny. Kiedy przymykał szafę, z przerażeniem patrzył na swój kapelusz, który został przy słoiku z karaluchem.

Szczęknęły żabki przytrzymujące zasłonę i Popielski natychmiast się przekonał, że nawet lekcja z dyrektorem szkoły wcale nie wyklucza wagarów. Fryderyka Pasławska weszła do pokoju, a za nią wtoczył się otyły mężczyzna po pięćdziesiątce w wybitnie semickim typie.

Dziewczyna usiadła na stole, długie, zgrabne nogi oparła na krześle i podciągnęła spódnicę ponad uda. Szybkim ruchem zrzuciła majtki, strącając na podłogę kapelusz Popielskiego. Potem rozpięła mundurek i spod halki wydobyła małe, kształtne piersi. Następnie rozsunęła szeroko nogi i uśmiechnęła się do swojego gościa. Ten rozpiął rozporek, zbliżył się do dziewczyny i zaczął ciężko sapać.

Na razie sam sobie dostarczał przyjemności, wpatrując się w piersi oraz pomiędzy rozłożone nogi dziewczyny. Najwidoczniej było to dla niego za mało, bo nagle rzucił się na partnerkę z wywieszonym językiem. Fryderyka była szybsza. Oparła buty na jego piersi i gwałtownie go odepchnęła. Mężczyzna upadł na górę pierzyn, skąd doszedł wyraźny jęk.

Amator młodych wdzięków odskoczył jak oparzony. Spod pościeli wygrzebała się przeraźliwie chuda kobieta, którą – jak Popielski zauważył ze swej szafy – przedstawiała fotografia z powstania warszawskiego. Spojrzała obojętnie na mężczyznę, który zaplątał się w swych opuszczonych na kolana spodniach, i ze słowami: „Nie przeszkadzajcie sobie", odwróciła się do ściany.

– Co też pan sobie myśli! – warknęła Fryderyka. – Że ja za pięć fiolek to się pozwolę ruchać takiemu śmierdzącemu wieprzowi? Dwadzieścia mi pan dasz, to na wszystko pozwolę...

– Nic ci nie dam, mała kurwo – mężczyzna mówił z silnym żydowskim akcentem – a wtedy ta druga kurwa, twoja siostra morfinistka – wskazał na pierzynę – ducha wyzionie w tym barłogu...

Na to Fryderyka zareagowała gwałtownym i wulgarnym słowotokiem. Popielski, który w swym policyjnym życiu był stałym klientem prostytutek i na kilka drażliwych dziwek natrafił, a nawet dwie z nich doprowadził do szału, nigdy nie słyszał tak miażdżących i wyszukanych przekleństw. O dziwo, klient Fryderyki pod wpływem tego obrzydliwego monologu odzyskał męskie siły i wśród sapania i świstania popełnił grzech Onana.

FRYDERYKA WKŁADAŁA MAJTKI, kiedy stawiał na stole pięć buteleczek z morfiną. Posłała mu całusa, gdy przekraczał próg, i wyszła do kuchni, zasuwając za sobą zasłonę. Popielski najciszej jak mógł wylazł z szafy, sięgnął po leżący na podłodze kapelusz, po czym otworzył okno. Zaskrzypiało przenikliwie.

Fryderyka wróciła zaniepokojona do pokoju. Detektyw był jednak szybszy. Ujrzała bowiem jedynie kapelusz i podeszwę buta mężczyzny wyskakującego na chodnik przez okno. Słoik z karaluchem zakołysał się i roztrzaskał na podłodze.

Jak akrobata opuściłem mieszkanie panny Pasławskiej i jak sprinter ruszyłem ulicą Świętojańską. Śledzony przeze mnie mężczyzna szybkim krokiem, wesoło pogwizdując, przeszedł przez centrum miasta i udał się do apteki Pod Zgodą na ulicy Witosa. Zatrzymałem się przed witryną i czekałem.

Minęły dwa kwadranse, a mężczyzna nie wychodził. W tym czasie wymieniły się trzy zestawy pacjentów. Albo podstarzały amant jest pracownikiem tej apteki – myślałem – albo ten zakład jest typową „krecią dziurą". Tak nazywaliśmy jeszcze we Lwowie miejsca nie rozpoznane terenowo przez śledczego. Mogły to być sklepy i knajpy z tylnym wyjściem, które było nie znane śledzącemu. Tropiony znikał w tych lokalach i zanim wywiadowcy rozeznali teren i zarządzili obserwację okolic, inwigilowany znikał jak kamfora. Mówiło się wtedy: „zniknął w kreciej dziurze", bo jak kret wynurza się z ziemi w nieoczekiwanym miejscu ogrodu, tak i on pojawiał się nagle w innym miejscu miasta. Nie raz i nie dwa dałem się wykiwać na „krecią dziurę". Czy tak miało być i teraz? Aby to sprawdzić, musiałem *nolens volens* wejść do apteki. Długo się wahałem. Czułem, że grozi mi jakieś niebezpieczeństwo. „Każdy Żyd to ubek – podpowiadał mi zły demon generalizacji. – Ten też. Wabi cię w pułapkę albo zastosował ucieczkę krecią dziurą".

Z jednej strony, zawierzywszy logice i rozsądkowi, nie słuchałem tego głosu, ba! gardziłem nim, z drugiej zaś – wiedziałem, że irracjonalne zaufanie intuicji, choćby było oparte na najbardziej absurdalnym założeniu, nie raz uratowało mi życie. W końcu podjąłem decyzję. Wszedłem do apteki.

Stanąłem w kilkuosobowej kolejce i rozglądałem się wokół – dokładnie, acz dyskretnie. Mężczyzny nie było wśród klientów apteki. Kiedy już nadchodziła moja kolej, młoda farmaceutka krzyknęła w stronę otwartych drzwi na zaplecze: „Mamy jeszcze walerianę, panie szefie?". Wtedy doleciał do moich uszu męski głos, który odpowiedział: „Czemu my mamy nie mieć waleriany, panno Basiu? Pani poszuka koło szałwii, pani znajdzie". Potem rozległ się donośny śpiew: „Kiedy znów zakwitną białe bzy"...

Poznałem ten głos. Słyszałem, jak we wzburzeniu miotał obelgi na Fryderykę Pasławską, jak rzęził w rozkoszy.

Opuściłem aptekę, podszedłem pod jej szyld i obok absurdalnej nazwy „Pod Zgodą" przeczytałem nazwisko onanisty, a jednocześnie właściciela tego zakładu, wypisane małymi literami: „Ch. Lewites". Nic nie jest takie, jakie się wydaje – mruknąłem do siebie – nie każdy Żyd jest ubekiem, a nie każda licealistka – cnotliwą Zuzanną.

Tą konstatacją podzieliłem się jeszcze tego samego dnia z profesorem Stefanusem i drugim nauczycielem z Gymnasium Subterraneum, profesorem Henrykiem Murawskim.

POPIELSKI DOPIERO po raz drugi w życiu był w podwrocławskim Oporowie, gdzie – podobnie jak na Karłowicach – urząd kwaterunkowy przydzielał domy i mieszkania głównie naukowcom i artystom. Po raz pierwszy kilka dni wcześniej zjawił się tu ciemnym wieczorem, toteż nie mógł podziwiać wtedy późnojesiennej krasy tego osiedla. Teraz zobaczył w całej okazałości to letniskowe przedmieście wypełnione ładnymi domkami o prostej, funkcjonalnej formie, ukrytymi wśród drzew o ciepłych barwach usychających liści.

Te właśnie kolory i te liście widział teraz za oknem gabinetu profesora Stefanusa. Wypełniały one ogród domu numer 37 położonego na jednej z głównych ulic Oporowa, w której nazwie dawny jej patron Paul von Hindenburg ustąpił miejsca polskim Piastom.

Szczęknął zamek w drzwiach gabinetu i stanął w nich Stefanus z tacą, na której dymił dzbanek z kawą i leżały pokrojone kawałki babki. Profesorowi towarzyszył przystojny i wytwornie ubrany mężczyzna koło trzydziestki. Stefanus postawił tacę na stoliku i dokonał prezentacji.

– Pan pozwoli, panie doktorze – zwrócił się Popielskiego – oto doktor Henryk Murawski, mój kolega i jedyny obok mnie pedagog w Subterraneum, niegdyś profesor literatury polskiej w Gimnazjum Długosza we Lwowie, dzisiaj tak jak ja nauczyciel we wrocławskim liceum.

– Och, przesadzasz, drogi Mieczysławie. – Murawski się uśmiechnął. – We Lwowie byłem tylko suplentem... Miło mi, panie Popielski.

Panowie podali sobie ręce, mamrocząc swe nazwiska. Potem we trzech usiedli wokół stolika i zajęli się każdy czymś innym: gospodarz kawą, jego wspólnik ciastem, a detektyw papierosem.

– Tu jest bezpieczne miejsce, moi panowie – powiedział Stefanus, upiwszy spory łyk czarnego płynu. – Mam na górze dwa pokoje. Łazienkę i kuchnię dzielę z państwem Sewerynostwem Korenfeldami. Mieszkają na dole... To ludzie godni najwyższego zaufania... Bardzo poczciwi, zacni, a nade wszystko dyskretni... Pan Seweryn Korenfeld to znany muzyk, który w sowieckiej żydowskiej republice w Birobidżanie dobrze był poznał, co znaczy głód i terror. Po wymuszonej przerwie właśnie u mnie się odbędzie kilka wykładów dla naszych uczniów...

– Przerwie – Popielski nie mógł darować sobie tej pełnej goryczy uwagi – która mogłaby być znacznie krótsza, gdyby pan profesor nie zgubił swojego notesu, gdzie zapisał eksperyment świątnicki.

– *Mea culpa*. – Stefanus poprawił krawat, który kilka dni temu dostał był na przeprosiny od Popielskiego. – Ale...

– Ale – wszedł mu w słowo Murawski – nie miałby pan, komisarzu, możliwości prowadzenia dalszego śledztwa...

Popielski sapnął gniewnie.

– Mam dwa razy więcej lat niż pan, a w moim wieku, niech pan wierzy, nie jest najlepszą rozrywką skakanie po ruinach, włamywanie się do mieszkań i długie spacery w lodowatym deszczu. I sądząc po pańskim drogim garniturze, zadowalam się przy tym znacznie mniejszymi honorariami niż pan...

– *Pax*, moi panowie! – Stefanus położył swe małe dłonie na kolanach obu mężczyzn. – Tak, to prawda... Przez moje roztargnienie nałożyłem trochę dodatkowych trosk na głowę pana komisarza... Tak, wiem... Ale niechże pan, jako *investigator sagacissimus*, powie nam wreszcie, co pan ustalił... A ty, drogi Henryku – zwrócił się do kolegi – bądź łaskaw powstrzymać się od dowcipnych uzupełnień... Nie każdy musi mieć angielskie poczucie humoru... I ustalamy, moi panowie, że nie przerywamy sobie, lecz uwagi zapisujemy w notesach i wygłaszamy je później. No, chyba że ktoś jest taki gapa jak ja i nie ma nawet notesu... No, proszę, komisarzu!

– Podejrzane były dwie uczennice – Popielski zauważył, że Murawski coś zanotował – Janina Maksymońko i Fryderyka Pasławska. Pasławska ma starszą siostrę morfinistkę, która potrzebuje narkotyku jak powietrza. Ten zgubny i kosztowny nałóg mógłby być przynętą wykorzystaną przez UB. Ta hipoteza okazała się mylna. Odkryłem bowiem, że młodsza Pasławska pracuje dla pewnego aptekarza, który jej płaci morfiną. A zatem znika ten ewentualny motyw współpracy z UB, *ergo* muszę dalej ją inwigilować, by natrafić na dowód niezbity: kontakty z jakimś ubowcem. Jakieś pytania, panowie, zanim przejdę do Janiny Maksymońko?

– Tak, mam jedną uwagę i jedno pytanie. – Murawski notował coś szybko. – Najpierw uwaga. Są trzy dziewczyny w naszej grupie, nie dwie, jak pan powiedział. Trzecia to Teresa Bandrowska, która od pierwszego listopada jest chora i nie chodzi do szkoły. Ona nie wzięła udziału w eksperymencie świątnickim, ale przed jego zakończeniem była u niej z całą pewnością panna Maksymońko, aby odebrać podręcznik do greki, który uczniowie wobec jego braku na rynku wciąż dla siebie przepisują. Bandrowska mogła się zatem dowiedzieć od Maksymońko o eksperymencie świątnickim i o ile jest agentką UB, donieść o nim swoim mocodawcom. A teraz pytanie, a właściwie dwa pytania do pana, komisarzu. Powiedział pan, że panna

Fryderyka pracuje dla jakiegoś aptekarza. Na czym polega jej praca i czy pan sprawdził tego farmaceutę pod kątem jego ewentualnej ubowskiej agentury?

Popielski przez chwilę milczał, po czym wolno powiedział:

– Pannę Bandrowską jeszcze dziś odwiedzę i dowiem się, czy w czasie jej choroby ktoś u niej był poza Janiną Maksymońko i czy w ogóle gdzieś wychodziła z domu. – Zapalił drugiego papierosa. – O aptekarzu Lewitesie dowiedziałem się dopiero dzisiaj i nie zdążyłem go wziąć pod obserwację... Natomiast nie powiem ani słowa o charakterze pracy, jaką Pasławska wykonuje dla owego Lewitesa.

– A dlaczegóż to, mój panie?! – ze zdumieniem, lecz bez cienia pretensji wykrzyknął Stefanus.

– Bo nie jest to praca agenturalna – Popielski strzepnął papierosa – a panowie mnie zatrudnili jedynie do szukania związków agenturalnych z UB. Żadnych innych kontaktów nie mam obowiązku badać, ani tym bardziej o nich donosić...

Zapadło milczenie, które przerwał Murawski.

– Ma pan rację, komisarzu – rzekł z uśmiechem. – Choć z kolegą Stefanusem znacznie różnimy się w różnych kwestiach filozoficznych, obaj zgodnie wywodzimy nasz intelektualny ród od Sokratesa... On natomiast nie zadawał w trakcie swych dysput pytań nieistotnych... Prosimy kontynuować...

– Panna Janina Maksymońko ma ojca notorycznego alkoholika – mówił Popielski. – Wiem o tym dobrze, choć zacząłem ją śledzić dopiero wczoraj. Jednakże komiczną i chwiejącą się wiecznie figurę jej ojca zna każde dziecko na ulicy Ładnej i Grunwaldzkiej, gdzie ja sam mieszkam...

– Niestety – wtrącił Murawski – znamy i my dobrze, prawda, Mieciu, słabość naszego kolegi...

Stefanus z grymasem bólu skinął głową.

– Na życie panna zarabia – ciągnął Popielski – stemplując ulotki reklamowe dla grafologini Winiarskiej. Ludzie wykonujący ten zawód często są wykorzystywani przez UB do ekspertyz grafologicznych. Poszedłem do pani Winiarskiej wczoraj wieczorem i trop okazał się fałszywy... Tyle o zdarzeniach przeszłych, a teraz o przyszłych, chyba że panowie profesorowie mają pytania o moje minione działania... – Zapytani pokręcili przecząco głowami. – Plan jest taki. – Popielski wstał i podszedł do okna, jak zawsze gdy czuł, iż zaraz zacznie działać. – Sprawdzę, czy podejrzenia wobec Bandrowskiej mają jakieś podstawy. Jeśli nie, to zintensyfikuję inwigilację jej dwóch koleżanek. Jeśli tak, popracuję nad wszystkimi trzema uczennicami. I w jednym, i w drugim wypadku skontaktuję się z zaufanym człowiekiem w MO. Nie uczyniłem tego wcześniej, bo wiem, że odmówiłby mi on sprawdzenia aż dziesięciu osób. To by było dla niego zbyt duże ryzyko. Ale dwie–trzy osoby... to może przełknie. Oczywiście muszę go skusić pieniędzmi... On, mimo że jest niewiele ode mnie młodszy, założył niedawno drugą rodzinę... Ma małe dzieci na utrzymaniu...

Spojrzał wyczekująco na swoich rozmówców i nie zawiódł się na nich – obaj, słysząc o dodatkowych kosztach, pokiwali głowami na zgodę, a profesor Stefanus sięgnął do biurka po wypchaną kopertę i wstał.

– Dobry plan, komisarzu. – Podał Popielskiemu kopertę z pieniędzmi. – Proszę dobrze je wydać, bo następnej porcji już nie będzie...

– Dziękuję za zaufanie. – Detektyw schował pieniądze do wewnętrznej kieszeni. – Panowie oddają mi pieniądze, a ja nawet nie mogę dostarczyć żadnych pokwitowań, rozliczeń...

Obaj filozofowie nie zareagowali. Stefanus nie chciał zdradzać, ile dowiedział się o Popielskim, by nabrać do niego zaufania, Murawski wręcz przeciwnie – nie zamierzał pokazywać, jak mało mu ufa.

– Biedne dziewczyny – rzekł cicho ten ostatni. – Jedna ma ojca alkoholika, druga siostrę morfinistkę. Obie się świetnie uczą, zawsze starannie przygotowane... Robią zdumiewające postępy w językach klasycznych... Wiecie co, panowie – wstał gwałtownie – wiele bym dał, aby się okazało, że to żadna z tych dwóch... Bo tak to człowiek będzie miał gorzkie poczucie daremnego trudu dydaktycznego... Perły przed wieprze, przed ubeckie agentki...

– Czyli wolałby pan profesor, żeby to była Bandrowska? – zapytał Popielski.

– Powiem szczerze, że tak. Bandrowska kiepsko się uczy i nie wykazuje większych postępów... – powiedział dobitnie Murawski i spojrzał na detektywa wyzywająco. – Co? Nie podoba się to panu, komisarzu?

– Mniejsza o mnie, ale Kantowi na pewno by się nie spodobało – odparł Popielski. – Czyż to nie on mówił, że człowiek ma być celem, nie środkiem do celu... A mam wrażenie, że obie panny są dla pana środkiem do celu...

– A do jakiegoż to niby celu, mój panie?! – zakrzyknął Murawski.

– Ten cel to pańskie dydaktyczne zadowolenie – odparł ponuro Popielski, włożył kapelusz i skinął głową obu panom.

– Mówiłem ci, Henryku, że komisarz nie był we Lwowie zwykłym stójkowym – odezwał się Stefanus i wziął Popielskiego pod rękę, aby go odprowadzić. – Ze swym filozoficznym temperamentem bardzo pasuje do naszego grona...

– Ładne ziółka w tym naszym gimnazjum – mruknął Murawski, jakby nie słysząc uwagi Stefanusa. – Jednej siostra narkomanką, drugiej ojciec alkoholikiem. Wcale bym się nie zdziwił, gdyby matka Bandrowskiej była prostytutką...

Profesor Murawski postawił fałszywą hipotezę – myślałem, opuszczając cztery godziny później nędzny domek pań Bandrowskich. – Jeśli w ich najbliższym otoczeniu znajduje się jakaś kurwa, to jest nią wyłącznie sąsiadka dziewczyny, niejaka Czesława Curyłowa.

POPIELSKI NA PRÓŻNO dzwonił do drzwi domu na ulicy Ziębickiej 39. Krzyki dzieci, brzęk butelek i ryki niskich męskich głosów zagłuszały nikły dźwięk dzwonka. Detektyw przestał zatem przyciskać guzik, obszedł dom i znalazł się na podwórku. Wyjął pistolet i obejrzał się dokoła w obawie przed jakimś psem. Nie dojrzał jednak niczego poza małym domkiem na podwórzu, który mógł być jakimś zabudowaniem gospodarczym. O tym, że mieszkali tam ludzie, nie zwierzęta, świadczyła muzyka płynąca z radia lub z gramofonu. Popielski usłyszał ją, kiedy się tam zbliżył. Przyłożył oko do okna, lecz nie ujrzał niczego.

Nie miało ono szyby i całe było zasłonięte dyktą. Usłyszał jedynie, że muzyka w radiu się skończyła i zaczęto nadawać znienawidzoną przez niego audycję – pogadankę z marksizmu-leninizmu. Po chwili nie było już jej słychać, bo została zagłuszona przez jakiś pijacki toast, a potem przez dźwięk akordeonu dochodzący z domu mieszkalnego.

Wrócił tam i spojrzał przez rozświetlone okno. Przy stole siedziało trzech mężczyzn – dwóch młodych i jeden mniej więcej około czterdziestki. Starszy grał na akordeonie, a młodzi kiwali się na boki, rycząc wniebogłosy.

– Wszystkie rybki mają pipki, ciuralla ciuralla la! A karasie po kutasie, ciuralla ciuralla la!

Dokoła nich chodziła tłusta kobieta w samej halce. Zataczając się, odwracała pustą butelkę i nadaremnie usiłowała z niej wylać jakieś resztki wódki do szklanek.

– Za stara na licealistkę – mruknął do siebie Popielski. – A może to jej matka?

ZASTUKAŁ MOCNO w szybę kolbą pistoletu, który zaraz szybko schował. Ostry dźwięk, jaki wydała z siebie szyba, zelektryzował biesiadników. Dzieci zamilkły. Okno otwarło się i stanęła w nim rozczochrana kobieta. Patrzyła na Popielskiego z mieszaniną gniewu i zainteresowania. Potem w szeroko rozciągniętych wargach pojawiły się jej dziąsła. To był uśmiech. Popielski uchylił kapelusza, wzbudzając tym samym rozbawienie mężczyzn.

– Patrz pan, panie Rosik – jeden z nich walnął w ramię akordeonistę – jaka łysa pała! Skubany w kółko golony!

– Ale przystojny. – Kobieta wychyliła się przez okno. – Jak jaki prokurator... Jeśli pan prokurator względem ten tego, panie cacany, to możemy zaraz tutaj... – Wskazała ręką na podwórko.

Popielski spojrzał uważnie na kobietę. Mimo że nie przekroczyła najpewniej czterdziestki, a jej pełny biust prawie że rozsadzał nie najczystszą halkę, nie poczuł nawet śladu zainteresowania tym, co ona sama nazwała „ten tego". Niechlujstwo kobiety, a zwłaszcza bijąca od niej woń, w której pot mieszał się z wyziewami gastrycznymi, skutecznie by go odstręczyły, nawet gdyby wykrzesał w sobie męskie siły, przypominając sobie dzisiejsze podniety – kształtne piersi i smukłe uda Fryderyki Pasławskiej. Wziął się jednak pod boki i udał zainteresowanego propozycją.

– Gdzie? W tym domku? Tam ktoś jest!

– Nie w domku – kobieta przeciągała sylaby – ale obok... To trzy stówki kosztuje, panie ładny...

Popielski rozejrzał się i zobaczył stojący nieco dalej wychodek. Myśl o chędożeniu tam tego pijanego ciała wydała mu się tak wstrętna, że postanowił w końcu przejść do rzeczy.

– Ja do pani Bandrowskiej i do jej córki Teresy... Tutaj mieszkają? Ja mam taki adres: Ziębicka 39.

Kobieta roześmiała się szeroko, oprócz dziąseł pokazując braki w uzębieniu.

– Ja tam nic nie wiem. – Udała, że zamyka okno.

– Zaraz, zaraz. – Popielski sięgnął do kieszeni i wyjął z niej banknot stuzłotowy. Był nowy i wydawał przyjemny szelest. – Na ćwiartkę wystarczy na melinie, co mała? – przekrzykiwał mężczyzn, którzy rozpoczęli teraz zawodzenie *O mój rozmarynie*.

– A wystarczy, wystarczy – bełkotała kobieta i wyciągnęła rękę po pieniądze. – U starej Dołęgowej to wystarczy...

– Sprytna jesteś, ale mnie nie zrobisz w konia. – Detektyw uśmiechnął się. – Na melinie to ty za to pół litra monopolowej też kupisz... A bimbru to nawet więcej... Co innego musisz dla mnie zrobić... Otwieraj drzwi i chodź do sieni, tu za duży hałas!

Kobieta skinęła głową i po chwili Popielski był zmuszony oprócz jej odoru wdychać również woń zgniłych ziemniaków i kiszonej kapusty. Niestety, poczuł też jej rękę szukającą jego spodni. Najwyraźniej pieniądze zawsze kojarzyły się jej z usługami cielesnymi. Odsunął się od niej ze wstrętem.

– Gdzie mieszkają Bandrowska z córką? – zapytał.

Mogła poczuć się odtrącona przez niego i wpaść w złość. Mogła również w takim stanie upojenia naopowiadać mu mnóstwo różnych bzdur, których weryfikowanie zajmie mu tygodnie. Powinienem tu przyjść następnego dnia rano ze skrzynką piwa, kiedy każdy nerw jej skacowanego ciała będzie pragnął alkoholu.

– W tamtym małym domku. – Kobieta oblizała spieczone wargi, jakby już ją kac dopadał. – Jak będziesz grzeczna i powiesz mi wszystko, czego chcę, to dostaniesz na ćmagę – powiedział dobitnie.

Kobieta sprawiała wrażenie, jakby była manekinem w rękach Popielskiego. Choć opierała się o ścianę i chwiała się w przód i w tył, przestała nagle bełkotać. Oto on, obiecując nowe dawki pożądanej trucizny, był jak mechanik, który manipulował nią jak bezwładną kukłą. Pstryk! – przekręcił jakąś wajchę w jej głowie i upite zwierzę w jednej chwili stało się prawie trzeźwym człowiekiem.

– Co chcesz pan wiedzieć? – zapytała przytomnie.

– Twoje nazwisko?

– Curyłowa Czesława.

– Mężatka? Wdowa?

– Mężatka, a jak! – powiedziała z dumą kobieta. – A mój ślubny to tam w kuchni. Curyło Felek, ten rudy! – Wskazała na drzwi, które się nagle otworzyły.

Wyszło z nich dwoje brudnych dzieci, które dopadły matki, obejmując ją za napuchnięte nogi. Jedno z nich wyraźnie kulało. Do sieni doszły pijackie okrzyki. Popielski kopnął drzwi, które zatrzasnęły się z hukiem.

– Pani Bandrowska i jej córka mieszkają same w tym domku?

– Jaka tam pani! Jaka tam pani! Kurwa, a nie pani! A ta młoda to dopiero ziółko! Każdemu daje, no niech pan mojego zapyta! – Popielski, słysząc w jej ustach piętnowanie lekkich obyczajów, nie potrafił opanować drwiącego uśmiechu. – Kurwy jak nic! – wrzeszczała Curyłowa. – Nawet ruski do nich przychodzą... Jak nic! Przychodzą i aż furczy! Matka i córka, rozumie pan?! Czy ten świat się nie kończy, panie?! Koniec świata...

Popielski wcale się nie zdziwił tą informacją. Wiele rzeczy ostatnio widział. Nauczyciela i nigdy nie trzeźwiejącego wychowawcę młodzieży oraz piękną jak sen uczennicę, która wystawia piersi i rozchyla nogi przed starym zboczeńcem. Nie widział powodu końca świata, nawet gdyby panie Bandrowskie oddawały się całej sowieckiej kompanii. Był w wieku, kiedy nic nie dziwi. I nic nie cieszy.

Potrząsnął głową i odrzucił egzystencjalne rozważania. Informacja o kontaktach Bandrowskich z Sowietami mogła być tym, czego szukał w swym śledztwie. „Od Sowietów do UB nie jest daleko – myślał – zwłaszcza że kobietom, o ile jest prawdą, że się przyjaźnią z Rosjanami, mógł składać intymne wizyty jakiś enkawudzista".

– Kiedy ci ruscy byli u Bandrowskich ostatnio? – zapytał.

– A pamiętam ja dobrze, pamiętam. – Kobieta roześmiała się charkotliwym śmiechem. – We Wszystkich Świętych to było... Tak im wstyd, że do dziś z domu nie wychodzą. Tyle co do sraczyka...

– Nie wychodzą z domu od pięciu dni – powiedział w zamyśleniu Popielski. – A po Wszystkich Świętych to je kto odwiedzał?

– Nie, chyba nikogo nie było... Ja tam zresztą nie wiem... Trochę jestem ten tego – uderzyła się w szyję kantem dłoni – ale moja Tosia to wszystko wie. – Pogłaskała po głowie brudną dziewczynkę. – Ona do szkoły nie chodzi, bo chora, i nic tylko cięgiem siedzi i przez okno patrzy... Ona wszystko wie...

Popielski spojrzał na pięcioletnie może dziecko. Dziewczynka miała dziwnie wykręconą do tyłu nóżkę. „Choroba Heinego-Medina" – pomyślał.

– Powiedz mi, Tosiu – komisarz wyjął z kieszeni cukierek miętowy i pogłaskał dziewczynkę po głowie – czy ktoś przychodził ostatnio do pań Bandrowskich?

– Do kurw? – pisnęło dziecko.

Popielski poczuł obrzydzenie do wszystkiego w tym domu, łącznie z pociechami państwa Curyłów.

– Tak – potwierdził.

– Raz pan doktór, a raz koleżanka Tereski – odpowiedziała rezolutna dziewczynka.

– Nikt więcej? Na pewno, moje dziecko?

Dziewczynka pokręciła głową i zacmokała. Smakował jej miętowy cukierek. Nieczęsto chyba jadała słodycze.

– Jak się nazywa i gdzie mieszka doktór? – zapytał Curyłowej i znów pokazał jej banknot stuzłotowy.

– A Goldsztajn czy Bronsztajn, czy ja ich wiem żydłaków, jak się nazywają? – Kobieta spojrzała na banknot takim wzrokiem, jakim niedawno aptekarz Lewites wpatrywał się w ciało panny Fryderyki.

Popielski chciał rzucić stówę na brudną posadzkę, by Curyłowa jak suka za nią węszyła, ale się powstrzymał. Dość ostatnio ludzi naupokarzał. Podał jej pieniądze i bez pożegnania wyszedł na podwórko.

– A może tak buzi na pożegnanie, panie cacany? – dobiegło go z ciemnej sieni.

PODSZEDŁ DO MAŁEGO DOMKU i odchylił dyktę zakrywającą okno. Przez powstałą tak szparę powiedział:

– Ja do panny Teresy. Jestem z Subterraneum.

W domku rozległy się szmery. Zza drzwi dobiegł głos niemłodej już kobiety.

– Proszę stąd odejść, moja córka do żadnego gimnazjum nie chodzi i nie będzie chodziła... Proszę odejść... Nie będziemy z nikim rozmawiać...

Popielski jeszcze raz podszedł do dykty w oknie i naparł na nią ramieniem, aby ją możliwie jak najdalej odchylić do środka. Nie wytrzymała. Pękła z trzaskiem. Detektyw klęknął przy oknie i spojrzał w głąb pokoju. Dwie przerażone kobiety wciskały się w kąt. Zamiast oczu miały krwawe szparki w opuchniętych oczodołach, a zamiast ust kłęby sinego mięsa. Młodej dziewczynie wisiał u szyi temblak z brudnego bandaża, a na jej bezwłosej skroni rozlewała się czerwona plama – ślad po garści wyrwanych włosów.

Odskoczył tak gwałtownie, że omal nie upadł w gęste błoto podwórka. Rzucił się do sieni domu Curyłów i kopniakiem rozwarł drzwi do kuchni.

Stanął w progu. Jego zaciśnięta szczęka poszerzyła mu rozwścieczone oblicze, które stało się purpurowe. Jego dłoń, zaciśnięta na kolbie pistoletu, była podobnej barwy.

Rozbawieni pijacy nagle stracili dobry humor.

– Skurwysyny! – wrzasnął. – Gadać, co bolszewicy zrobili tym kobietom! Gadaj, kurwo!

Z tym słowami chwycił Czesławę Curyłową za gardło.

– Zostaw – wycharczała.

– Józek – krzyknął jej ślubny i roześmiał się głupkowato. – Józek, pokaż no panu, co im ruscy zrobili. Widział to przez okno!

MAŁY CHŁOPIEC, który niedawno jeszcze przywierał do owłosionej nogi matki, teraz leżał na brzuchu na kozetce. Jego chude pośladki wznosiły się i opadały w udawanych ruchach frykcyjnych.

Pijani mężczyźni bili dziecku brawo.

———————————

Komisarz Franciszek Pirożek, mój dawny lwowski kolega, był dzieckiem Fortuny, o ile jeszcze taka bogini istnieje po Wielkiej Wojnie. Istniała na pewno przed nią i kierowała losami Pirożka. Po kilku latach nudnej i pozbawionej szans awansu służby na posterunku w Skniłowie Pirożek jakimś cudem (o charakterze zgoła nie religijnym, lecz protekcyjnym) wylądował w komisariacie na Zielonej, a potem w moim Urzędzie Śledczym lwowskiej Komendy Wojewódzkiej. Choć pracowaliśmy tu na tyle krótko, że nie zdążyłem z nim nawet przejść na „ty", dał się poznać jako dobry współpracownik i lojalny kolega. Żałowałem, a nawet mu trochę zazdrościłem, kiedy po roku pracy u nas odszedł na ciepłą posadkę – do sekretnej komórki politycznej Wydziału Bezpieczeństwa Publicznego lwowskiego „namiestnikostwa", jak nazywaliśmy Urząd Wojewódzki. Tam w ciągu kilku lat stał się jednym z najlepszych znawców masonerii i tajemnych sekt, a swoją wiedzą przysłużył się nam nie raz i nie dwa. Wiem dokładnie, co Pirożek robił w początkowych latach wojny. Uciekł przed Sowietami, podobnie jak ja, na teren Generalnego Gubernatorstwa i tam nasz kontakt się urwał. Przedostawszy się do Niemców, uniknął Katynia, lecz ręce Sowietów były długie. Jego żona i trzy córki nie uniknęły ich zemsty. Już w roku 1940 podczas pierwszych wywózek zapakowano je do bydlęcego wagonu jadącego na Sybir. Pirożek już nigdy więcej ich nie ujrzał. Po kilku latach podniósł się chyba jakoś po tym ciosie, bo kiedym go spotkał po wojnie na wrocławskim szaberplacu, był zadowolonym z życia człowiekiem; zawodowo jako funkcjonariusz śledczy Milicji Obywatelskiej, prywatnie jako *pater familias*, z młodą i ładną żoną oraz dwojgiem dzieci, z których jedno jeszcze płakało w kołysce. Mimo że wtedy gdyśmy się ujrzeli, w sierpniu 1946 roku, szukało mnie całe wrocławskie UB, Pirożek nie tylko nie próbował mi zaszkodzić jako sługa nowych panów, nie tylko nie wyparł się znajomości ze mną, ale wręcz obiecał mi pomoc, oczywiście w miarę swoich możliwości. Wtedy to wypisał mi na paczce papierosów swój prywatny numer telefonu. Dwa razy wykręcałem ów numer. Pierwsza prośba, z jaką się do niego zwróciłem, była dość błaha i nie mogła go narazić na większe kłopoty. Ta, którą mu dziś przedstawiłem w Klubowej, była znacznie poważniejsza, a jej konsekwencje mogły być wręcz nieobliczalne.

PIROŻEK ZAPROPONOWAŁ jako miejsce spotkania restaurację Klubową na ulicy Franciszkańskiej. Sobotnie i niedzielne podwieczorki miały tutaj stały przebieg. Przez dwie godziny muzyk Henryk Jurewicz grał melodie hawajskie przy dyskretnym akompaniamencie orkiestry jazzowej, po czym ów wirtuoz gitary schodził ze sceny odprowadzany gromkimi brawami rozmarzonych i przytulających się do siebie pań i panów. Wtedy jazz-band pod batutą maestra Mariana Koniecznego rozpoczynał wieczorek taneczny, który przenosił gości z romantycznych tropikalnych Hawajów w swobodną, by nie rzec: rozpasaną, atmosferę Nowego Orleanu. Bywalcy uwielbiali te podwieczorki, a Jurewicz i Konieczny zawsze mogli liczyć na alkoholową gościnność swych wielbicieli.

Na pewno nie należeli do nich dwaj mężczyźni, którzy w pewne ciemne i ponure popołudnie zajrzeli do tego sławnego lokalu. Porucznik Milicji Obywatelskiej Franciszek Pirożek i jego niegdysiejszy kolega Edward Popielski spotkali się punktualnie o godzinie siódmej wieczór, podali sobie ręce i – poprzedzani przez starszego sali – zasiedli przy dyskretnym stoliku w samym rogu. Kelner, wysłany do nich natychmiast, stracił nadzieję na duży napiwek, bo zamówienie było odwrotnie proporcjonalne do eleganckich garniturów obu panów – tylko dwie setki czystej i flaczki posypane parmezanem, dlatego też utracił chęć do ekspresowej obsługi, czego z pewnością by mu nie zabrakło, gdyby goście zamówili na przykład dużą karafkę wódki, a do tego tak zwane śledzie po japońsku i specjalność zakładu – warkocz pieczonej białej kiełbasy.

Dawnym lwowskim policjantom nie przeszkadzała jednak w najmniejszym stopniu opieszałość kelnera. Nie na ucztę Lukullusa tu przyszli, a wódka i zakąska były tylko zapłatą za miejsce, w którym chcieli porozmawiać bez przeszkód i bez podsłuchiwania. Dyskrecję zapewniały im tutaj w pełni właśnie owo niewielkie zainteresowanie personelu, oddalony stolik i głośna muzyka, która tłumiła ich rozmowę.

Pierwsza pięćdziesiątka dostarczonej im w końcu po kwadransie wódki uczyniła Franciszka Pirożka skłonnym do zwierzeń.

– Milicja nie jest już dobrym miejscem dla mnie. – Wpatrywał się w dym papierosa kręcący się nad stolikiem. – Nie przechowam się w niej do emerytury... My, kresowi policjanci, stajemy się coraz bardziej podejrzani dla ubowców, którzy wciąż mocniej i mocniej nas infiltrują, którzy niemal wydają nam rozkazy! Ci półanalfabeci, ledwie oderwani od pługa, uważają nas, lwowiaków, za reakcjonistów, panie kolego. Tak jakby, no, niech będzie!, ten reakcjonizm przeszkadzał nam w łapaniu złodziei i morderców... Muszę ścierpieć tych chamów... Co mi robić? Odejść, kiedy mam małe dzieci i młodą żonę, która wymaga różnych dóbr?

– Odejść! – odparł Popielski. – Usunąć się w cień, panie Pirożek, bo prędzej czy później przyjdą po pana... A tak, w cieniu, to może będzie im trudniej... Uniknął pan Katynia, uniknął pan Sybiru, ale ubekom, nawet jako milicjant, to już pan nie umknie... Niektórzy z nich może i są półanalfabetami, ale nawet jako tacy mają spryt i podstępność chama, a instynkt wściekłego zwierza... Nie może pan zmienić zawodu? Przecież ma pan maturę po dobrym gimnazjum... Buchalter to coś w sam raz dla pana, a teraz wszędzie brakuje ludzi wykształconych!

– Mam maturę – powiedział ze smutkiem Pirożek i poczekał, aż kelner postawi przed każdym z nich talerz z flaczkami i odejdzie. – A nawet rok studiów agronomicznych... Ale co z tego, kiedy nic innego nie umiem robić, jak tylko śledzić i przesłuchiwać? Mam teraz zamienić pistolet na kalkę przebitkową? Wie pan, jak zareaguje na to moja żona? Nie jestem już dzieckiem Fortuny, jak pan to zawsze mawiał... Teraz w tym świecie szansę mają tylko dzieci Aresa...

Popielski zanurzył łyżkę w zupie i nie udzielił Pirożkowi więcej żadnej rady na temat dalszych decyzji życiowych. Jadł flaczki wolno i ostrożnie, zawiązawszy sobie pod szyją serwetę. Ostatnie, czego by pragnął, to pobrudzić resztkami zupy swój nowy krawat, który dzisiaj rano kupił u Bryknera, w jego słynnym sklepie z jedwabiem i materiałami bielskimi.

– Te flaczki nie takie dobre jak u Krebsa na Łyczakowskiej, ale ujdą. – Pirożek wyraził opinię o potrawie, po czym otarł serwetą usta i popatrzył uważnie na Popielskiego. – Ale ja tu pana zanudzam, panie kolego, moimi kłopotami, a pan przecie wspominał mi przez telefon o jakiejś prośbie dyskretnej...

– Wspomniałem też panu – przerwał mu Popielski – o honorarium, które mam dla niego za spełnienie tej prośby... Tak jak mówiłem, wystarczy na dwie tony węgla i coś dobrego na święta...

– Co mam dla pana zrobić, żeby mój piec był ciepły w czasie miłych rodzinnych świąt? Czyli ile tak dokładnie dostanę?

– Dziesięć tysięcy.

– Co za to jest do zrobienia?

Popielski rozejrzał się dokoła. Nie ujrzał nikogo podejrzanego – ani ciekawskich spojrzeń, ani nagłego umykania wzrokiem, ani rozłożonej i podziurkowanej gazety, która by zasłaniała twarz siedzącego gościa.

– Muszę wiedzieć – szepnął – czy pewne dwie osoby, młode dziewczyny, licealistki, są agentkami UB.

Pirożek wskazał palcem na napis, który oprawiony w ramkę widniał na ścianie: „Spożywając mięso w dni bezmięsne, przyczyniasz się do potajemnego uboju".

– Strawestuję ten napis – powiedział milicjant. – Wchodząc w drogę ubowcom, przyczyniam się do rozrostu sił antysocjalistycznych. A za to to ja, mój panie, nawet głową mogę zapłacić, nie tylko posadą... Dobre święta nie są tyle warte, panie kolego...

– Jeszcze tona węgla i dwa kilogramy masła deserowego? – Popielski potarł palcami w geście liczenia pieniędzy.

– Razem tysiąc pięćset, dobrze liczę?

– Dobrze.

– Będzie mi zbyt ciepło w zimie. – Pirożek uśmiechnął się szeroko. – A masło w nadmiarze ponoć powoduje apopleksję... Ale niech będzie, czego to się nie robi dla krajana! Zgadzam się... Tylko czy pan wie, co ja mogę dla pana zrobić za te pieniądze?

Popielski spojrzał ze zdumieniem na swego ziomka.

– Przecież panu powiedziałem, czego sobie życzę...

– Wszystko, do czego uda mi się dojść, panie Popielski, to nie jest być może to, czego pan sobie życzy... Lojalnie teraz pana uprzedzę, jaki może być wynik minimalny, a jaki maksymalny moich działań.

– Słucham pana.

– Archiwum UB to nie jest sklep bławatny, gdzie każdy wchodzi i przegląda sobie bele materiału, dotyka je *et cetera*... Jest to twierdza, do której można się dostać podstępem i nieosobiście... Jedyny możliwy plan jest następujący...

Popielski słuchał Pirożka przez dobre dziesięć minut. Zastanawiał się przez chwilę nad *modus operandi* swego byłego kolegi. W końcu skinął głową.

– Zgoda!

– Nazwiska tych panien?

– Janina Maksymońko i Fryderyka Pasławska. – Popielski uniósł kielszek, kiedy Pirożek zapisywał na serwetce nazwiska dziewczyn. – No to dobiliśmy targu! Uczcijmy to! Na zdrowie, panie Pirożek!

Wypili, chuchnęli, zapalili.

Popielski bez słowa wskazał dłonią na wypchaną wewnętrzną kieszeń marynarki. Pirożek opuścił oczy i cygarniczką podniósł lekko serwetę pokrywającą stół. Zrozumieli się natychmiast. Po chwili koperta upadła na podłogę i czubkiem wypastowanego do glancu buta zleceniodawcy została przesunięta po parkiecie w stronę zleceniobiorcy. Ten schylił się szybko, schował pieniądze do kieszeni marynarki, a potem wyciągnął do Popielskiego rękę.

Prywatny detektyw uścisnął mu dłoń i poszedł do baru zapłacić. Przeciskał się pomiędzy stolikami, przy których siedzieli rozbawieni ludzie i śpiewali wraz wokalistą jazz-bandu:

> A u mnie siup, a u mnie cyk,
> Smutek był i smutek momentalnie znikł,
> Bo u mnie siup i raz, i dwa,
> I człowiek swój humorek znowu ma!

Śpiewak, niemłody już facet z kilkoma pasmami tłustych włosów przyklepanych do łysiny, stał odwrócony bokiem do sali. Zataczał się po scenie, a słowa „siup" i „cyk" podkreślał, uderzając się w szyję kantem dłoni, na której przegubie złociła się wielka bransoleta. Wszystkich gości lokalu niezmiernie bawiła ta pantomima. Komediant też na pozór był rozbawiony, ale kiedy spojrzał na Popielskiego, ten nie dostrzegł wesołości w jego nieruchomych oczach.

„Pewnie dlatego, że jako jedyny się nie śmiałem – pomyślał – a w czasie występu tego pajaca poszedłem płacić do baru".

Zapłacił i nie patrząc nawet na Pirożka, który również unikał jego wzroku, wyszedł do holu, gdzie usłużny szatniarz, zainkasowawszy dwa złote, podał mu kapelusz i narzucił płaszcz na ramiona.

Na sali zapadła cisza, orkiestra przestała grać. Popielski włożył kapelusz i podszedł do lustra, aby się upewnić, czy jego nakrycie głowy dobrze leży. Wtedy dostrzegł w kryształowym zwierciadle, że wokalista idzie wprost do stolika Pirożka i wyciąga rękę. Popielski nie mógł uwierzyć, że to, co teraz widzi, nie jest snem – oto na tej wyciągniętej dłoni, na oczach wszystkich gości lokalu, pojawia się wypchana koperta z pieniędzmi profesora Stefanusa. Oto śpiewak z jazz-bandu chowa kopertę za pazuchę i znika za sceną, a jego miejsce na estradzie zajmuje młodszy kolega.

Popielski wyszedł z lokalu i stanął w podcieniach kościoła Świętych Stanisława i Doroty, skąd, sam prawie niewidoczny, miał dobry widok na całą długość uliczki Świętej Doroty. Wiedział, że piosenkarz, jeśli opuści lokal tylnym wyjściem, właśnie tędy musi przejść. Nie pomylił się – zaraz w uliczce pojawił się człowiek w kapeluszu i ruszył w stronę schowanego w cieniu detektywa. Skręcił obok niego i poszedł szybkim krokiem ku ulicy Świdnickiej. Popielski poznał śpiewaka nie tyle po obliczu, bo to było zasłonięte rondem dużego kapelusza, ile po bransolecie widocznej pomiędzy rękawiczką a rękawem płaszcza.

Ruszył za wokalistą w bezpiecznej, lecz niewielkiej odległości. W ten sobotni i niezbyt jeszcze późny wieczór było na Świdnickiej i Menniczej sporo ludzi, co bardzo ułatwiało mu wtopienie się w tłum. Znacznie mniej przechodniów spacerowało natomiast za Zakładami Kąpielowymi i na ulicach Skargi i Kołłątaja. Tam jednak latarnie gazowe były bardzo nieliczne i siały tak skąpe światło, że Popielski – z postawionym kołnierzem płaszcza i w naciśniętym na głowę kapeluszu – nie musiał obawiać się demaskacji.

SAM NIE WIEDZIAŁ, po co śledzi piosenkarza. Był jednak pełen niejasnych podejrzeń, że dał się Pirożkowi oszukać i że ów wokalista jest – jak wielu podobnych pracowników lokali – ubeckim szpiclem. Wyobrażał sobie następującą sekwencję zdarzeń: oto Pirożek ma jakieś konszachty, może wspólne interesy ze szpiclem śpiewakiem i umawia się z Popielskim właśnie w lokalu, gdzie ów kompan występuje; otrzymawszy pieniądze, daje je na coś wspólnikowi. Co będzie dalej? Czy Pirożek, przekazawszy pieniądze, spełni prośbę i sprawdzi ubeckie archiwum? I tu w umyśle detektywa pojawił się pesymistyczny obraz: oto jutro jego dawny kolega rzuca monetą, wypada na przykład reszka, symbolizująca, powiedzmy, Pasławską i wieczorem milicjant przekazuje bezużyteczną informację o Pasławskiej jako o agentce UB. Nielojalności Pirożka mógł zapobiec tylko w jeden radykalny sposób, który wykluczał już jakikolwiek dalszy udział lwowskiego ekspolicjanta: zabrać pieniądze śpiewakowi i zerwać kontakty z Pirożkiem. To właśnie Popielski postanowił uczynić.

Rozejrzał się. Ulicą Gwarną zbliżali się do Dworca Głównego. Jak zwykle wokół pełno było podróżnych, zwłaszcza żołnierzy na przepustkach, skracających sobie czas oczekiwania na przesiadki w sposób niezawodny – piciem bimbru sprzedawanego im przez pokątnych handlarzy oraz konsumowaniem wdzięków kurew w cuchnących moczem bramach. Ich oraz innych podróżnych, a także zwykłych obiboków, kręcących się tu i ówdzie, wyławiały z tłumu stare baby, które wciskały im do rąk twarde precle albo adresy burdeli.

Napad na przechodnia i obrabowanie go w tym najbardziej uczęszczanym miejscu miasta byłby czystym szaleństwem. Popielskiemu pozostawało tylko dalsze śledzenie wokalisty w nadziei, że może jakieś nowe okoliczności podpowiedzą mu lepsze rozwiązanie.

Prawie na rogu Gwarnej i Ogrodowej śpiewak zniknął z oczu detektywa. Popielski nie popadał jednak w desperację, bo na zbiegu tych ulic celem jakichkolwiek wędrówek mogły być jedynie rozświetlone okna mieszczącej się w przyziemiu podłej restauracji Dąbrowianka. Tam zaraz trafił, zszedł po kilku schodkach i stanął przy ścianie. Zdjął kapelusz i ocierając głowę z potu, obserwował gości lokalu przez gęsty tytoniowy dym. Śpiewak z Klubowej stał kilka metrów dalej i czynił dokładnie to samo – ocierał pot z czoła, na którym trzy pasma włosów rozpaczliwie udawały fryzurę. Nikt się nim nie interesował. Wszyscy stali przy wysokich jednonogich stołach lub przy pulpitach pod ścianami, a oczy mieli wlepione albo w pieniste kufle, albo w gęby swych towarzyszy, z którymi prowadzili wielką politykę lub planowali kampanie trzeciej wojny światowej.

Nagle do śpiewaka podszedł barman – wysoki, barczysty mężczyzna, ubrany w mocno sfatygowany i zbyt mały garnitur. Pomiędzy jego klapami widać było siatkowy podkoszulek, spod którego wyłaziły skołtunione kłaki. Wokalista podał mu kopertę, obrócił się na pięcie i wyszedł z lokalu, minąwszy zdumionego Popielskiego. Barman wsunął kopertę w podkoszulek i wrócił za szynkwas, bo co bardziej natarczywi goście domagali się kolejnego „piasta z pianką na dwa palce".

Popielski przysunął się do baru, stanął przy zwolnionym właśnie stoliku i z bliska obserwował barmana oraz wypukłość pod jego podkoszulkiem. By uniknąć rozpoznania i ograniczyć zainteresowanie innych gości, nasunął kapelusz głęboko na czoło i bez zaciągania się wypuszczał wielkie kłęby dymu, które jak zasłona rozpościerały się przed jego twarzą.

Po jakichś dwóch kwadransach barman oznajmił gromkim głosem, iż idzie po nową beczkę, po czym zniknął za drzwiami za szynkwasem, prowadzącymi – jak przypuszczał Popielski – do magazynku. Przypuszczenie to zaraz zamieniło się w pewność. Detektyw w jednej sekundzie uznał, że już nie będzie miał lepszej okazji odzyskania pieniędzy i – nie zważając, czy ktoś go obserwuje, czy też nie – otworzył drzwi za szynkwasem i rzucił się w ciemny korytarzyk.

Na zarośniętej twarzy barmana, przeliczającego pieniądze w wątłym świetle lampy naftowej, pojawiło się tępe zdumienie. Otrząsnął się jednak po sekundzie i zwinął pięści w kułaki. Było już jednak za późno. Jedna krótka chwila wystarczyła detektywowi, by przypomniał sobie dawne czasy, kiedy to w zaułkach Kleparowa roznosił jeszcze większych chojraków niż ten goryl. Czubkiem buta trafił barmana w genitalia i kiedy ten z wyciem kucał i skakał na piętach, z rozmachem kopnął go w łydkę. Celował wprawdzie w kolano lub w piszczel, gdzie uderzenie byłoby boleśniejsze, ale cios w łydkę był również skuteczny. Barman opadł i wtedy zainkasował ostatni cios obcasem – w skroń.

Popielski schylił się po kopertę i kątem oka ujrzał, że otwierają się drzwi z boku. Chowając kopertę, nie zdążył już zareagować. Tym razem to jego skroń eksplodowała. Wydawało mu się, że pękają kości jego czaszki, że pod jej sklepieniem nabrzmiewa lawa, że wybuch kaleczy go ostrymi odłamkami głazów.

OCKNĄŁ SIĘ chyba po godzinie. W jego głowie kłębiły się różne myśli. Dominowało uczucie zdumienia połączone nawet z pewnym rozżaleniem. „Jestem już starszym panem – myślał – od lat nie nadużywam alkoholu, dobrze się prowadzę, najwyżej raz w miesiącu daję upust męskim mocom w ramionach pewnej kurtyzany. Od pół roku nie kryję się po lasach, nie narażam na zapalenie płuc w ziemiankach i na ugryzienia wszy w wojłokach – nędznej partyzanckiej namiastce pościeli. Od niedawna znów obracam się w kręgach ludzi godnych szacunku, profesorów, którzy swe wypowiedzi inkrustują łaciną i pięknym koniunktywem. Nie wiem, co to kac i ból głowy. Co ja zatem, do kurwy nędzy, robię w tej parszywej norze, gdzie woda skrapla się na ścianach, gdzie smród zgniłych ziemniaków i rozdeptanych pluskiew? Dlaczego to owłosione bydlę, w niczym nie przypominające Arystotelesowego »zwierzęcia politycznego«, wpatruje się teraz we mnie swymi małymi oczkami, w których migoce wiele uczuć, tylko nie szacunek?"

– Obudził się, skurwysyn jeden – warknęło bydlę i pokuśtykało do drzwi piwnicznych. *Un R,*

Popielski usiłował przekręcić głowę, by ujrzeć, dokąd poszło. Był to błąd. Wydał z siebie przeciągły okrzyk bólu. W jednej sekundzie zrozumiał siłę wyrazu Homerowej frazy „noc czarna zakryła mu oczy".

– Łyssy, ty byku krasy! – Ten okrzyk i chlust zimnej wody wyrwały go z mroku. – Nie podnoś łepetyni, bo znowu ci zemgli!

Otworzył oczy i ujrzał otyłego i starannie ubranego pana, który stał nad nim z szerokim uśmiechem. Dwa obwisłe policzki, jak psie fafle, zwieszały się nad twarzą leżącego.

– Mykoła? Mykoła Zariczny? – wyszeptał Popielski, a każda sylaba cięła go boleśnie po mózgu.

– Ta ni ktu inny – zabałakał radośnie jego rozmówca. – Bańdziuch mi urós w tym Wrocławi, to ty i mni nie poznał! A tak ten tegu, to ja teraz Mikołaj Zarzeczny... Mi ni interes liźć z ukraińskim nazwiskiem w czyiś zerkała! Władza ludowa mogłaby mni curyk pod Lwiw, a tam ni powitaju mni z fanfarami, oj ni...

Popielski zamknął oczy i ujrzał małą wioskę Hrusiatycze pod Bóbrką, gdzie Ukraińcy z UPA w maju 1944 roku wymordowali prawie wszystkich swych polskich sąsiadów. Kilku z nich przeżyło dzięki młodemu kołodziejowi Mykole Zaricznemu, który dwie polskie rodziny ukrył na stryszku swego warsztatu. Zariczny z trudem uniknął śmierci, i to wcale nie z ręki swoich ziomków, którzy mogliby go okrutnie ukarać za nielojalność, lecz Polaków z AK, którzy kilka dni później w odwecie zabijali każdego napotkanego w okolicach Hrusiatycz Ukraińca. Na szczęście dla Zaricznego ocalałe polskie rodziny zasłoniły go własną piersią przed plutonem egzekucyjnym. Przybyły tegoż dnia do oddziału likwidacyjnego AK porucznik Cyklop wzruszył się ogromnie i w podziękowaniu za heroizm ofiarował Zaricznemu własnego browninga o nakładkach na rękojeść ze szczerego złota. Choć Ukrainiec nie przyjął prezentu, to i tak po okolicznych wsiach rozeszła się wieść, że Lach przekupił go za górę złota. I tak oto niechcący Cyklop dał młodemu kołodziejowi „pocałunek śmierci", a właściwie „pocałunek samotności". Znienawidzony przez ukraińskich nacjonalistów, którzy za zdradę wydali nań wyrok śmierci, Zariczny ukrywał się po podlwowskich lasach przez trzy miesiące, aż – *nolens volens* – przystał do oddziału Popielskiego, w tym czasie już szukającego porozumienia, a nawet pojednania z Ukraińcami, by wspólnie z nimi walczyć przeciw Sowietom. To się Cyklopowi udało w jakiejś mierze i po obu stronach nowej, przeklętej przez niego granicy wspólnie z niektórymi żołnierzami UPA zaczął nierówną walkę z nowym okupantem i jego polskimi sługusami, zakończoną zwycięskim rajdem na Hrubieszów w maju 1946 roku. Wtedy to Popielski, zaciekle ścigany, rozwiązał swój oddział, a jego członkowie rozpierzchli się na cztery wiatry. Jak się okazało, niektóre wiatry wiały w identycznym zachodnim kierunku, wobec czego i dawny dowódca, i dawny podwładny, już, jak się okazało, Mikołaj Zarzeczny, znaleźli się nagle nie tylko w tym samym zrujnowanym poniemieckim mieście, ale także wręcz w jednej piwnicy.

DETEKTYW USIŁOWAŁ PODNIEŚĆ SIĘ, by wstać i przywitać się z Zarzecznym, ale ten powstrzymał go zdecydowanym ruchem ręki i nakazał swojemu człowiekowi nałożyć mu zimny kompres na głowę. Ten człowiek, pobity barman, z niewielkim entuzjazmem przykrył mokrą szmatą poranioną głowę leżącego na stole Popielskiego. Zarzeczny zapalił papierosa i spojrzał uważnie na swego byłego dowódcę.

– Ja jestem teraz praktyczny cywil – oznajmił. – My si jeszczy mlika od wściekłyj krowy napijemy i las powspuminamy, a teraz mów, Łyssy, w czym ci mogi pomóc! Co ty tu robisz u mni, jak ty tu trafił?

Popielski spojrzał na okrągłe, zwykle wesołe, teraz nieco zatroskane oblicze dawnego kompana i uznał, że nie musi niczego ukrywać. Spojrzał znacząco na barmana, a potem na Zarzecznego.

– Leoś, a pokatulaj si ty, braci, na góry i zobacz, co si tam dzieji! – powiedział Zarzeczny do swojego człowieka, a kiedy ten, kuśtykając, wyszedł z piwnicy, zwrócił się do Popielskiego. – No, bałakaj, stary druhu, co ci tu szukać u Mykoły! Chyba że tu tajemnica, to uszanuji!

– Żadna tajemnica. – Kompres złagodził nieco ból głowy, ale Popielski nadal z trudem mówił. – Miałem sprawę do pewnego milicjanta, niejakiego Franciszka Pirożka – to nasz krajan ze Lwowa – i zapłaciłem mu z góry za jego pomoc. Chodziło o pewną informację z milicji. A ten Pirożek dał moje pieniądze śpiewakowi z Klubowej. Śpiewak poszedł z tymi pieniędzmi prosto tutaj, do Dąbrowianki. Nie wiem, dlaczego Pirożek dał pieniądze temu typowi... Wiem, że potrzebuje forsy, ma młodą żonę i dwoje małych dzieci. Dlaczego oddał forsę szansoniście? I wtedy zaczęła mnie dręczyć myśl: może Pirożek nie zdobędzie dla mnie żadnej informacji? Albo rzuci mi jakiś nieważny ochłap? Przecież sam wiesz, Orest, że jak nie ma forsy, to nie ma chęci do niczego...

Ukrainiec uśmiechnął się, słysząc swój wojenny pseudonim.

– A bodaj ty skisł! I co, ty poszedł za Banasim, bo tak temu śpiewakowi z Klubowyj, i tutaj trafił, a?

– Właśnie tak – odparł zmęczony Popielski i znów położył się płasko na stole.

Zarzeczny podszedł do niego, chwycił go dłońmi za łydki i zsunął mu nogi ze stołu. Potem objął go za bary, rękę włożył pod pachę i uniósł powoli i delikatnie. Kiedy Popielski już siedział na stole i rozglądał się po gołych ścianach z zaciekami, Zarzeczny otrzepał mu marynarkę szczotką do ubrań.

– Słyszysz to? – Wskazał ręką na masywne drzwi z zasuwą. – Tam szac chłopaki i bini jak ta lala. Zaraz wszystku skapujisz...

UMILKLI. Popielski usłyszał jakieś tubalne męskie głosy. Za-rzeczny dźwignął ze stołu swojego dowódcę i spojrzał na niego kry-tycznie.

– Gdzie twój szyk, Łyssy, o którym cały Lwów śpiewał? – i odpo-wiedział sam sobie smutno: – Wojna to nie rewia mody... Ali już po wojni... Zobacz sam, jacy wszyscy u mni modni... Chodź do mojegu bunkra...

Komisarzowi na chwilę zakręciło się w głowie, lecz po kilku se-kundach doszedł do siebie. Opierając się na ramieniu Zarzecznego, został przez masywne drzwi wprowadzony do innego świata.

Z piwnicą sąsiadowało wielkie pomieszczenie, którego pod-łoga wyłożona była dywanami. Na jego środku stał ogromny stół przykryty zielonym suknem. Bezokienną izbę oświetlały cztery so-lidne lampy stojące. Po ścianach biegały dookoła błyski światła, odbijanego przez kręcące się i wypolerowane koło ruletki. Wokół niego siedziało kilku mężczyzn, którzy wpatrywali się w toczącą się kulkę. Jeden z nich zapisywał coś na kartce, inny ściskał w dłoni jakiś przedmiot, może amulet, jeszcze inny nerwowo wykręcał palce. Nie zwracali uwagi ani na Zarzecznego, ani Popielskiego. Na pewno zdumienie detektywa budziła ich całkowita obojętność na wdzięki wysokiej dziewczyny, która ubrana jedynie w pończo-chy, pantofle i kusą spódniczkę, trzymała przed sobą na specjal-nych szelkach tackę z wódką, kanapkami i papierosami. Popielski na widok jej nagich piersi poczuł, że prawie mu mija ból głowy. Za bardzo wstydliwe uznał następnie to, że już ponad miesiąc nie od-wiedzał pewnej kamienicy na Nowowiejskiej, gdzie urocza młoda dama o pseudonimie Jeanette zawsze czekała na niego z utęsk-nieniem.

Kulka wciąż krążyła w kole ruletki – wraz z każdym jego obro-tem coraz wolniej.

– Wspomniany przez ciebie kolega ze Lwowa – Zarzeczny szep-tał Popielskiemu na ucho, by nie zburzyć nastroju oczekiwania na wybór Fortuny – jest częstym moim gościem. Ostatnio trochę się zapożyczył... Prawdę mówiąc, na bardzo dużo...

– Piętnaście tysięcy? – Popielski powiedział to głośniej, bo okrzyki radości dochodzące zza stołu bezpiecznie tłumiły ten fragment ich rozmowy – Co, przegrał w ruletkę?

Zarzeczny nie odpowiedział i otworzył kolejne drzwi. W oparach dymu siedzieli tam czterej mężczyźni w samych koszulach i poluzowanych krawatach. W dłoniach, ozdobionych sygnetami, trzymali karty. Na stole wznosił się stos banknotów, wśród których nie brakowało i szarozielonej waluty. Ściany sali do pokera były obite zielonym aksamitem z wytłoczonym wzorem w złote kwiaty.

– Nie, nie w ruletki, w oczko – odpowiedział Zarzeczny. – I to dużo, dużo wiencyj...

Jedna ze ścian się ruszała. Frędzle znajdujące się u jej dołu falowały. Zza niej dobiegły charczenie oraz kobiece jęki i okrzyki.

– Ni martw si, Łyssy – mówił Zarzeczny. – Pirożek honorny... Zawszy słowa dotrzymuji... Jak obiecał ci wiadomuść, to ci rychtyk powi... On honorny... Jak przegra, to nawet własnu żony odda... Ostatniu dużu przegrał... Prócz twoich piniędzy jegu dług musi przez dwa dni spłacać ślubna... Chcesz zobaczyć paniu Jadwigi Pirożkowu? No to patrz!

Falująca ściana okazała się przepierzeniem. Za nim stało duże żelazne łóżko pokryte gładką kapą. Teraz trzeszczało mocno rozchwiane pod naciskiem dwóch ciał. Pomiędzy szczupłymi kobiecymi nogami w eleganckich pończochach rozwalał się tęgi czerwony zad, a nad kołnierzem koszuli zwijał się w trzech fałdach gładko wygolony kark. Sapanie i jęki nie oderwały ani na chwilę uwagi pokerzystów.

– Rzeczywiście dotrzymuje słowa. – Popielski odsunął się od szpary pomiędzy ścianą i przepierzeniem. – Ma swój honor...

– O tak, to bardzu wrażliwy pan – mruknął Zarzeczny. – Przegra żony bez mrugnięcia oka, ale forsy to oddaji mi tylku przez Banasia, tegu śpiwaka... Mówi, że sercy mu nie wytrzyma, jak zobaczy tu swoju Jadzi...

Popielski uściskał serdecznie Mykołę przy akompaniamencie jęków dochodzących zza przepierzenia. Od tego momentu nie uważał już Pirożka za dziecko Fortuny.

Cały mój następny tydzień był wypełniony smutkiem, który chwilami potęgował się prawie do rozpaczy, a chwilami opadał do poziomu zwykłego zniechęcenia. Powodem tego nastroju była postępująca choroba Leokadii i daremne szukanie dla niej miejsca w szpitalach. Doktór Scholz ostrzegł mnie, że owo trapiące ją ostre przeziębienie może zamienić się w zapalenie płuc i wtedy wszystko będzie w rękach Boga. Choć miałem pieniądze na opłatę szpitalną, i tak wszędzie odprawiano mnie z kwitkiem. Nadchodził koniec roku, szpitale wydały już cały swój roczny budżet, masowo zwalniano chorych do domów. Chodziłem zatem od Annasza do Kajfasza, oferowałem łapówki i hasłem *„salus aegroti suprema lex"* odwoływałem się do szlachetnych uczuć niższego i wyższego personelu. Widziałem lekarzy bezradnie rozkładających ręce i wskazujących na nieliczne puste łóżka, które miały być zapełnione dopiero w nowym roku, słuchałem wyjaśnień i usprawiedliwień finansowych. Wszystko na nic. Dla Leokadii nie było nigdzie miejsca. Wracałem zgnębiony do domu, a tam czekały na mnie rozgorączkowane oczy mojej kuzynki. Po nocach śniło mi się, że palę w piecu, a Lodzia mimo to umiera.

Dodatkowym powodem cierpienia było wspomnienie śmierci mej jedynej córki Rity. W samą piątą rocznicę tego żałobnego dnia, który był moim *dies ater*, siedziałem przy łóżku chorej Leokadii i trzymając ją za rękę, rozpamiętywałem klęskę, jaka na mnie spadła we Lwowie tegoż dnia pięć lat wcześniej. Wtedy to Niemcy rozstrzelali ponad tysiąc umysłowo chorych pacjentów szpitala kulparkowskiego, a wśród nich jedyną mą córkę, która przebywała tam od dwóch lat, kiedy to doznała pomieszania zmysłów. Ja sam omal wtedy nie uległem tej chorobie. Krótko przed samą wojną zaginął dwuletni Jerzyk – jedyny syn Rity, a mój jedyny wnuk.

Wiarę w człowieka i w cywilizację ludzką utraciłem kilka miesięcy przed śmiercią Rity – w lipcu 1941 roku, kiedy to, ciesząc się z klęski znienawidzonej Rosji, z którą walczyłem najpierw pod austriackim, a później pod polskim sztandarem – wróciłem do Lwowa. Wierzyłem, że teraz, po wypędzeniu Mongołów, jak nazywałem bolszewików, będę mógł rozpocząć walkę z Niemcami – wrogiem, owszem, odwiecznym i śmiertelnym, ale walczącym honorowo i z otwartą przyłbicą. Tymczasem ten honorowy przeciwnik dokonał aktu niewiarygodnej barbarii. Oto na początku lipca 1941 roku Niemcy rozstrzelali na Wzgórzach Wuleckich dwudziestu pięciu profesorów Uniwersytetu Jana Kazimierza. Był to dla mnie potężny cios. Ja, niepoprawny germanofil, *doctor philosophiae* Uniwersytetu Wiedeńskiego, pełen uwielbienia dla niemieckojęzycznej nauki i kultury, nie mogłem wprost uwierzyć, że pionierski kraj europejskiej cywilizacji zamienia się w piekło plemiennego barbarzyństwa. Nie mogłem pojąć, że hitlerowscy żołdacy na rozkaz SS-Brigadeführera *doctoris utriusque iuris* Eberharda Schöngartha rozstrzelali dwudziestu pięciu polskich profesorów, którzy – wszyscy bez wyjątku! – mówili płynnie po niemiecku, a większość z nich w tymże języku publikowała swe prace naukowe. W lipcu 1941 roku utraciłem wiarę w człowieka, a w listopadzie tegoż roku – wiarę w Boga. To wtedy widziałem Ritę po raz ostatni w szpitalu kulparkowskim. Kilka dni później, dowiedziawszy się o wymordowaniu pacjentów przez Niemców, pobiegłem tam z resztkami nadziei. Brnąc wraz z Leokadią przez stosy wilgotnych liści w przyszpitalnych alejach, spotkałem jednego z tamtejszych woźnych, posłańca hiobowej wieści. Kiedy ów woźny powiedział mi, że Rita, by przekonać oprawców o swej poczytalności, próbowała recytować w oryginale *Króla Olch* Goethego, uklęknąłem i wypuściłem z ust pianę. Kiedy powiedział mi, że leży ona teraz w dole pod warstwą niegaszonego wapna, runąłem na ziemię jak bałwan i uderzałem piętami o skłębione liście. Gryzłem błoto w dzikiej epilepsji i wyłem jak zwierzę, a Leokadia klęczała przy mnie i trzymała chłodnymi dłońmi moją purpurową, rozpaloną głowę. Kiedy ocknąłem się w domu po kilku godzinach maligny, byłem zimny i obojętny. Moja pamięć była częściowo wyjałowiona. Nie mogłem sobie przypomnieć – ja, dotąd wierzący i praktykujący katolik – ani jednej modlitewnej frazy, nie potrafiłem odtworzyć – ja, dotąd mówiący po niemiecku jak rodowity wiedeńczyk – ani jednego niemieckiego wyrazu. Straciłem wiarę w Boga, utraciłem znajomość drugiego języka. Ktoś powiedział, że człowiek tyle razy jest człowiekiem, ile zna języków. W listopadzie 1941 roku niemiecka część mojego człowieczeństwa obumarła.

Wraz z kolejnymi upływającymi miesiącami ta niemieckojęzyczna afazja ustępowała, ale utrata wiary już nigdy się nie cofnęła.

Teraz, równo pięć lat później, w listopadzie 1946 roku, odprawialiśmy wraz z Lodzią w milczeniu nasze rocznicowe *exequiae*. Tym razem to nie ja, lecz ona była chora i rozpalona od gorączki, a ja skamieniały w przytomnej rozpaczy. Siedząc w nyży przy jej łóżku, koiłem jej ból zimnymi kompresami i miksturami doktora Scholza. W radiu leciały cicho mazurki Chopina w wykonaniu Władysława Szpilmana. Po wychudzonych policzkach Leokadii płynęły łzy, przy czym żaden grymas nie zmarszczył jej szczupłej szlachetnej twarzy. Nie pozwoliłaby sobie na to. Okazywanie uczuć, nawet w moim towarzystwie – kuzyna, z którym prowadziła wspólne gospodarstwo domowe od ponad ćwierćwiecza i którego córkę wychowała – nie było według jej kodeksu *comme il faut*. Leokadia nawet w kloace, nawet w kazamatach UB, które niedawno opuściła, wszędzie pozostawała damą.

Tego smutnego wieczoru odwiedził mnie Franciszek Pirożek. Jego plan udał się nadzwyczajnie. Poprosił mianowicie swego szefa o wystosowanie pisma do Wojewódzkiego Urzędu Bezpieczeństwa Publicznego z zapytaniem, czy panny Janina Maksymońko i Fryderyka Pasławska są notowane w aktach UB. Kiedy szef Pirożka komisarz Kuc zażądał uzasadnienia takiej korespondencji, jego podwładny odparł, że informacje te są mu potrzebne w aktualnym śledztwie w sprawie nierządu. Naczelnik nie miał już więcej żadnych pytań. Wcześniej nie raz i nie dwa musiał się gęsto tłumaczyć przed arcyubekiem pułkownikiem Brzozowskim, dlaczego aresztował jakiegoś opryszka lub złodzieja, który okazywał się nagle agentem bezpieki. By uniknąć połajanek, dla zachowania całkowitej ostrożności, Kuc pisma takie wystosowywał wcale często. Tak też uczynił po rozmowie z Pirożkiem i tego samego dnia koperta z adnotacją „pilne" trafiła do sekretariatu Wojewódzkiego Urzędu Bezpieczeństwa Publicznego. Trzy dni później na biurku komisarza Kuca wylądowała odpowiedź, która następnie została przekazana Pirożkowi. Teraz to ja miałem ją przed oczami i czytałem uważnie.

„Informuje się, że ob. Pasławska Fryderyka nie figuruje w aktach tut. WUBP. Jednocześnie nakazujemy, aby Milicja Obywatelska wyłączyła ze swoich wszelakich śledztw i dochodzeń ob. Maksymońko Janinę". Podpisano – „kpt. Jakowlew".

– Kto to jest Jakowlew? – zapytałem. – Kolejny „pełniący obowiązki Polaka"? I co to oznacza: „nakazujemy, aby milicja wyłączyła" ze śledztwa?

– Tak, to rzeczywiście „poP" – odpowiedział Pirożek. – Kapitan Bazyli Jakowlew to od miesiąca druga osoba po ubeckim Bogu. Skądś się nagle zjawił. Kanalia. Dobrze zna polski. Studiował w Leningradzie. A to żądanie wyłączenia Janiny Maksymońko ze śledztwa może mieć dwojakie uzasadnienie. Albo dziewczyna jest agentką UB i Jakowlew mówi nam przez kwiatek – mówił cicho, by nie doszło do uszu Lodzi – „Odpierdólcie się wy od niej", albo jest ona, lub ktoś z nią związany, obiektem ważnego śledztwa prowadzonego przez bezpiekę.

Czegom się miał dowiedzieć, właśniem się dowiedział. Podziękowałem Pirożkowi i pożegnałem się z nim serdecznie. Nie zapytałem go, czy tę dobrze wykonaną robotę idzie uczcić przy ruletce, w pokoju gdzie jeszcze niedawno jego młoda, ukochana żonie jęczała pod spoconym knurem o potrójnym karku i o zadzie jak szafa trzydrzwiowa.

Znaczący postęp, jaki uzyskałem w śledztwie, pozwolił mi zapomnieć o obecnych i o przeszłych troskach. Usiadłem przy stole z papierosem i przeanalizowałem wszystkie informacje. Eksperyment świątnicki pokazał, że pośród uczniów Gymnasium Subterraneum jest ubecki szpicel i że jest nim jedna z trzech uczennic. Nie jest donosicielką Teresa Bandrowska, bo choć pośrednio, poprzez Janinę Maksymońko, została wciągnięta w eksperyment świątnicki, to i tak nie byłaby w stanie, skatowana przez sowieckich bandytów, iść na ubecję z doniesieniem. Fryderyka Pasławska natomiast nie jest wcale notowana przez UB, co sprawdził Pirożek, a zatem ona również nie jest kapusiem. Pozostaje tylko Janina Maksymońko. Odpowiedź Jakowlewa świadczy, że jest ona w orbicie zainteresowań UB, choć nie wiadomo, czy jako agentka, czy jako osoba inwigilowana. Napisałem na kartce sylogizm: „Jeśli na pewno jedna z trzech osób (Maksymońko,

Pasławska lub Bandrowska) jest agentką UB, a na pewno nie jest nią Bandrowska ani Pasławska, to musi nią być Maksymońko".

Logika jest nieubłagana – pomyślałem – ale ten sylogizm to tylko dowód pośredni. Czy spojrzę sobie w twarz przy goleniu, gdy się okaże, że Maksymońko nie jest szpiclem, lecz szlachetną dziewczyną związaną z podziemiem, którą UB inwigiluje? Ale kto wtedy mógłby być agentem? Jakiś uczeń płci męskiej? To możliwe, ale tylko w wypadku, gdyby profesor Stefanus był bardzo roztargniony! A czyż nie jest on roztargniony? Owszem, można go uznać za roztargnionego na podstawie błahej przesłanki, że zgubił notes, w którym zapisywał eksperyment świątnicki! Ale czy ona rzeczywiście jest błaha? Kiedy się nad tym głębiej zastanowimy, to dojdziemy do wniosku, że zgubienie czegoś tak ważnego jak wyniki eksperymentu decydującego o być albo nie być gimnazjum to doprawdy bardzo mocny argument za roztargnieniem profesora. A zatem profesor zreferował mi eksperyment świątnicki następująco: termin, kiedy to do kościoła na Świątnikach wtargnęło UB, podał jednej z uczennic. Ale – na Boga – mógł się on w swym roztargnieniu pomylić i powiedzieć o wszystkim uczniowi, nie uczennicy! Jaki jest z tego wniosek? Taki, że muszę zdobyć niezbite dowody winy Janiny Maksymońko.

Wyjrzałem przez okno. Wiatr szarpał gałęziami krzewów. Pogoda nie zachęcała do śledzenia kogokolwiek, ale siedzenie w domu zniechęcało do wszystkiego. Wszedłem do nyży, aby wyjąć z niej zimowy płaszcz. Leokadia spała niespokojnie. Nasunąłem jej kołdrę na piersi i pocałowałem w policzek. Potem ubrałem się ciepło, a za pazuchę włożyłem pół ćwiartki spirytusu. Zastanawiałem się przez chwilę, czy zabierać ze sobą mego browninga o złotej rękojeści. Po chwili wahania pozostawiłem go w szufladzie. Dwie godziny później przeklinałem moją lekkomyślność.

JANINA MAKSYMOŃKO od dłuższego czasu miała wrażenie, że ktoś ją śledzi. To uczucie zrodziło się całkiem niedawno i nie było spowodowane żadnymi obiektywnymi przesłankami. Nie widziała bowiem nikogo, kto by za nią szedł, a wobec niebezpieczeństwa demaskacji uskakiwałby do bramy lub chował się za słupami ogłoszeniowymi. Nic podobnego się nie działo. A jednak była niespokojna. O inwigilacji ostrzegały ją nieokreślone przeczucia, cienie widziane kątem oka, twarze mijanych ludzi, które wydawały się jej jednocześnie i znajome, i nie znane. Te intuicje zamieniły się w pewność kilka dni wcześniej. Wtedy poskarżyła się nawet ojcu na tego potężnego łysego mężczyznę z sąsiedztwa. Ojciec stwierdził, że zna go z widzenia, i obiecał znaleźć go i pogrozić mu milicją.

Dzisiaj nikt jej nie śledził – co do tego miała absolutną pewność. Rozglądając się co kilkanaście sekund wokół siebie, poszła po swoją niewielką comiesięczną wypłatę do pani Winiarskiej. Grafologini już jednak od kilku dni nie mieszkała na Worcella. Dozorca nie tylko był poinformowany przez byłą lokatorkę o niechybnej wizycie dziewczyny, ale również został poproszony o wręczenie jej koperty z pieniędzmi, co też zaraz uczynił ku radości przybyłej.

Niestety, wesołość Janki po chwili zamieniła się w palący wstyd. Oto do pieniędzy dołączony był list, w którym pani Winiarska w ostrych słowach zrywała ich współpracę i znajomość. Jako uzasadnienie tej decyzji grafologini podała domniemanie, iż panna Maksymońko jest zamieszana w jakieś „polityczne sprawki", a ona sama właśnie z ich powodu została pobita przez dwóch typów spod ciemnej gwiazdy. „Nie chcę mieć z Tobą więcej do czynienia – pisała Winiarska – bo ściągnęłaś na moją głowę upokorzenie, jakiego nawet w czasie wojny nie zaznałam. Życzę ci, abyś i Ty kiedyś poznała smak podeptania. A teraz idź i szukaj sobie innej pracy!"

Panna Maksymońko przejęła się bardzo tym listem z dwóch powodów. Po pierwsze, straciła dorywcze zajęcie, które pozwalało jej łatać dziury w budżecie domowym, mocno nadszarpniętym przez pijaństwo ojca, po drugie zaś, dowiedziała się, że jest uwikłana w „polityczne sprawki", czyli w coś, co ją przerasta i o czym nie ma najmniejszego pojęcia. To uwikłanie wiązało się oczywiście z przeczuciem, że jest inwigilowana, jakie ją od pewnego czasu trapiło. I strach przed ubóstwem, i niezbita pewność osaczania sprawiły, że podjęła ważną decyzję.

Wróciła na ulicę Worcella i od dozorcy uzyskała nowy adres pani Winiarskiej. Potem na szaberplacu za ostatnie oszczędności kupiła na przeprosiny tygrysie oko, kamień, który grafologini uważała za amulet i często wykorzystywała w swych wróżbach. Nie zwracając uwagi na słabe protesty ojca, który tak się zachwycił kamykiem, że w pijackim rozrzewnieniu usiłował nawet skomponować o nim piosenkę, zapakowała prezent w pustą torebkę po cukierkach, zawiązała ją tasiemką i udała się z zawiniątkiem na wyprawę do dzielnicy Karłowice.

BYŁA GODZINA SIÓDMA WIECZÓR, ciął ostry deszcz i miasto dawno już zatopił mrok. Nie była to dla młodej panienki bezpieczna pora, ale Janina Maksymońko, wstrząśnięta listem pani Winiarskiej, nie chciała czekać ani chwili. Zatroskanemu ojcu wyjaśniła, że pójdzie nieźle oświetloną ulicą Świętego Wojciecha do mostu Katowickiego, a tam wsiądzie w autobus B, który ją zawiezie na Karłowice.

Tak też uczyniła. Przeszła całą długość ulicy Świętego Wojciecha, na której gazowe latarnie błyskały przyjaźnie i dodawały jej otuchy. Przydała się ona bardzo, bo nie opuszczało jej przeświadczenie, że ktoś za nią idzie. Odwracała się co chwila i – owszem – wciąż widziała za sobą jakichś mężczyzn, choć nie była pewna, czy za każdym razem widzi tych samych. Byli oni bowiem ubrani identycznie – jak większość mężczyzn jesienną porą – w ciemne płaszcze i kapelusze. W słabej żółtej poświacie nie potrafiła ujrzeć w nich żadnych cech charakterystycznych i doprawdy już sama nie wiedziała, czy na przykład ten, który wchodził do parku Nowowiejskiego, jest tym samym, który nagle wyskoczył ze sklepu galanteryjnego dwieście metrów dalej. Czując się trochę nieswojo, wyjęła z torebki kamień i ściskała go jak amulet. W końcu doszła do mostu Katowickiego, przebiegła przezeń i stanęła na przystanku autobusu linii B. Nie czekała długo.

Był to niezwykły i jedyny we Wrocławiu publiczny pojazd na gaz, który Niemcy jako prototyp środka komunikacji miejskiej wypróbowywali w 1944 roku. Jego przestronne wnętrze z dużymi oknami kojarzyło się Jance z londyńskimi autobusami, o których czytała w niedzielnym dodatku do „Naprzodu Dolnośląskiego". Jednak tę iluzję rozbijali teraz podpici młodzi robotnicy, którzy śpiewali pieśń *Jak długo na Wawelu*, oraz trzej żołnierze sowieccy, którzy wbijali w nią swe przekrwione, zamglone oczy. Na ich widok zadrżała i spuściła wzrok. Przypomniała sobie, w jakim stanie są jej przyjaciółka Tereska i jej matka po pewnej wizycie czerwonoarmistów.

Ściskając mocno swój amulet, wysiadła na przystanku przy wieży ciśnień i pobiegła w stronę ulicy Asnyka. Odwróciła się i odetchnęła. Czerwonoarmiści zostali w autobusie.

Już prawie była na miejscu, kiedy znów się obejrzała. Poczuła ukłucie niepokoju, choć nie było za nią żadnych mundurowych. Wzbudził je jednak barczysty, wysoki mężczyzna. Kiedy się do niej odwrócił bokiem i zdjął kapelusz, by otrzeć z potu łysą głowę, Janka natychmiast go poznała. To on ją teraz śledził, to jego się bała, to przed nim ostrzegała ją intuicja.

Rzuciła się w ślepej panice w uliczkę, lecz nie zdążyła nawet w nią wbiec. Zagradzał ją bowiem jeep z czerwoną gwiazdą na burcie. Otoczyli ją trzej żołnierze. W blasku bijącym z okien pobliskiego domu dojrzała zarysy czapek uszanek. Stanęła jak wryta i spojrzała za siebie. Ale powrotną drogę blokował już żołnierz o azjatyckich rysach. Rzuciła się w bok, ale i on zrobił ruch w jej stronę. Odbiła się od jego kożucha i wpadła w ręce innego żołdaka. Jej stopy straciły kontakt z ziemią. Pod kolanami i na ustach poczuła twarde, sękate dłonie. Nie zdążyła wydać ani okrzyku. W nozdrza wciągnęła woń przetrawionej wódki, a potem, kiedy ją prawie wciskano w metalową podłogę przed tylnym siedzeniem, doszedł do niej przenikliwy zapach benzyny.

Jeep szarpnął ostro i ktoś się na nią zwalił całym ciężarem. Na policzku poczuła chropawą skórę czyjejś dłoni.

– *Niczego, niczego, krasawica* – dyszał do jej ucha męski głos.

Niczego nie widziała oprócz kołnierza kożucha, który ktoś wtłaczał w jej usta. Niczego nie czuła oprócz gładkiego dotyku tygrysiego oka, które wciąż ściskała w dłoni. Niczego nie słyszała oprócz krzyków na zewnątrz, huku wystrzału oddanego z wnętrza jeepa oraz głosu, który mówił w jej głowie. Należał on do pani Winiarskiej. „Życzę ci, abyś i Ty kiedyś poznała smak podeptania" – mówił.

Różne myśli kłębiły się w mej głowie, kiedy patrzyłem, jak w wąskiej ulicy Asnyka sowiecki jeep z trudem manewruje. Zarzucił tyłem, aby zawrócić. Najechał przy tym na parkan. Rozległ się przeraźliwy zgrzyt metalu. Mieszkający wokół ludzie zaczęli z okrzykami gniewu otwierać okna i drzwi swych domów. Niektórzy już wybiegali z jakimiś narzędziami w rękach. W mocnym świetle błysnęła siekiera. Skonsternowany rosyjski kierowca przerzucał nerwowo wajchę zmiany biegów przy kierownicy. Na tylnym siedzeniu pod brezentowym dachem coś się kotłowało. Bez zastanowienia rzuciłem się całym ciałem na maskę samochodu i uderzyłem pięścią w przednią szybę. Kiedy pękała, ujrzałem wlepione w siebie dwie pary oczu – małe azjatyckie oraz duże i niebieskie. Pod tymi drugimi otwarły się usta okolone u góry rudym wąsikiem, a potem pojawiła się dłoń z pistoletem.

Strzał zdmuchnął mi kapelusz z głowy, a mnie samego odrzucił z maski samochodu. O moje ucho otarła się opona jeepa, kiedy z piskiem ruszył wprost w stronę ulicy Karłowickiej, za którą rozciągała się *terra incognita* sowieckich koszar. Ukucnąłem. Od samochodu dzieliło mnie kilka metrów. Było ciemno, ale ja byłem niezłym strzelcem. Z tej odległości przestrzelenie opon nie sprawiłoby mi większego kłopotu nawet przy tej wieczornej zaćmie. Sięgnąłem pod marynarkę, a potem przez chwilę z niedowierzaniem oglądałem swoją dłoń. Była pusta. Nie zaciskała się na złotej kolbie rewolweru. Niezawodny browning pozostał w szufladzie biurka w moim mieszkaniu.

Wtedy poczułem ciepłą krew, która płynęła mi z ucha. Osunąłem się na kolana i ryczałem przekleństwa w ciemne niebo. Wówczas opadła na mnie epileptyczna noc. Ciepła, aksamitna czerń. Kopałem nogami o bruk ulicy, zgrzytałem zębami o jakiś kołek, który ktoś miłościwy wepchnął mi w usta. W tym czasie epileptyczny demon wyciskał ze mnie strugi moczu.

Kiedy tej samej nocy w przemoczonych spodniach i w lepkiej od krwi koszuli przemykałem się nadodrzańskim bulwarem w stronę mostu Katowickiego, przyszła mi do głowy pewna myśl. Stanąłem pod mostem kolejowym, na którym huczał pociąg towarowy. Wypiłem pół ćwiartki spirytusu, który jakimś cudem ocalał z opresji. A potem zakrwawionym palcem, skaleczonym o odłamek samochodowej szyby, napisałem na wierzchu lewej dłoni jedną literę. S jak Serpens. Wąż. Więzienny symbol zemsty.

STARSZYNA WŁADYMIR BOROFIEJEW siedział wraz z towarzyszami w swej piwnicy. Mężczyźni jedli ziemniaki ze słoniną, które ugotowali w stary frontowy sposób – w hełmach zawieszonych nad małym ogniskiem.

Bachtijar Kekilbajew wylizał łyżkę do czysta i wsadził ją za cholewę buta. Wiedział, że zaraz ten rudzielec Saszka Kołdaszow będzie się z nim przekomarzał i przypominał mu, skąd ma te buty. „Dobre buty – myślał Kazach – co z tego, że rok temu gdzieś na Mazurach musiałem odciąć nogi zamarzniętemu trupowi i potem te nogi włożyć do pieca, by odtajały? Inaczej bym miał tylko tamte stare, z dziurami, przez które wychodziły onuce. A tak to mam te! Dobre i nowe. Buty jak to buty, to i łyżkę można w nich schować".

Kołdaszow rzeczywiście zaczął dowcipkować na temat pochodzenia tych butów, a Kekilbajew jak zwykle udawał, że to go bawi. Borofiejew nie brał udziału w tej wesołej rozmowie o przewidywalnych skutkach – oto zaraz jego towarzysze wezmą się za łby, a potem wypiją wódkę na zgodę. Wszystko ma swój stały przebieg, myślał, wszystko jest takie jak zwykle. Tylko to, co zrobią zaraz z tą Polką, będzie inne niż zwykle. Będzie trwało długo. Dużo dłużej.

O tym Borofiejew pomyślał jeszcze w samochodzie, kiedy to ogłuszył dziewczynę, posadził ją bezwładną na tylnym siedzeniu, zadarł jej spódnicę, rozsunął nogi i przyglądał się jej jak ginekolog. Potem sprawdził palcem, czy jest dziewicą. „Z nią inaczej postąpimy. – Uśmiechnął się sam do siebie, zadowolony z wyników swojego amatorskiego badania. – Inaczej niż ze wszystkimi poprzednimi".

TERAZ, nad garnkiem kartofli, sam siebie utwierdzał w tej decyzji, przytaczając jeden niezbity argument. Dotyczył on jego narzeczonej Nadieżdy. Nie wierzył, że wraz z nią ułoży sobie życie po powrocie do swej rodzinnej wioski Obidimo pod Tułą. Co z tego, że Nadieżda pisała listy, zapewniając o swej miłości i wierności? On widział wiele zakochanych kobiet w różnych wioskach, gdzie stacjonowała jego jednostka. Widział, jak wierne żony i narzeczone oddają się za żywność, za wódkę, a nawet jak lgną – samotne i zgnębione – do pierwszego lepszego, który ładnie zagra na gitarze. Nie, Borofiejew nie wróci już do Obidima, aby się zagrzebać z Nadieżdą w stogu siana. Zostanie tutaj. Po co ma jechać do dawnej narzeczonej, skoro ona już pewnie miała na sobie pół pułku, który stacjonował w jej wiosce? Nie, on zostanie na tej ziemi, gdzie przetrwoni wszystko. A tutaj bardzo trudno o nie zarażone kobiety, a będzie jeszcze trudniej. Dlatego ta Polka, dziewica, zostanie u nich na dłużej. Będzie ich polową żoną. Tak, z nią postąpi inaczej niż z innymi. Nie wyrzuci jej za drzwi, nie połamie rąk ani szczęki. Nie, on będzie ją hołubić. Dobrze karmić i ubierać. A ona będzie jego wojennym jebadłem.

Zza drzwi dobiegły krzyki Janki.

– Krzyczysz? – uśmiechnął się Kołdaszow. – Zaraz to dopiero będziesz krzyczeć!

Jej adres zdobyli jak zawsze od pasera Pasierbiaka. Wobec postępującego deficytu dziewic był on nawet droższy niż adres Teresy Bandrowskiej, choć na pozór powinien być tańszy, ponieważ mieszkanie Janiny Maksymońko i jej ojca usytuowane było nie na odludziu, lecz w centrum, w gęsto zaludnionej kamienicy. Ta lokalizacja zdecydowanie utrudniała im działanie, wtargnięcie do mieszkania w budynku wielorodzinnym i zaspokojenie tam swych żądz nie było bowiem całkiem bezpieczne. Każdy krzyk mógł spowodować interwencję sąsiadów: w tych trudnych czasach dobrosąsiedzka pomoc Polaków była czymś oczywistym, a ich niechęć do Rosjan powszechna. Pasierbiak ostrzegł ponadto Borofiejewa, że następne adresy będą również zlokalizowane w Śródmieściu i że powinni nauczyć się już teraz staranniej planować swe akcje.

Poszli za jego radą. Zanim porwali Janinę Maksymońko, za wszystkie pieniądze kupili kradzionego jeepa. Umożliwiał im swobodę ruchu i był bardzo użyteczny w nowych warunkach – bo wszystko wskazywało na to, że będą musieli teraz porywać dziewczyny z ulicy, a tam zawsze mogli się natknąć na patrol milicjantów, uczciwych czerwonoarmistów, lub nawet głupich przechodniów, których wojna nie pozbawiła chęci okazywania bohaterstwa. Z takim właśnie przypadkiem mieli dzisiaj do czynienia. Ten łysy, który rzucił im się na maskę i zaalarmował całą okolicę, omal nie zniweczył ich długiego i cierpliwego osaczania dziewczyny.

Ale wszystko się udało – pomyślał Borofiejew – a nawet skończyło się ich uzależnienie od Pasierbiaka. Nie potrzebują już pośrednika! Teraz czeka ich godna nagroda, którą będą się cieszyć długo. Oj, długo!

Wstał, poklepał się po wypchanych spodniach i dał znać swoim ludziom, że czas zaczynać. Otworzył drzwi do sąsiedniej piwnicy. Wypadła na niego dziewczyna ze strasznym krzykiem. Uchylił się. Rozczapierzyła palce jak szpony i jej paznokcie o kilka centymetrów minęły jego twarz.

Kekilbajew i Kołdaszow chwycili ją za ręce i – wciąż szarpiącą się – położyli na stole. Obaj usiedli na jej rękach, a Kazach łokciem przycisnął jej szyję. Charczała. Jej twarz czerwieniała, szyja puchła.

Borofiejew zamknął oczy. W swej imaginacji przeniósł się do Obidima, do stogu siana, gdzie w parne noce ubijał pianę na łonie Nadieżdy.

Kiedy skończył, zsunął się z Polki. Dziewczyna drżała, a jej łkanie rozrywało powietrze. Na jej twarzy ślina mieszała się ze śluzem z nosa. Spojrzał pomiędzy jej nogi. Z niedowierzaniem potrząsnął głową. Ani śladu krwi.

– A to kurwa! – wrzasnął z wściekłością. – Nie jest dziewicą i na pewno mnie zaraziła!

I wtedy starszyna Borofiejew zmienił decyzję. Dziewczyna przestała mu się podobać. Nie zostanie jego polową żoną, nie będzie jej hołubił ani karmił, ani ubierał.

Oddał ją swoim ludziom. Ci mieli mniejsze opory przed niedziewicami niż ich szef i na nieoheblowanym stole ugniatali ją długo w noc, aż straciła przytomność.

Potem pojechali na Gajowice i wykopali dziewczynę w krzaki. Miała złamaną rękę. Wszystko było tak jak zwykle. Kekilbajew i Kołdaszow wciąż się droczyli, a Borofiejew miał melancholię w oczach – tę samą co zawsze po wyładowaniu żądzy. Był doskonałym przykładem Arystotelesowego spostrzeżenia: *„Omne animal post coitum triste"*.

Tylko jedna rzecz była nietypowa. Janina Maksymońko, gdy lądowała wśród kolczastych tarnin, już nie żyła.

Opowiem teraz o pogrzebie Janiny Maksymońko i o wypadkach, które go poprzedzały.

Zwłoki dziewczyny odnalazł – wszystko to wiem z Głosu Ameryki oraz od stugębnej wrocławskiej plotki – pewien chłop o nazwisku Józef Bokajło, który wśród nielicznych innych śmiałków mieszkał w jednej z opuszczonych willi w dzielnicy Krzyki – wciąż niebezpiecznej i plądrowanej przez szabrowników i bandytów. Wypasając swoje przywiezione zza Buga krowy na stokach Małej Sobótki opodal ulicy Skarbowców, chłop ów udał się za potrzebą w krzaki porastające brzegi tamtejszego płytkiego i mętnego stawu. Po chwili przerażony tym, co ujrzał, wybiegł z kolczastych tarnin, sięgnął po fuzję i wystrzelił trzykrotnie w niebo. Ten ustalony już wcześniej sygnał usłyszał jeden z jego synów. Chłopak przybiegł zaraz do ojca, a ten polecił mu kontynuować wypas zwierząt jak najdalej od brzegu jeziorka. Sam poszedł co tchu do koszar wojskowych na nieodległej ulicy Gajowickiej i tam urywanym głosem zrelacjonował to, co ujrzał. Dyżurny wykręcił numer najbliższego posterunku milicji i po półgodzinie na brzegu stawu parkował już jeep, w którym siedział Bokajło w towarzystwie kierowcy i śledczego. Po kilku godzinach wieść o upiornym znalezisku rozniosła się po całym mieście. Wieczorem tego samego dnia na karłowicki IV Komisariat przy placu Żuławskiego zgłosiło się kilku mieszkańców ulicy Asnyka. Zeznali oni, iż dwa dni wcześniej widzieli w jeepie sowieckich żołnierzy, którzy na ich oczach porwali byli młodą kobietę. Jeden z mieszkańców pochwalił odwagę „łysego krzepkiego starca" (tak mnie właśnie nazwał), który usiłował zapobiec porwaniu i rzucił się nawet swym ciałem na maskę samochodu. Tegoż samego dnia do VII Komisariatu na ulicy Lwowskiej zgłosiły się matka i córka (panie Bandrowskie najpewniej), które, przełamawszy wstyd, zeznały, że przed dwoma tygodniami zostały zniewolone i zmasakrowane przez trzech sołdatów. Zeznania obu kobiet oraz świadków z Karłowic pozwoliły na ustalenie rysopisu sowieckich morderców. W ciągu dwóch następnych dni nikt we Wrocławiu nie mówił o niczym innym, jak tylko o przerażającej zbrodniczej triadzie, którą tworzyli kałmuk, Gruzin i Rosjanin.

Na efekty tego podniecenia nie trzeba było długo czekać. Pewien szeregowiec Armii Czerwonej, Tadżyk z pochodzenia, ledwie uniknął śmierci przy dworcu Odra z rąk rozszalałego tłumu. Na jakiegoś czerwonoarmistę rodem z Jakucji ktoś na ulicy Stalina wylał zawartość nocnika. Jeszcze innego, tym razem rdzennego Rosjanina, niemiecka ulicznica zwabiła między budy szaberplacu, a tam polscy napastnicy połamali mu nogi. Na widok żołnierzy „bratniej armii" kobiety reagowały najgorszymi, lecz cicho wypowiadanymi obelgami. Mężczyźni w zaufaniu pozwalali sobie na wybuchy bezsilnej wściekłości, a pewien odważny ksiądz – publicznie, na ambonie! – załamywał ręce nad zezwierzęceniem współziomków Dostojewskiego, którym komuniści wyrwali Boga z czułego słowiańskiego serca.

Sowieci stali się bardzo ostrożni i podejrzliwi. Ich patrole rzadko pojawiały się na ulicach miasta, a jeśli już decydowali się na ten niebezpieczny krok, to wyłącznie w dużej sile i w celach propagandowych. Na czele takiego patrolu szedł wówczas politruk. Podchodził on – zawsze w asyście tłumacza, uzbrojonych milicjantów lub polskich żołnierzy – do wrocławian i zapewniał ich, że łajdacy poniosą zasłużoną karę: będą pędzeni przez miasto w więzach z drutu kolczastego, a potem zawisną na Rynku pod ratuszem. Te deklaracje były zresztą dosłownie cytowanymi fragmentami oświadczenia dowódcy garnizonu wojsk sowieckich pułkownika Nikołaja Bogdyłowa, który taką właśnie karę zawsze wyznaczał dla morderców i gwałcicieli. Podobnie jak ich komendant politrucy nazywali zbrodniarzy „wściekłymi

psami, dezerterami i wyrzutkami przebranymi w mundury zwycięskiej Armii Czerwonej".

Te zapewnienia ostudzały nieco żądzę zemsty. Wybuchła ona
z wielką siłą dopiero w czasie pogrzebu Janiny Maksymońko.

Przed południem 19 listopada 1946 roku na cmentarzu na ulicy
Bujwida zgromadził się wielki tłum. Śnieg padał mokrymi płatami,
błoto i glina oblepiały buty, a wiatr wył rozdzierająco wśród starych,
niemieckich, i nowych, polskich grobów. Ludzie śpiewali wielkim głosem „*Salve Regina, Mater misericordiae*". Śpiewał profesor Murawski,
profesor Stefanus i dyrektor liceum doktor Franciszek Jankowski, wraz
z którym przyszli tu wszyscy uczniowie i nauczyciele. Śpiewałem też
i ja. Był tylko jeden człowiek, któremu żaden dźwięk pieśni nie wyrwał się z zaciśniętej krtani. Ojciec zamordowanej profesor Władysław Maksymońko stał w milczeniu nad trumną, nie patrzył jednak
ani na nią, ani na żałobników.

On nie spuszczał oczu ze mnie.

KSIĄDZ PRAŁAT Wacław Wrembel, prepozyt wrocławskiej katedry,
nabrał tchu i przystąpił do wygłoszenia ostatniego akordu swego
pogrzebowego kazania. Mimo zimna i wiatru było mu duszno pod
rozpiętym nad trumną brezentowym namiotem. Wyszedł zatem spod
niego i wystawił ku niebu swoją czerwoną, płonącą od emocyj twarz.

– O ludzkim cierpieniu – huknął potężnym głosem kapłan,
a płatki śniegu spływały mu po obliczu – tylko wtedy można mówić
ludzkim językiem, kiedy ono jeszcze nie nadeszło albo gdy ono już
za nami! W chwili kiedy cierpienie nas ogarnia, można tylko wyć
z bólu! W tej czarnej godzinie rozpaczy, w tej najgorszej desperacji,
można zwątpić we wszystko – także w Chrystusową miłość. Gdzie był
Bóg, niejeden z was zapyta, kiedy to dziecko niewinne było okrutnie
mordowane! Jak mógł do tego dopuścić w swej wszechmocy i w swej
miłości! A ja wam odpowiadam na to pytanie: On był torturowany
przy tym dziecku, On cierpiał wraz z nim, płacze teraz wraz z jego
ojcem i z nami wszystkimi!

Ksiądz Wrembel podszedł do Władysława Maksymońki i objął go mocno. Szloch wezbrał pod parasolami i jęk wzbił się ku koronom starych drzew.

Otyły kapłan przytulił swą gorącą twarz do źle ogolonych policzków Maksymońki, a potem, ciężko sapiąc, wszedł na ławkę i znów zwrócił swe przekrwione oczy ku żałobnikom.

– Rozpacza ojciec, a Bóg rozpacza z nim! Po nocy głuchej i samotnej, po nocy, kiedy ojca przenika bolesna świadomość własnego niepotrzebnego istnienia, nadejdzie poranek. I nadejdzie czas...

– Zemsty! – ryknął Władysław Maksymońko i uniósł ręce nad głową. – Nadejdzie czas zemsty!

– Zemsta! Zemsta na wroga! – powtarzał coraz głośniej tłum. – Bij bolszewicką zarazę!

– Błądzicie, bracia! Nie do was zemsta należy! – Huczący głos księdza wzniósł się ponad gniewnym pomrukiem. – „Zemsta jest moją", mówi Pan ustami proroka Izajasza!

Ostatnie te słowa rozległy się w prawie zupełnej ciszy, która nagle zapadła. Ludzie zamilkli, lecz było to milczenie złowrogie i grożące wybuchem. Mimo deszczu ze śniegiem, naśladując jeden drugiego, żałobnicy złożyli swe parasole i wznieśli je jak oszczepy nad głowami. Celowali tymi szpikulcami wszyscy w jednym kierunku – jakby kogoś chcieli nimi przebić. Te prowizoryczne piki wymierzone były w szczupłego rosyjskiego oficera po pięćdziesiątce, który kroczył samotnie przez tłum w stronę świeżo rozkopanego grobu. Jego wzrok był tak pewny, twarz wyrażała tak wielkie skupienie i smutek, a epolety tak mocno biły po oczach swymi czterema gwiazdkami, że ludzie powoli opuszczali ostrza swych parasoli i posłusznie, jakby w transie, rozstępowali się przed idącym mężczyzną. Jedni byli przerażeni zuchwałą bezczelnością przedstawiciela Armii Czerwonej, której ofiara leżała właśnie na pogrzebowych marach, inni – wręcz przeciwnie – zastygli w uznaniu dla odwagi reprezentanta nacji morderców, co bez żadnej obstawy ośmielił się wejść w tłum bliski zlinczowania każdego, kto mówi po rosyjsku, a jeszcze inni byli po prostu onieśmieleni postawą i pewnością siebie kapitana Armii Czerwonej.

Kiedy podszedł on do żałobników stojących nad samym grobem, na cmentarzu zapadła całkowita cisza, przerywana jedynie donośnym stukaniem deszczu o namiot łopoczący nad trumną.

Oficer sowiecki zdjął czapkę i pochylił nisko głowę przed ojcem zamordowanej dziewczyny. Mokry śnieg układał się miękko na jego gęstych szpakowatych włosach, które wznosiły się nad czołem wysokim czubem. Oficer mówił coś cicho do Władysława Maksymońki. Potem powoli się od niego odwrócił i podszedł do trumny. Opadł na kolana i prawosławnym zwyczajem przeżegnał się trzema złożonymi placami. Potem uczynił katolicki znak krzyża i patrząc na trumnę, powiedział coś po rosyjsku.

– Armia Czerwona cię pomści, biedna dziewczyno – bezwiednie przetłumaczył Maksymońko, a słowa te poszły w tłum powtarzane z ust do ust. – Trupy oprawców złożę przy twym grobie!

Choć to nieoczekiwane zdarzenie na krótką tylko chwilę przerwało procedurę pogrzebu, to jednak wpłynęło znacząco na zachowanie jego uczestników. Ksiądz Wrembel stracił oratorski zapał i pogubił się nieco w dalszym kazaniu, Władysław Maksymońko, dotąd spokojny, teraz dławił się łkaniem, żałobnicy cisnęli się wokół grobu i zaglądali w oczy Rosjaninowi, jakby szukając w nich potwierdzenia deklaracji o zemście. Najwyraźniej mu zaufali. Ten i ów podszedł nawet do kapitana i uścisnął mu dłoń. Oficer podawał im rękę, lecz nie powstał z kolan. Ludzie szeptali z podziwem o odwadze i pokorze tego człowieka honoru. Nadzieja zemsty odpędzała ich smutek i wzbudzała nawet pewien entuzjazm.

TEMU NASTROJOWI nie dał się ponieść bodaj tylko jeden człowiek, który szybko usunął się w bok i ruszył ku wyjściu. Zbyt wiele widział w swym życiu, aby dać się zwieść teatralnym gestom oficera okupacyjnej armii.

– Zemsta nie należy do tego bolszewika, ani nawet do Boga Izajasza – rzekł do siebie. – Przeze mnie dziewczyna zginęła. I to ja jestem zemstą!

Edward Popielski wyszedł szybko z cmentarza i skręcił w prawo w małą boczną uliczkę, wzdłuż której ciągnął się ceglany mur otaczający budynki: pierwszy z nich był kliniką neurologiczną, a drugi – posterunkiem straży pożarnej. Wzdłuż muru dobiegł do ulicy Gdańskiej i po kilkunastu sekundach zatrzymał się gwałtownie przy parkanie okalającym szpital dla psychicznie chorych dzieci. Schował się za pniem dużego drzewa i patrzył uważnie w stronę, skąd nadbiegł. Minęło pięć długich minut. Sapał z wysiłku i obserwował okolice posterunku straży pożarnej. Poza jednym starszym panem, szarpiącym się z dużym psem, oraz dwoma umundurowanymi strażakami, naprawiającymi jakieś niesłychanie archaiczne, chyba nawet muzealne auto, nie widział nikogo. Życie pod okupacją nauczyło go, że szpicel nigdy nie wygląda na szpicla. Toteż odczekał kolejne pięć minut, po czym ruszył biegiem w stronę ulicy Nowowiejskiej. Wpadł do bramy kamienicy numer 107 i stamtąd przez szparę obserwował nadal okolicę.

Uspokojony, wszedł na pierwsze piętro i zapukał siedem razy – cztery razy wolno i trzy razy szybko – w drzwi numer 4. Rytm ten odpowiadał frazie „Bolszewika goń, goń, goń!". Otworzył mu młody mężczyzna w kaszkiecie i w podkoszulku. Bez słowa kiwnął przybyszowi głową i wyciągnął dłoń. Popielski położył na niej kilka banknotów. Mężczyzna narzucił płaszcz na gołe ramiona, nie żegnając się, opuścił mieszkanie, a jego buty zadudniły na schodach.

Popielski rozejrzał się po wnętrzu. Okna jednego pokoju wychodziły na ulicę Nowowiejską, drugiego – na podwórko. W pierwszym nie było nikogo, w drugim zaś siedział nieruchomo łysy staruszek.

Detektyw, wiecznie zapominając o jego kondycji psychicznej, ukłonił mu się grzecznie i bardzo głośno powiedział „Dzień dobry!". Równie dobrze mógłby mu oznajmić, że wybuchła trzecia wojna światowa, że Lwów wrócił do Polski albo że Hitler zmartwychwstał. Starzec był katatonikiem, który godzinami tkwił w jednym miejscu i którego można było przestawiać jak mebel. Reagował – i to dość gwałtownie – tylko wtedy, kiedy go wzywała naturalna potrzeba. Trzeba go było wtedy natychmiast odprowadzać do klozetu, bo żadne okoliczności by go nie powstrzymały przed oddaniem długu naturze.

O tym wszystkim Popielski wiedział od niejakiej panny Krysi o pseudonimie Jeanette, którą regularnie był odwiedzał w tym właśnie mieszkaniu. Staruszek był dziadkiem owej młodej damy, a mężczyzna w kaszkiecie jej opiekunem, kochankiem i gorylem, czyli – jak to lapidarnie ujmowała ulica – po prostu jej alfonsem. Popielski nie znał jego nazwiska i zwracał się do niego zawsze tak, jak brzmiał tytuł powieści Dumasa, per „*monsieur* Alphonse", które to miano bardzo się podobało młodemu mężczyźnie. On i jego przyjaciółka tworzyli najwyraźniej frankofilską parę, co przejawiało się nie tylko w ich pseudonimach, ale również – w jej wypadku – w wyspecjalizowanych usługach zwanych miłością francuską, której praśnym odpowiednikiem jest „dmuchanie balonika".

MONSIEUR ALPHONSE przygotował w mieszkaniu wszystko tak jak trzeba. W obu pokojach stały stoliki przykryte zielonym suknem: w większym dwa, w mniejszym zaś jeden. Popielski wyjął trzy talie kart, potasował je i każdą z nich porozdzielał na cztery równe części – po trzynaście kart każda. Otrzymawszy w ten sposób dwanaście części, porozkładał je po cztery na każdym stoliku. Potem podszedł do staruszka, poprowadził go do jednego z nich i posadził.

Rozejrzał się dokoła. Wszystko było w porządku oprócz jednego: brakowało książki *Bridge licytowany*, którą – oprócz trzech talii kart – wcześniej już miał przynieść z domu Popielskiego *monsieur* Alphonse.

W ciągu godziny przyszli wszyscy – Murawski, Stefanus oraz ich uczniowie. Po śmierci Janiny Maksymońko i po odejściu Bandrowskiej było ich pięcioro. Zgromadzili się w dużym pokoju. Profesorowie usiedli przy stolikach, podobnie jak czterej licealiści i jedyna w tym gronie kobieta – panna Fryderyka Pasławska.

Detektyw przyglądał się bardzo uważnie wszystkim uczniom. W czasach wiedeńskich studiów uniwersyteckich, na początku wieku, rozczytywał się w słynnym dziele Lombrosa *Geniusz i obłąkanie w związku z medycyną sądową, krytyką i historyą*. Idąc za myślą włoskiego psychiatry, był głęboko przekonany o tym, że ludzka twarz jest przez zbrodnicze instynkta deformowana w charakterystyczny sposób. Te obserwacje Lombrosa – nie bez pewnych zastrzeżeń – wykorzystywał później w swej policyjnej pracy. Natychmiast rozpoznawał fizjognomie złoczyńców, a potem traktował ich z zatwardziałością równą tej, która się malowała na ich obliczach.

Uczniowie Gimnazjum Podziemnego – z jednym może wyjątkiem – nie wzbudziliby zainteresowania genialnego Włocha. Tym wyjątkiem był najstarszy, wyglądający na dwadzieścia lat licealista, którego kwadratowa szczęka, małe oczy, szczecinowate włosy i grubo ciosana twarz, sina od gęstego zarostu, mogły wzbudzać pewien niepokój. Wszystkie inne twarze zdradzały natomiast ogładę i żywą inteligencję, a niektóre z nich oprócz tego – nieufność i dystans, przykryte drwiącym uśmieszkiem. Stary policjant dobrze znał tę grę fizjognomij i wiedział, jak ją zdemaskować. Wiedział też, że – wbrew Lombrosowi – za brutalnością oblicza skrywa się czasami płaczliwy mały chłopiec, a za łagodnością – szaleniec.

Uczniowie zaczęli się kręcić i poszeptywać. Fryderyka Pasławska nachyliła się do profesora Stefanusa i powiedziała mu cicho coś, czego Popielski nie usłyszał.

– Proszę zaczynać. – Profesor uśmiechnął się do detektywa. – *Tempus fugit*, drogi panie!

– Drodzy uczniowie. – Popielski oparł się o piec, starając się odpędzić erotyczne wspomnienia z Pasławską w roli głównej. – Po tragicznych wypadkach, jakie dotknęły Gymnasium Subterraneum – mam na myśli poważną chorobę panny Bandrowskiej, śmierć panny Maksymońko, a wcześniej jeszcze innego ucznia – panowie profesorowie zwrócili się do mnie jako do doświadczonego konspiratora, który zabezpieczał tajne nauczanie, z prośbą, abym moje doświadczenia...

Nagle rozległo się gwałtowne walenie w drzwi. Uczniowie drgnęli. Wszyscy patrzyli na Popielskiego.

– Robicie to, co wam kazali profesorowie. – Wskazał na krzesła.

Sam ruszył do przedpokoju. Odczekał chwilę, a kiedy znowu załomotano w drzwi, otworzył je. W progu stał *monsieur* Alphonse. Wręczył Popielskiemu cienką książeczkę *Bridge licytowany*.

– Zapomniałem o niej i teraz dopiero wziąłem od pana kuzynki – powiedział.

– To było dla nas dobre ćwiczenie, *monsieur* Alphonse... Dobrze, że pan nie zapukał w umówiony sposób – usłyszał, po czym odszedł, nie okazawszy najmniejszego zdziwienia słowami Popielskiego.

Detektyw otworzył drzwi do obu pokojów. Wszyscy, skrywając nieudolnie strach, siedzieli przy dwóch stolikach i trzymali karty w dłoniach, nie wyłączając staruszka katatonika, który był brydżowym partnerem Stefanusa. Popielski lekko się uśmiechnął, widząc, że dziadek Jeanette nisko trzyma karty, jakby chciał je wyłożyć i pokazać, że już nie odda ani jednej lewy.

– Zdaliście egzamin, ale musicie lepiej panować nad twarzami – odezwał się do uczniów – bo ich wyraz był dość niepewny. To był próbny nalot ubecji. Miejmy nadzieję, że nigdy nie dojdzie do prawdziwego. A teraz wracam do przerwanego wątku. – Wziął głęboki oddech. – Otóż po przykrych zdarzeniach, które dotknęły Gymnasium Subterraneum, profesorowie uznali, że lekcje powinny być lepiej zakonspirowane i poprosili mnie, abym przeprowadził stosowne zmiany. Od tej chwili będziecie się uczyć w dwóch grupach...

– Dlaczego? My chcemy wszyscy razem... – odezwało się kilka głosów. – Teraz przecież udał się kamuflaż...

– Choćby dlatego – odparł Popielski – że żaden ubek, choćby najgłupszy, nie uwierzy, że osiem osób, w tym chory psychicznie dziadek, spotyka się na brydżu w domu tegoż ostatniego.

Niektórzy uczniowie parsknęli śmiechem. Ich zachowanie zganił surowym wzrokiem Murawski.

– Przedstawiłem profesorom stosowne argumenty – ciągnął Popielski – za podziałem pięcioosobowej grupy uczniowskiej na dwie mniejsze... Jedna grupa będzie pobierała nauki u profesora Stefanusa, druga u profesora Murawskiego. Przyjmujemy, że uczniowie podzielą się „trzy plus dwa". Czteroosobowy zespół, czyli trzech uczniów plus profesor, łatwo da się zakonspirować, a nauka brydża – postukał palcem w przyniesiony przez alfonsa podręcznik – jest tu idealnym rozwiązaniem. Uczniowie grają, a profesor, grając razem z nimi, nadzoruje grę i komentuje zagrania. Taki obrazek ujrzy każdy podejrzliwy ubek i przyjmie bez podejrzeń... Druga grupa, dwóch uczniów i profesor, to już normalna scenka korepetycyj...

Uczniowie patrzyli po sobie ze zdumieniem. Najstarszy, ten o lombrosowym obliczu, podniósł rękę.

– Wiem, że dwie osoby spośród was – Popielski zignorował jego gest i znacząco spojrzał najpierw na Pasławską, a potem na niewysokiego chłopca w drucianych okrągłych okularach – ty i ty mianowicie, nie umieją grać w brydża. W stosownej chwili się spotkamy i zapoznam was z zasadami tej gry. Nie mam nic więcej do dodania.

– Nauczyciel brydża. – Pasławska cicho się zaśmiała.

– Radziłbym, Fredziu – łagodnie zganił ją Stefanus – zastanowić się przez chwilę nad swoją wesołością po pogrzebie koleżanki... A poza tym nie uważasz chyba konspiracji za rzecz błahą...

– Przepraszam. – Dziewczyna pochyliła głowę i uważnie obserwowała Popielskiego.

Jeden z uczniów wstał i ustąpił mu miejsca. Popielski podziękował i usiadł, starając się nie patrzeć na uczennicę. Stefanus udzielił głosu szpetnemu uczniowi, który wciąż unosił rękę.

– Proszę, Czesławie! Masz jakieś zapytanie...

– Do tej pory, panowie... eee... – stropił się nieco dwudziestolatek – uczyli czego innego... Greki profesor Murawski, historii... eeee... profesor Stefanus... A wcześniej było jeszcze inaczej... Czy mamy się podzielić... eee... tak, że kto lubi grekę, to do profesora Murawskiego, a kto nie...

– Nie, Czesiu – włączył się ów wymieniony z nazwiska nauczyciel. – Nie będziesz się już więcej męczyć u mnie przy formach podstawowych od twoich ulubionych czasowników *ballo* albo *phaino*. Będziemy uczyć tego samego, i pan profesor, i ja, a mianowicie filozofii niemarksistowskiej...

– Nie mamy już czasu na grekę i historię – wtrącił się Stefanus. – Sami widzicie, że wokół nas zaciska się pętla... Zamordowano Jankę, Teresa doznała ciężkiego urazu duchowego i już do nas nie dołączy, a wcześniej Zygmunt zginął pod kołami sowieckiej ciężarówki. To może być przypadek, oczywisty pech, ale może być też znak prześladowania. Musimy zachować wielką ostrożność, zmniejszyć częstość naszych lekcyj i ograniczyć je do tego, co najważniejsze. To znaczy zrezygnować z greki i z historii, które już nieźle znacie...

– Greka jest mniej ważna niż filozofia? – przerwał uczeń w drucianych okularach. – A dlaczego?

– Greka jest wspaniałą gimnastyką umysłu – odpowiedział mu Murawski. – Jest prawdziwą chemią lingwistyczną, która w połączeniu z anatomią języka, czyli łaciną, a tej macie szczęście uczyć się w szkole, nadaje umysłowi zdolności analityczne. Ale dni istnienia Gymnasium Subterraneum mogą być policzone... Dlatego musimy, po pierwsze, zstąpić w głębszą konspirację, po drugie zaś, zająć się czymś, co będzie niedługo zakazane w Polskiej Socjalistycznej Republice Rad: filozofią niemarksistowską. Obaj z panem profesorem będziemy jej nauczać. Czy są jeszcze jakieś pytania?

Pytań nie było.

– A teraz, aby was nie krępować – Stefanus spojrzał na Murawskiego i Popielskiego – my trzej wyjdziemy dotrzymać towarzystwa starszemu panu, zamkniemy drzwi, a wy w wyniku dyskusji podzielicie się na dwie grupy: dwu- i trzyosobową...

Trzej mężczyźni wstali.

– Ja mam jednak pytanie. – Pasławska też wstała, a Popielski znów porównał ją w myślach do trzciny. – Czy szanowni profesorowie zechcieliby nas poinformować... otóż, co będą wykładać... Ja... trochę czytałam o filozofii, a moja siostra studiowała ją przed wojną w Wolnej Wszechnicy w Warszawie u profesora Bornsteina... Ja wiem, że ma ona różne kierunki... Czy profesorowie będą nam prezentować te same kierunki każdy, a może jakieś inne... To znaczy każdy z panów inne... Może jeden z profesorów będzie nam mówił na przykład o Bogu, a inny będzie Bogu zaprzeczał... Jeden z panów profesorów może mówić, że życie ma sens, a drugi, że nie ma... To może my wcześniej...

– Powinniśmy wiedzieć – wszedł jej w słowo najstarszy licealista – o czym każdy z panów profesorów będzie... eee... mówił... aby dokonać racjonalnego wyboru... eeee... nauczyciela...

– Co pan o tym sądzi, panie profesorze? – zapytał Murawski Stefanusa. – Wszak rzeczywiście różnimy się między sobą co do kilku kwestyj… Możemy pospierać się teraz przy uczniach. Niech poznają zasady dysput, których wartość naukowa winna być wprost proporcjonalna do szacunku dla interlokutora. No, co pan profesor o tym sądzi?

– Lekcje w Gimnazjum Podziemnym to nie jest żaden agon, Henryku – odparł Stefanus ze złością. – Mamy ich nauczać, a nie startować w wyścigach, gdzie popularność jest laurowym wieńcem!

– Uczą nas profesorowie o tym, co ważne, co istotne w życiu – w ciszę wdarł się głos milczącego dotąd szczupłego chłopaka o semickiej urodzie – a ostatnio poznajemy życie jako nieubłagany, przypadkowy i tragiczny proces… W nasze gimnazjum bije ślepa przemoc! Śmierć kolegi i koleżanki, a wcześniej gwałt na jeszcze jednej koleżance, to są sytuacje graniczne… Chcę poznać ich sens… Sens życia i śmierci… Chcę wiedzieć, dlaczego… w imię czego moi rodzice zachłystywali się niemieckim gazem w Treblince …

– Widzi pan – szepnął Murawski do Popielskiego. – Mój uczeń Olek Najdorf cytuje Jaspersa, wybitnego filozofa współczesności… To od niego te „sytuacje graniczne”…

Na Popielskim nie wywarło to wielkiego wrażenia. Jego wiedza filozoficzna była nader uboga. Poza filozofami greckimi i Cyceronem odgrzebał w pamięci jedynie nazwiska i urywki koncepcyj Kartezjusza, Kanta i Hoene-Wrońskiego. Zapamiętał dobrze zwłaszcza Kanta, bo podobał mu się jego imperatyw kategoryczny. Hoene-Wroński wzbudził jego zainteresowanie z innego powodu – był jedynym Polakiem cytowanym na wykładach matematycznych, których młody Edward słuchał w Wiedniu na początku tego wieku. Tegoż Hoene-Wrońskiego szanowano jako matematyka, lecz twierdzono przy tym, że mógłby dokonać o wiele więcej, gdyby nie uwiodła go filozofia. Był on w wypowiedziach profesorów wiedeńskich człowiekiem zagubionym, który zamiast dokonać więcej chwalebnych odkryć takich jak wyznacznik równań różniczkowych zwany wrońskianem, błądził po mglistych polach filozoficznych, wpadał w pułapki metafizyki, dał się ogarnąć religijnym i mesjanistycznym szaleństwem.

Wiedeńscy profesorowie Popielskiego nie mówili ani słowa o sytuacjach granicznych i – prawdę powiedziawszy – ten nigdy wcześniej o nich nie słyszał. Ale teraz – po wypowiedzi Najdorfa – uzmysłowił sobie, że zna je aż nadto dobrze. Były to, jak powiedział gimnazjalista, kwestie śmierci i cierpienia, a z nimi Popielski stykał się prawie codziennie od wielu lat. Ostatnią sytuację graniczną przeżyła, z jego udziałem, pewna kulturalna pani w średnim wieku. Ta dama, upokorzona przez Popielskiego, winą za swoją krzywdę obarczyła młodziutką licealistkę szarpiącą się z powszednią nędzą i z ojcem pijakiem. „Uczennica poszła do niej z przeprosinami – myślał ponuro, nie słuchając już młodego Żyda – a wtedy napadły ją bolszewickie kanalie. Rozerwały i porzuciły w ciernistych krzakach. Z mojej winy ta sytuacja graniczna".

Zapadło milczenie. Popielski otrząsnął się z rozmyślań i spojrzał w twarze młodych ludzi. W jednej chwili zrozumiał, że Stefanus, broniąc się przed debatą, z góry ją przegrał. Stał się w oczach młodzieży kunktatorem – w najlepszym razie, lub nędznym tchórzem – w najgorszym. Murawski czuł się za to jak triumfator. Siedział dumnie rozparty przy stole. Pasławska patrzyła na niego w wielkim skupieniu. Stefanus sprawiał wrażenie desperata i jego głos zabrzmiał teraz też desperacko.

– Dobrze – zachrypiał. – Chcecie poznać różnice w naszych poglądach? Dobrze, wszak filozofia opiera się na dialogu. I myli się pan, panie profesorze – zwrócił się tym razem oficjalnie do kolegi – mówiąc, że różnimy się w kilku tylko kwestiach. My się różnimy prawie we wszystkim. Dwa tylko poglądy nas łączą. To, że Polska stała się sowieckim wasalem i że Gymnasium Subterraneum musi trwać. A zatem, drodzy uczniowie – spojrzał na Pasławską – proszę podać temat, jeden jedyny problem, a my, analizując go, natychmiast wejdziemy w naukowy spór. Chcecie debaty? Będzie debata! Tylko o czym? Proszę się zastanowić...

– My się nie musimy zastanawiać – żachnął się chłopak w drucianych okularach. – My wiemy!

– No to słucham! – Stefanus uśmiechnął się niepewnie.

– Na pogrzebie Janki ksiądz poruszył nas swym kazaniem – powiedział dobitnie Najdorf. – Mówił, że Bóg cierpiał, gdy Janka cierpiała. Nie dodał jednak, że ona była bezsilna. Nasze pytanie brzmi: czy *per analogiam* Bóg był również bezsilny? Czy w ogóle on jest bezsilny wobec cierpienia? Bo jeśli tak, to...

– Równie dobrze może Go nie być! – warknął nad wiek rozwinięty Czesław zadziornie i tym razem bez jąkania.

– Aby była debata, musi być pytanie – zaoponował Murawski. – Proszę sformułować pytanie!

– Czy Bóg istnieje? – zapytał milczący dotąd blondyn z młodzieńczym wąsikiem. – Prosimy o przedstawienie swych racyj na ten temat!

– To zbyt ogólne – tym razem zareagował Stefanus. – Moglibyśmy dyskutować o tym tygodniami!

– Skąd się bierze zło na świecie? To jest nasze pytanie! – krzyknęła Pasławska. – I dlaczego Bóg na nie pozwala? Nic nas bardziej nie interesuje! I chętnie posłuchamy choćby godzinami... Mamy czas, prawda, panie... – spojrzała na Popielskiego i w jej oczach zamigotały wesołe ogniki – prawda, panie nauczycielu brydża?

– Mamy trzy godziny – odparł Popielski.

Stefanus wstał i podał rękę Murawskiemu. Ten ją uścisnął, a potem wyjął z kieszeni monetę. Podrzucił ją do góry. Wypadła reszka.

– Zaczynasz, Mieciu – powiedział do adwersarza.

– Na początku dyskusji – Stefanus uroczyście podniósł głos – stawia się tezę, a potem podaje się argumenty za tą tezą. Po każdym argumencie adwersarz ma prawo do kontrargumentu, a następnie można polemizować z tym kontrargumentem. Wy nie zabieracie głosu, ponieważ każdy wasz głos może być traktowany jako opowiedzenie się za jednym lub drugim dyskutantem, co może stwarzać niedozwoloną przewagę. Po dyskusji – dotknął kart leżących na stole – każdy z was weźmie jedną kartę i położy ją przed profesorem Murawskim albo przede mną. To będzie znak, kogo wybieracie. Ja zaczynam, bo na mnie wskazało losowanie, i stawiam moją tezę... Ona brzmi... – Potoczył wokół skupionym wzrokiem i rzekł dobitnie: – Żadne zło, nawet śmierć Janiny Maksymońko, tak naprawdę nie ma znaczenia! Czy podoba się panu taki temat do dyskusji? A może ma pan profesor podobne zdanie?

– Fundamentalnie się z panem nie zgadzam!

Zamarłem w oczekiwaniu na argumentację Stefanusa. Już wiedziałem, że moi wiedeńscy profesorowie nie mieli racji, szydząc z filozofii. Dlaczego dobry Bóg pozwala na zło? Nie wierzyłem wprawdzie w Boga, ale czułem, że to pytanie jest fundamentalne. Wiedziałem też, że nie odpowie na nie żaden matematyk.

Nie zdawałem sobie sprawy, że kilka ulic dalej pewien oficer Armii Czerwonej roztrząsa w myślach bardzo podobny problemat – kwestię Bożej wszechmocy wobec zła. Bóg owego oficera nie był jednak Bogiem miłości, lecz demonem nienawiści.

KAPITAN MICHAIŁ CZERNIKOW wyszedł z cmentarza. W myślach złorzeczył bogu zła i cierpienia. Było to jedyne bóstwo, w które wierzył. Kiedyś się do niego nawet modlił, ale to było dawno. Teraz nie tylko go nie czcił, nie wielbił i nigdy o nic nie pytał, lecz nawet szydził z niego i go przeklinał.

Wychodząc z pogrzebu, nie usiłował nawet dociec, dlaczego to właśnie młodziutka Janina Maksymońko została mu złożona w ofierze. Znał go dobrze i wiedział, że jest on panem chaosu i przypadku. Jeśli się odzywa, to po to aby wyśmiać, jeśli odpowiada, to tylko po to by oszukać. Był Szatanem. Kapitan miotał nań obelgi. Często czynił to na głos, co przysporzyło mu opinię wariata.

Choć wszyscy dowódcy, pod którymi przeszedł szlak bojowy od Kurska do Berlina, podzielali tę opinię, wszyscy też, co do jednego, cenili go nadzwyczaj wysoko. Każdy z nich wiedział bowiem, że ekscentryczność Czernikowa przejawia się nie tylko w głośnych solilokwiach, nie tylko w jego fascynacji kulturą japońską, lecz również – a właściwie przede wszystkim – w szale bojowym, w lekceważeniu niebezpieczeństw, w nieustraszonym i szyderczym spoglądaniu śmierci w oczy. Wszyscy podwładni kapitana Czernikowa szli za nim jak w ogień, a dowódcy daliby się pokroić za takiego oficera. Aktualny jego szef, dowódca wrocławskiego garnizonu Armii Czerwonej pułkownik Nikołaj Bogdyłow, był w pewnym sensie wyjątkiem. Obok szacunku Czernikow wzbudzał w nim zabobonny lęk – jak każdy, kogo Bogdyłow miał za szaleńca.

Kapitan wyszedł z cmentarza, skręcił w ulicę Sopocką i wzdłuż nie zniszczonego ciągu domów poszedł do czarnej limuzyny marki Horch, która parkowała przy schodach prowadzących na nadodrzański wał. Otworzyły się drzwi auta i siedzący tam Bogdyłow skinął na swego podwładnego.

– Wchodźcie, towarzyszu kapitanie, bo zimno! – sapnął, przesuwając się na drugi koniec kanapy. – A ty, Iwan – zwrócił się do szofera i wyciągnął w jego kierunku papierośnicę – pospaceruj nad rzeką, zapal sobie, synku... Zawołam cię, gdy będziesz potrzebny...

Szofer podziękował za papierosa, włożył go za ucho i wyszedł z auta. Deszcz ze śniegiem już nie sypał, za to zerwał się gwałtowny wiatr, który nadmuchiwał mokre liście na przednią szybę.

Czernikow usadowił się obok swego dowódcy. Ten wyciągnął dłoń, na której przegubie błyszczał złoty niemiecki zegarek, i wskazał na spodnie Czernikowa.

– Dopierzecie to, Michaile Pietrowiczu? – zapytał. – To czarna, tłusta cmentarna ziemia...

– A zatem już wiecie, towarzyszu pułkowniku? – Kapitan przecierał palcem zaparowaną szybę.

– Myślicie, że pozwoliłbym Polakom na zlinczowanie swojego najlepszego oficera? – sapnął gniewnie Bogdyłow. – Rozumie się, że wśród żałobników było kilkunastu uzbrojonych naszych po cywilnemu... Stąd wiem, że klęczeliście i modliliście się...

– To było nieroztropne, towarzyszu pułkowniku, ba!, nawet groźne! – Czernikow aż podskoczył. – Gdyby Polacy się zorientowali, że są wśród nich nasi przebrani...

– Milczeć! – wrzasnął Bogdyłow tak głośno, że aż wzdrygnął się jego szofer, stojący na schodach kilka metrów dalej. – Co to ma znaczyć, *job waszu mať*! Czemu mnie nie powiadomiliście o swoim zamiarze?! Wiecie, co grozi oficerowi za taką demonstrację zabobonów, jaką urządziliście?! To, co grozi, to cztery litery! NKWD! A potem pięć liter! Sybir!

– Sybiru się nie boję. – Czernikow uśmiechnął się krzywo. – Urodziłem się na Dalekim Wschodzie, a w syberyjskim Irkucku byłem w szkole junkrów piechoty... A poza tym wy mnie wybronicie, towarzyszu pułkowniku! I to jak skutecznie mnie wybronicie! Ja wam to mówię!

Bogdyłow umilkł. Jego fioletowa twarz zakończona była potężną szczęką, która upodabniała profil pułkownika do półksiężyca. Kiedy otwierał w zdumieniu usta, jego oblicze wyglądało z boku jak rogal, u którego końca zwisa nagryziony kęs. Zdawał sobie sprawę ze śmieszności swej aparycji i starał się nigdy zbyt szeroko nie otwierać ust. Niestety, w chwilach kompletnego zaskoczenia nie panował nad tym grymasem. Tak było i teraz. Miał jak wisielec wytrzeszczone oczy i otwarte usta.

Czernikow wiedział, że ten stan bezgranicznego zdumienia jest przejściowy i że szefa ogarnie zaraz furia, jeśli on sam w porę nie pośpieszy ze stosownymi wyjaśnieniami.

– Wybronicie mnie, towarzyszu pułkowniku – powiedział prędko – bo wam się to opłaca... Bardzo opłaca...

Bogdyłow odetchnął głęboko i zamknął usta. Ech, co za los, który go związał z tym wariatem!

– Mówcie dalej – burknął.

– Po tych gwałtach i morderstwach siedzimy tu jak na beczce prochu. Lada iskra i beczka wybuchnie... Poleje się nasza krew... Polaczki będą nas atakować znienacka, a my będziemy się bronić i ich zabijać... I wiecie, co się wtedy stanie? Wtedy przyjedzie tu naprawdę specgrupa NKWD, by zaprowadzić porządek. Chcecie tu mieć towarzyszy z NKWD? A tak ja jednym gestem, głupim uklęknięciem i przeżegnaniem się, na chwilę uspokoiłem polaczków... Powtarzam: tylko na chwilę...

– A jak, waszym zdaniem, można ich uspokoić na dłużej? – zapytał spięty Bogdyłow.

– Trzeba szybko działać i złapać tych zwyrodnialców, którzy gwałcą i zabijają – odparł Czernikow. – Kazacha, Gruzina i Rosjanina... Ale naprawdę szybko, bo kolejny gwałt będzie iskrą przyłożoną do tej polskiej beczki prochu...

– To my, nie NKWD, musimy utworzyć specgrupę... – Bogdyłow zamyślił się, a potem klepnął podwładnego w kolano. – Wyjdźmy stąd! – Szarpnął się nagle. – Tu jest za gorąco!

Wyszli z samochodu. Czernikow zapalił papierosa, a Bogdyłow chodził dokoła wielkimi krokami. Najwyraźniej nie przeszkadzał mu porywisty wiatr. Nagle podszedł do Czernikowa i chwycił go za ramiona.

– I właśnie stworzyliśmy tę specgrupę. Wy jesteście jej naczelnikiem! Jesteście dowódcą tej specgrupy, Michaile Pietrowiczu – cedził słowa wolno, lecz dobitnie. – Macie ich wyłapać jak szczury! I zmusić do zeznań, czym chcecie. Ogniem, smołą, wodą... I pod sąd wojenny w drutach kolczastych! A potem w Rynku będą się kołysać!

Oczy Czernikowa były czarne i nieprzeniknione jak oczy bożych szaleńców, których Bogdyłow widział często w dzieciństwie, kiedy – tak jak jego przodkowie – zarzucał swe więcierze na jeziorze Seliger. Jego łowisko znajdowało się przy samej Pustelni Niłowo-Stołobieńskiej. Właśnie tam widywał często owych jurodiwych – świętych ascetów, którzy z łańcuchami na szyjach śpiewali hymny pochwalne, targali się za brody albo wciskali na swe głowy kolczaste korony. W ich oczach był obłęd, którego Bogdyłow się bał – jak wszystkiego, czego nie pojmował.

Otworzył drzwi samochodu i wyjął z teczki szklankę i butelkę wódki. Nalał sporą działkę.

– Jak to możliwe, że jesteście tak zuchwali? – Wręczył szklankę Czernikowowi. – Wleźliście do jaskini wroga... Wy, jeden jedyny Rosjanin, pośród stada rozwścieczonych polaczków... Wiedzieliście o naszych ludziach czy co? Żałobnicy mogli was przecież rozerwać, zanimbyście doszli do grobu i odstawili ten cały cyrk... Wytłumaczcie mi... Jesteście obłąkani czy jak?

Czernikow powoli wypił wódkę i chuchnął siarczyście.

– Nie wiem, takiego mnie matka zrodziła – szepnął.

Nie miał najmniejszego zamiaru – on, inteligent i carski oficer – opowiadać temu prostakowi o swym strachu, który go nie opuszczał od początku wojskowej kariery – od nocy poniżenia w szkole junkrów piechoty poprzez liczne wojny i rewolucje.

Żaden z konfliktów nie przyniósł mu najmniejszej nawet rany, co, paradoksalnie, było – w czasie ich trwania – powodem jego zgryzot. Jako fatalista sądził, że cierpienie, które go omija, gdzieś się jednak odkłada, na jakimś tajnym koncie, i kiedy już nadejdzie, to go całkiem zaleje swym ogromem, będzie jednym wielkim potopem bólu. W okopach pierwszej wojny światowej wytłumaczył sobie, że jakiś nie nazwany bóg cierpienia bawi się z nim i droczy. Napawa go nadzieją przetrwania, by potem, w nie znanej jeszcze przyszłości, tym okrutniej go doświadczyć. Teraz go ocala, a później mu ześle bolesne konanie – nabicie na pal, śmierć krzyżową lub łamanie kołem! „Niech moje cierpienie – modlił się do tego bożka – będzie krótkie i ostateczne jak strzał w potylicę, niech ogarnie mnie na sekundę i zgaśnie na wieczność!”

Jego modlitwy nie zostały wysłuchane, a on wielokrotnie przykładał sobie rewolwer do skroni, rojąc, że w ten sposób przyzywa śmierć. Ta jednak nie nadchodziła. Wciąż z kolejnych bitew wychodził cało, nawet nie draśnięty, choć wszyscy wokół padali, wyli z bólu i broczyli krwią w smrodzie fekaliów. Jego dowódcy i zabobonni koledzy zaczęli w nim widzieć nadczłowieka, prawie herosa, półbożka wojny. Nikt z nich nie wiedział, że on właśnie w strachu przed cierpieniem szuka szybkiej śmierci, że rzuca się w wir wojennych zdarzeń nie z powodu odwagi, lecz z desperacji i lęku przed paroksyzmami bólu.

Po kampanii polskiej, zakończonej w roku dwudziestym, nastało długich siedemnaście lat pokoju. Czernikow, wówczas komwzwod Armii Czerwonej, wrócił do swojego rodzinnego Władywostoku, gdzie został tłumaczem w garnizonie. Tam zdał egzamin z języka japońskiego, a nawet nauczał go czas jakiś na Państwowym Uniwersytecie Dalekowschodnim. Zapomniał o bogu cierpienia.

Ale on nie zapomniał o Czernikowie. W sierpniu 1938 roku w czasie granicznego konfliktu z Japończykami wojsko sowieckie dowodzone przez marszałka Wasilija Blüchera poniosło nad mandżurskim jeziorem Chasan dotkliwą i istotną porażkę, a pięćdziesięcioletni porucznik Michaił Czernikow, służący jako tłumacz w 40. Dywizji Strzeleckiej, dostał się do niewoli. Wraz z nim dostała się do niej młoda pielęgniarka Natasza.

Dziewczyna bała się, a porucznik ją uspokajał. Opowiadał jej o kurtuazji oficerów japońskich w 1905 roku i o ich szacunku dla oficerskich szarż swych jeńców. Niewola nie była wtedy wcale straszna, a właściwie to niewiele się różniła od wolności. Czernikow czas spędzał głównie na rozmowach z japońskimi oficerami na temat samurajskiego kodeksu *bushido*. Nikt go nie pilnował, a on nie uciekał, bo dał słowo, iż tego nie uczyni. I on, i jego wrogowie byli ludźmi honoru.

Trzydzieści trzy lata później japońscy oficerowie nie byli już rycerzami o otwartych przyłbicach. Byli zwierzętami. A on, a zwłaszcza Natasza, byli ofiarami krwawych bestyj.

PUŁKOWNIK WYPIŁ WÓDKĘ i spojrzał na zamyślonego kapitana.

– Jeśli tam, na cmentarzu, odegraliście scenkę aktorską – otarł usta rękawem szynela – to dobrym jesteście aktorem... To wasze przyrzeczenie na końcu... Trupy oprawców złożę przy twym grobie. To jak poezja...

– Tu akurat niczego nie udawałem – rzekł na to kapitan Czernikow. – I powiem wam więcej, towarzyszu pułkowniku... Ja tego przyrzeczenia dotrzymam.

Bogdyłow przeklął w duchu. Od dziecka bał się wariatów.

Po słowach profesora Stefanusa zapadła grobowa cisza. W niej jakiś odległy i milknący w oddali głos powtarzał tezę: „Żadne zło, nawet śmierć Janiny Maksymońko, tak naprawdę nie ma znaczenia!".

W oczach uczniów pojawiły się zdumienie i niesmak. Odchyliłem się mocno na krześle, aż niebezpieczne zatrzeszczało, po czym spod wpółprzymkniętych powiek lustrowałem uważnie oblicze profesora. Szukałem tam drobnych zmian, drgnień mięśni, chwilowych skurczów, które by zdradzały jego dystans do wypowiedzianych przez siebie słów. Niczego takiego nie ujrzałem. Musiałem uznać, że profesor albo jest znakomitym retorem o uzdolnieniach aktorskich w typie Bustera Keatona, albo nieugięcie wierzy w to, co właśnie oznajmia. Z braku przesłanek za wyjaśnieniem pierwszym musiałem przyjąć to drugie. I wtedy właśnie w jednej chwili zrozumiałem, że Stefanus nie będzie zabiegał o popularność tanimi i oczywistymi środkami. Oto w smutku i w żałobie, kiedy aż się prosi, by wobec gorących uczniowskich głów ogłosić bunt przeciwko Bogu albo złu świata i wykrzyczeć apel o zemstę, profesor przedstawia zaskakującą tezę, że absurdalna i przerażająca śmierć młodziutkiej dziewczyny nie ma tak naprawdę żadnego znaczenia! W czasie swoistych wyborów, kiedy należałoby dbać o uczniowski elektorat i zabiegać o jego względy, profesor głosi pogląd, który stoi w jaskrawej sprzeczności z odczuciami kolegów zamordowanej uczennicy! Ryzykuje w ten sposób porażkę w filozoficznym agonie z Murawskim.

Jeśli ta teza nie jest retorycznym chwytem, to wypływa z jego własnych najgłębszych przekonań. A dalsze konsekwencje są łatwe do przewidzenia: po skończonej debacie nie pojawi się przed nim żadna karta i żaden uczeń go nie wskaże jako swego przyszłego mentora. Wtedy upadnie pomysł na lepsze zakonspirowanie Gymnasium Subterraneum, a co za tym idzie – ono samo zniknie w niebycie. Patrząc na szczupłą twarz Stefanusa, poczułem do niego głęboki szacunek – jak do każdego, kto walczy w imię idei, a nie z wyrachowania.

– MOJE BADANIA POKAZUJĄ, że żadne zło na tym świecie nie ma dla nas znaczenia! – profesor powtórzył swoją tezę. – Historia człowieka to dzieje walki dobra ze złem. W tej walce, jak pokażę, dobro zwycięża i zwycięży, bo zło nie ma w niej najmniejszych nawet szans. Choćby co sekunda na świecie była torturowana i ginęła tak zacna i kochana osoba jak Janina Maksymońko, i tak nie ma to znaczenia dla ostatecznego zwycięstwa dobra, ponieważ dzieje człowieka ewoluują ku dobru. Moja teza po koniecznych uściśleniach zabrzmi teraz: żadne zło, tak jest, powtórzę to: nawet śmierć Janiny Maksymońko, nie powstrzyma triumfalnego marszu dobra przez historię. – Zaczerpnął tchu. – Czy powinienem zdefiniować pojęcie „zło"?

– Rzeczywiście, pojęcie zła jest nieścisłe – odparł Murawski – ale sądzę, że wszyscy zgodzimy się zamiast słowa „zło" podstawić słowa „ludzkie cierpienie". Cóż pan profesor sądzi o tym?

– Zgadzam się. – Stefanus kiwnął głową.

– Pozostaje tylko wyjaśnić, co to znaczy „ewolucja ku dobru". – Murawski zapalił papierosa i kiwnął przyzwalająco głową, a w ślad za nim podążyło kilku uczniów. – Ale to, jak sądzę, będzie treścią całego pańskiego wykładu...

– Tak jest. – Stefanus zaczął krążyć po pokoju jak po sali wykładowej, obijając się o krzesła, co wywołało ukradkowe uśmieszki niektórych uczniów. – Najpierw przedstawię proces ewolucji ku dobru jako szereg zdarzeń i faktów, a potem spróbuję dociec istoty tego procesu. Zaczynam. Świat ewoluuje ku dobru, wtedy gdy człowiek widzi wartość w życiu obcych ludzi i to życie ochrania. W najpierwotniejszych hordach ludzkich liczyli się tylko swoi, obcy byli zagrożeniem, a więc należało ich zabić, by chronić siebie i najbliższych. Tak się zachowują nasi kuzyni szympansy oraz ludzie żyjący w izolacji, oddzieleni od innych choćby wysokimi górami. Któż z nas nie słyszał na przykład o okrucieństwie górali z różnych stron świata! Podobnie postępowaliśmy i my do momentu, aż zaczęliśmy cenić życie obcych nie należących do naszej hordy, plemienia, narodu *et cetera*. Kiedy nastąpił ten moment? W kilku punktach rozwoju dziejów. Dam trzy przykłady. Po pierwsze, odrzucenie tortur i niewolnictwa. Nam wydaje się dzisiaj oczywiste, że nikt już nie torturuje ludzi w świetle prawa, ale przez całe wieki tortury były elementem normalnej praktyki sądowej, ba!, były nawet widowiskiem, w którym uczestniczyły całe rodziny! Proszę sobie wyobrazić tę powszechną rozrywkę: rodzina z gromadką dzieci rozkłada się na trawie, urządza sobie piknik i nie napawa się, jak by to było dzisiaj, widokiem wody czy lasu, nie bawi się w gry towarzyskie, lecz podziwia wybroczyny, wytryski krwi i fekaliów, a zamiast szumu drzew czy muzyki do jej uszu dochodzą zwierzęce ryki bólu wydawane przez łamanych kołem ludzi! A dzisiaj tortury zniknęły z prawodawstwa ludzi Zachodu!

– Po drugie – usłyszał Popielski i przestał słuchać Stefanusa. Nie znudził go bynajmniej wywód profesora. Poruszyło go jednak ostre poczucie obowiązku. Nie powinien po prostu siedzieć i słuchać dywagacyj pięknoduchów, ale raczej dalej prowadzić śledztwo, którego wcale był nie zakończył. Czy uzyskał stuprocentową pewność, że świętej pamięci Janina Maksymońko była konfidentką? Otóż wcale nie! Informacja, którą zdobył Pirożek, była tak naprawdę jedynie poszlaką! Ponadto nigdy się nie dowie, czy roztargniony Stefanus nie pomylił przypadkiem ucznia z uczennicą i wynik eksperymentu świątnickiego jest błędny! A może to właśnie wśród tych pięciorga uczniów wciąż jest ubecki szpicel?

Detektyw zaczął się im po kolei przyglądać, analizując dane, które miał od Stefanusa. Starał się w nich rozpoznać jakiś błąd, defekt, lęk lub niepewność – słowem, wszystko, co UB mogłoby przeciwko nim wykorzystać, by zmusić ich do współpracy. Chudy i wysoki blondyn z wąsikiem nazywał się, jak pamiętał z notki Stefanusa, Andrzej Konorski. Urodził się w Łodzi i pochodził z rodziny inteligenckiej. Ubrany był bardzo czysto i pedantycznie. Był przy tym kanciasty, niezgrabny i często się czerwienił. „Takiego łatwo złamać – pomyślał Popielski – to typ prymusa. I onanisty" – dorzucił i omal się nie roześmiał.

– Wszyscy ludzie – do porządku przywołał go grzmiący głos Stefanusa – stają się sobie równi w swym człowieczeństwie. O ile niegdyś rolnik był *de iure* traktowany przez swojego właściciela jak zwierzę pociągowe, o tyle dzisiaj jest on człowiekiem całkiem wolnym, który może wybierać swych przedstawicieli w państwie. A ludzie starzy, chorzy i kobiety? Zrównani są w prawach z mężczyznami, z młodymi i zdrowymi! Oczywiście i dzisiaj starcy w ubogich polskich wsiach są wypędzani do obór i chlewów, gdzie ze zwierzętami gospodarskimi pędzą nędzny żywot, i dzisiaj co głupsi uważają kobiety za niepełnych ludzi, i dzisiaj w niektórych krajach obłąkani żyją stłoczeni w więzieniach. Ale dzisiaj to jest wyjątek, a kiedyś to było normą! Po trzecie, równość ludzi to również równość narodów. Znakiem tego przekonania jest scalanie się państw na równych zasadach. Jak to słusznie zauważył jeden z najwybitniejszym myślicieli współczesności Piotr Teilhard de Chardin, ludzie tak jak komórki biologiczne jednoczą się w wyższe struktury; tak jak komórki wymieniają się między sobą swymi zaletami i tworzą wysoko wyspecjalizowane organizmy, które już trudniej zniszczyć, bo siły zostały zjednoczone! I takie organizmy społeczne, ponadnarodowe, rzeczywiście powstają. To niegdysiejsza Liga Narodów czy dzisiejsze ONZ. Te trzy zdarzenia: zanik okrucieństwa i niewolnictwa w majestacie prawa, zrównanie ludzi w prawach i scalanie państw, świadczą o jednym: o tym, że współczucie, altruizm, likwidacja przywilejów, łączenie się, jednoczenie, *ergo* wszystko, co uznajemy za szeroko pojęte dobro, zatacza coraz szersze kręgi i obejmuje już nie tylko najbliższych, lecz także innych, obcych. Wyjaśnijmy przy tym, że ta obcość ma różne oblicza. Może być płciowa, jak różnica między kobietą i mężczyzną, ale i narodowa, rasowa *et cetera*. Tworzy się wspólnota, która jest oczywiście przeciwieństwem dzielenia, prowadzącego do wrogości. Świat nieustannie zmienia się na lepsze. Ewolucja ku dobru jest przekonującą hipotezą potwierdzoną historycznie. To moje pierwsze rozpoznania. Czekam teraz na kontrargumenty.

Stefanus umilkł i usiadł. Wstał za to Murawski. Zgasił papierosa. Podrapał się w brodę i długo spoglądał w sufit, jakby tam szukał natchnienia do obalenia konstatacyj przeciwnika.

– W przykładach pańskich uderza pewna jednostronność, spowodowana, jak sądzę, względami retorycznymi – mówił powoli swym niskim głosem i tonem spokojnym. – Pominę już to, że „centralizacją", „scalaniem" można by nazwać rozbiory Polski, a z ostatnich faktów: powstanie tak zwanego obozu demokratycznego, w którym panuje ucisk, zbrodnia i nienawiść. – Wciąż patrzył w sufit. – Ale to pominmy... Za to dam panu profesorowi dwa przykłady przeczące na razie jednemu z pańskich argumentów, pozostałe postaram się później odeprzeć. Otóż carska Rosja była państwem bandytyzmu, bezprawia i okrucieństwa mimo scentralizowanej władzy i bizantyjsko rozbudowanej biurokracji. A teraz przykład przeciwny. Rozpad, o ile dobrze pamiętam w roku 1830, Królestwa Zjednoczonych Niderlandów wcale nie zwiększył poziomu negatywnych zjawisk, czyli zła. Podział jednego państwa na dwa, czyli zjawisko przeciwne rzekomej ewolucji ku dobru, której objawem jest scalanie, niczego tu nie zmienił na gorsze. Jak było dobrze wcześniej, tak było i później. W Belgii i w Holandii panowały spokój i bezpieczeństwo zarówno wtedy, gdy były zjednoczone, jak i wtedy, gdy stały się osobnymi państwami. Co pan profesor na to powie?

Popielski podziwiał waleczność i przebiegłość Murawskiego, maskowaną dobrymi manierami kulturalnego interlokutora. Przyzwolenie, by uczniowie palili podczas debaty, odwoływanie się do ich opinii, choćby w sformułowaniu „wszyscy zgodzimy się", subtelne dezawuowanie poglądów przeciwnych przymiotnikiem „rzekomy" – te retoryczne zabiegi wskazywały, jak bardzo adwersarzowi Stefanusa zależy na zdobyciu przewagi w oczach swych przyszłych adherentów. Sprytne: „pominę już rozbiory Polski i istnienie obozu komunistycznego" było typowym retorycznym atakiem.

W głowie Popielskiego pojawiła się kakofonia. Słowa Stefanusa źle współbrzmiały z krzykami mordowanych przez Niemców pensjonariuszy Kulparkowa, z bolesną skargą jego oszalałej córki, która usiłowała wywołać współczucie katów recytacją *Króla Olch* Goethego. Ideowy zapał trącił tu w jego mniemaniu fałszem – jakby mówca chciał przekonać samego siebie. Teraz detektyw wrócił jednak myślami do swych podejrzeń i całą uwagę skupił na niskim chłopcu w drucianych okularach. Konstanty Dec, syn wileńskiego kolejarza. Dwaj bracia w więzieniu. Łatwy kąsek dla ubowców. Wywrzeć nań nacisk jest bardzo łatwo. To zbyt oczywiste, a Popielski nie ufał oczywistościom.

– Centralizacja nie jest ostatnim aktem ani jedynym objawem ewolucji ku dobru – powiedział Stefanus po dłuższej chwili milczenia. – A poza tym przez pojęcie centralizacji rozumiem zjednoczenie na równych prawach, o czym już mówiłem *expressis verbis* i czego mój adwersarz najwyraźniej nie dosłyszał. Powtarzam: na równych prawach. Nie podbój czy inne siłowe zagarnięcie, jak Sowieci zagarnęli Polskę! Przecież siła i agresja to coś przeciwnego ewolucji ku dobru! W tym sensie również agresywne imperium Romanowów, podbijające sąsiadów, nie mieści się w mojej koncepcji! A w Belgii i w Holandii trend dobra po prostu się rozgałęził na dwie mniejsze odnogi, bo był już silny w poprzedniku tych państw, czyli w Królestwie Niderlandów. To proste przecież!

Umilkł. Murawski splótł palce i spojrzał z troską na kolegę.

– Drugi pański przykład również nie obroni się przed krytyką – odparł. – Powiada pan, że rozkwita równość i zanika okrucieństwo. Doprawdy? Oto bestialstwa potęgują się w ostatnich czasach prawie *ad infinitum*! Wojny wcześniejszych epok były lokalne, a teraz wybuchają wojny uniwersalne! W ciągu sześciu lat dwa państwa, które w swych deklaracjach miały być forpocztą tej iluzorycznej ewolucji ku dobru, stały się wielkimi katowniami. Oto z jednej strony Sowieci, marksistowscy głosiciele równości powszechnej, skazują na śmierć głodową miliony Ukraińców, mordują tchórzliwie w Katyniu tysiące polskich oficerów, a na lodowe syberyjskie i arktyczne zmarzliny, prawie na pewną śmierć, wywożą całe narody! A z drugiej strony przedstawiciele najwyższej nauki i kultury, winnej przecież sprzyjać pańskiej ewolucji ku dobru, otóż ci germańscy esesmani, z których co piąty ma tytuł doktora filozofii, gra na skrzypcach i rozwiązuje zagadki szachowe, otóż ci właśnie wybrańcy bogów ślizgają się w swych wyglancowanych butach po jelitach Żydów wybitych w Babim Jarze! Ci filozofowie, potomkowie butnego i pewnego siebie faworyta królów i księżniczek, niejakiego Leibniza, w tym właśnie Leibnizjańskim najlepszym z możliwych światów duszą gazem starców, kobiety i dzieci, nagich i odartych z ludzkiej godności! Gdzie tu jest pańska ewolucja ku dobru?!

Teraz to Stefanus zapalił. Z papierosem w ustach wydarł kartę papieru z grubego kratkowanego brulionu i zaczął na niej pisać ciągi liczb.

– Ostudzę nieco pański polemiczny zapał – sapnął, mrużąc oczy przed dymem – kiedy podam panu te oto liczby. W wojnach krzyżowych zginęło milion ludzi. Ponieważ w ówczesnym znanym świecie żyło czterysta milionów, wojny te zmiotły jedną czterechsetną ludzkości. A podczas ostatniej wojny światowej zginęło, jak mówią ostatnie szacunki, pięćdziesiąt milionów ludzi na dwa i pół miliarda, co daje...

Stefanus liczył i przekreślał zera. Uczniowie zaczęli się nudzić. Popielski – wręcz przeciwnie. Rzadko kiedy nudziły go własne hipotezy. I podejrzenia. Teraz budził je Olek Najdorf. Sierota. Bystry i inteligentny. Odważny. Być może spokrewniony z polskim szachistą Mieczysławem Najdorfem, brązowym medalistą olimpiady szachowej w Warszawie i w Sztokholmie. To jeden z najlepszych szachistów świata, teraz mieszka w Argentynie. Jeśli Olek jest rzeczywiście jego krewnym, na pewno ma swoją teczkę w archiwach UB.

– Mam! – Z zamyślenia wyrwał go okrzyk Stefausa. – Pięćdziesiąt milionów ludzi na dwa i pół miliarda daje jedną pięćdziesiątą... Oczywiście powiecie, że proporcjonalnie osiem razy więcej ludzi zginęło w czasie ostatniej wojny niż w czasie wojen krzyżowych, bo wszak jedna pięćdziesiąta podzielona na osiem to jedna czterechsetna. To prawda. Nie wiemy jednak, ilu ludzi zginęło oprócz wojen krzyżowych na całym świecie w wyniku innych konfliktów. Jestem pewien, że gdyby do tego dodać na przykład prawdziwe krwawe rzezie dokonywane przez Majów i Azteków na swych sąsiadach oraz potworne walki toczone w tym samym czasie pomiędzy Chińczykami i Mongołami, to otrzymalibyśmy zbliżone liczby.

Spojrzał na swego przeciwnika z uśmiechem i czekał na ripostę. Ta nadeszła natychmiast.

– Ależ, panie profesorze! – zakrzyknął Murawski. – Wojny krzyżowe trwały dwieście lat! Gdybyśmy policzyli ofiary wszystkich wojen w ciągu minionych dwustu lat, od dnia dzisiejszego wstecz, to otrzymalibyśmy jeszcze większe liczby... Tak tylko dla przykładu: rewolucja francuska, wojny napoleońskie z dwoma milionami ofiar, wojna secesyjna w Stanach, wojna francusko-pruska, dwie wojny światowe... To prawdziwy ogrom, nieprzebrany stos trupów! Niechże pan profesor zechce zacieśnić nieco granice czasowe swych historycznych rozważań!

– Jak pan sobie życzy. – Widać było, że Stefanus czeka na ten argument. – Po pierwsze, czas trwania wojen nie jest ważnym czynnikiem. Hannibal ze swoimi słoniami przedzierał się przez Alpy pół roku, Cezar podbijał Galię siedem lat, ale tak naprawdę walczył tylko wiosną i latem. Miesiące, które dziś doliczamy do czasu trwania wojny, były *de facto* czasem pokoju. Ani Cezar, ani Hannibal podczas swoich marszów do celu nie zabili żadnego przeciwnika. A teraz odpowiadam na pański apel o zacieśnienie horyzontu czasowego. Najlepszym przykładem jest wojna trzydziestoletnia. Toczyła się w Europie. Porównajmy ją zatem z europejskim przebiegiem ostatniej wojny. Możemy śmiało przyjąć, że gdyby siedemnastowieczni dowódcy mieli możliwość szybkiego transportu swych wojsk, to trwałaby znacznie krócej, może nawet sześć lat jak ostatnia... Ale porzućmy te spekulacje i wróćmy *ad rem*. Wojna trzydziestoletnia pochłonęła prawie sześć milionów ofiar. To proporcjonalnie, w odniesieniu do ówczesnej liczby mieszkańców Europy – znów zaczął liczyć na kartce, a trwało to długą chwilę – dwa razy więcej niż pierwsza wojna światowa i niewiele mniej niż ostatnia wojna... Trzeba znać proporcje, drogi panie!

– Pański kryptocytat z Fredry – Murawski uśmiechnął się – i to całe odwoływanie się do proporcjonalności mają znaczenie tylko retoryczne. Ciekaw jestem, co by pan powiedział o złotej proporcji rodzicom Olka Najdorfa albo Żydówce, która udusiła swoje płaczące dziecko, by nie zdradziło jej kryjówki! Oprócz proporcji proponowałbym, aby pan przyjął i przedstawił nam jakiś inny wymiar. Na przykład intensywność. Ten parametr jest moim zdaniem stosunkiem zamordowanych do czasu. Która wojna była bardziej intensywna, ostatnia czy trzydziestoletnia? Aby odpowiedzieć na to pytanie, nie trzeba nawet liczyć! Odpowiedź jest prosta: ostatnie wojny światowe miały niespotykaną intensywność, którą ja nazwałbym bestialstwem. Jak się ma to zwiększone bestialstwo walczących do pańskiej ewolucji ku dobru?!

– Lepszy transport i zdobyczne techniki – odparł Stefanus. – Tylko one mają wpływ na intensywność. A bestialstwo charakteryzuje w ogóle ludzki rodzaj. Ja nazwałbym bestialstwo złem. A zło wciąż się zmniejsza, zanika w nieustannej konfrontacji z dobrem... Lepsze warunki higieniczne, mniejsza umieralność na zwykłe choroby... to druga ważniejsza strona tego technicznego i naukowego postępu. A on też wpisuje się w ewolucję ku dobru obok zaniku tortur i niewolnictwa, obok zrównania w prawach, obok centralizacji...

UCZNIOWIE ZACZĘLI SIĘ NIECIERPLIWIĆ. Na oczach Popielskiego argumenty ścisłe przegrywały z emocjonalnymi. Liczby nudziły, literacki powab pociągał. Stary detektyw nie miał już najmniejszych wątpliwości, kto wygra tę debatę. Przegrany jakby telepatycznie przechwycił jego myśli.

– Prawda nie jest literacka – powiedział gorzko Stefanus. – Jest nudna i nie pociąga. Czy pan i pańscy zwolennicy zniesiecie całe słupki liczb, które mógłbym przytoczyć za ewolucją ku dobru? Jaka była, a jaka jest dzisiaj umieralność niemowląt i kobiet w trakcie porodu i w połogu? Jak zniknął powszechny niegdyś analfabetyzm i jak bardzo wzrosło czytelnictwo, które pozwala ludziom na odległość, poprzez książki i gazety, poznawać innych, obcych, a potem w bezpośrednim kontakcie tych innych, obcych, traktować jak przyjaciół? Jak bardzo rozwinął się handel, który by nie istniał w atmosferze agresji i wrogości, a który negocjacje i porozumienie rozwijają? Czy te wykresy, osie współrzędnych i kolumny liczb mogą kogokolwiek z was zainteresować? Mam je wszystkie, zbierałem je i podliczałem przez dziesięć lat, przygotowując książkę, dzieło mojego życia... Czy ktoś z was ją przeczyta? Bardzo wątpię! – Podniósł głos. – I to wcale nie dlatego, że, jak już wam kiedyś mówiłem, wyjdzie ona we Francji, a w Polsce zostanie pewnie uznana za wrogą naszemu ustrojowi... Nie! Powód jest całkiem inny! Wy jej nie przeczytacie, bo przeszliście przez piekło wojny i agresja w was kłębi się jak Achillesowy gniew! Ale jeśli tego gniewu nie wyrzucicie precz, to świat, który biegnie ku dobru, zdeformuje się pod waszym spojrzeniem i stanie się wyłącznie „walką wszystkich ze wszystkimi", jak twierdził nieoceniony Hobbes. Tak jak matki płaczącej nad kołyską zmarłego dziecka nikt nigdy nie pocieszy, tak i was, zarażonych powietrzem morowym znad grobów waszych bliskich, w tym i nieszczęsnej Janiny, nie przekonają nigdy liczby i układy współrzędnych! A ja wam mówię, że zamiast wołać nad grobem Janiny: „Zemsta na wroga!", należało uścisnąć sowieckiego oficera, który błagał tam o przebaczenie...

– A dlaczego pan profesor tego nie zrobił? – nie wytrzymał Najdorf.

– Spóźniłem się – odparł Stefanus. – Kiedy on wykonał gest przebłagalny, ruszyłem ku niemu. Ale wtedy padły z jego ust inne słowa. On zaprzysiągł zemstę. A wtedy ja mógłbym mu tylko powiedzieć to, co wam przed chwilą powiedziałem. Że śmierć Janiny nie ma znaczenia wobec ewolucji ku dobru, a przysięga zemsty świadczy o chorobie, o zarażeniu się morowym powietrzem.

ZAPADŁA CISZA. Wszyscy byli poruszeni wypowiedzią Stefanusa. Detektyw też, choć zdecydowanie odrzucał jego poglądy. Gdyby je przyjął, musiałby uznać, że całe jego życie przenikał absurd. „Jakie znaczenie miała moja walka z wrogiem – myślał – po co łapałem bandytów? Byłem tylko bezradnym naprawiaczem świata, który znalazł się w wielkim nurcie ewolucji ku dobru. Cokolwiek bym zrobił, ten nurt i tak by płynął bez mojego udziału. Po co teraz mam ścigać morderców Janiny Maksymońko? Przecież rzeka dobra i tak popłynie przez historię. Ale czy ten nurt sam płynie, czy ktoś go może popycha? Czyżbym to ja był taką turbiną, która napędza wody dobra? Mogę nie ścigać gwałcicieli i morderców i źródło będzie wciąż biło. Ale mogę też tropić tych Sowietów i wtedy... wtedy..."

– Wtedy usunę przeszkodę dla nurtu i on popłynie szybciej – rzekł głośno sam do siebie. – Bo sprawiedliwość jest przecież dobrem...

– Co proszę? – zapytał zdumiony Stefanus.

Wszyscy patrzyli na Popielskiego: uczniowie ze zdziwieniem, Stefanus z zatroskaniem, Murawski z niechęcią. Popielski zrozumiał, że ten ostatni chciał wykorzystać do maksimum zakłopotanie uczniów po ostatniej wypowiedzi Stefanusa i kiedy cisza stałaby się już nie do zniesienia, on by ją przerwał i przystąpił do zadania ostatecznego ciosu.

– Szanujemy bardzo opinię pana profesora – powiedział Murawski. – Przenika ją idea chrześcijańskiego wybaczenia. Ponieważ były w niej nuty osobiste, pozwolę sobie również na wątek osobisty. Pan profesor Mieczysław Stefanus, o czym nikt z was nie wie, był przez cztery lata więźniem Oświęcimia. Jego postawa ogólnego przebaczenia jest zatem, po strasznych, straszliwych wręcz cierpieniach, jakie go tam spotkały, godna najwyższego szacunku. Nie wypada mi teraz – spojrzał znacząco na uczniów – zbyt mocno kontratakować mojego szanownego przeciwnika...

„Nie chce – myślał Popielski – kopać leżącego. I to właśnie oznajmia uczniom w sposób zawoalowany. Murawski w ten przewrotny sposób zyskuje szacunek, a Stefanusowi subtelnie przypina łatkę dziwaka wyczerpanego obozowymi przeżyciami".

– A dlaczego pan profesor przemilcza własną obozową przeszłość? – Stefanus chyba zrozumiał intencje przeciwnika i próbował się bronić. – Wszak razem byliśmy w Oświęcimiu i razem tam cierpieliśmy!

– Tylko że we mnie nie ma chrześcijańskiego miłosierdzia! A zatem moja postawa nie jest heroiczna. Jest za to zgodna z zimną logiką Kodeksu Hammurabiego: „oko za oko, ząb za ząb"!

Wśród uczniów rozszedł się szmer akceptacji.

– Ale jednakowoż muszę się odnieść krótko do ostatnich argumentów mojego szanownego adwersarza – ciągnął Murawski. – Mówi pan: „rozwój czytelnictwa"... A ja panu powiadam: czytać też można *Mein Kampf* Hitlera. Ta książka była nie mniej śmiertelną bronią niż karabin. Miał rację mistrz nasz Mickiewicz, kiedy mówił, że człowiek nawet samotny może swą myślą „zwalać i podźwigać trony". Wystarczy, że podburzy umysły innych. Mówi pan, że bogacenie się i handel napędzają dobro. A ja panu powiadam: one napędzają chciwość, która prowadzi znów do gwałtu i przemocy... To tylko tak *ad vocem*.

Umilkł. Milczeli i jego konkurent, i stary detektyw. Wyrośnięty Czesław notował coś ogryzkiem ołówka w notesie, Pasławska przebierała nerwowo smukłymi palcami po zielonym suknie, Najdorf połykał prawie papierosa, Dec w drucianych okularach kołysał się miarowo na krześle, ostatni uczeń, chudy dryblas Konorski, siedział z zamkniętymi oczami, jakby medytował. Nagle staruszek katatonik zaczął się gwałtownie poruszać i wydawać z siebie nieartykułowane okrzyki.

Popielski wstał szybko, wsadził dłonie pod pachy dziadka Jeanette, uniósł go lekko, a potem pokierował nim wprost do ubikacji. Starszy pan opróżniał pęcherz, a Popielski stał tuż za nim i nasłuchiwał szmeru głosów z pokoju.

Kiedy tam wrócił, spostrzegł, że debata już się skończyła. Uczniowie dokonali wyboru. Przed Henrykiem Murawskim leżały cztery karty. Piąta pojawiła się w długich palcach Fryderyki Pasławskiej. Po minucie dziewczyna się zdecydowała.

Dawno już nie widziałem człowieka tak szczęśliwego jak Mieczysław Stefanus. Kiedy został wybrany przez Fryderykę Pasławską, rozpromienił się i odetchnął z ulgą. Murawski natomiast mimo ogromnej przewagi głosów spochmurniał i z zasępioną miną zaczął mnie wypytywać, czy wobec tego bardzo nierównego podziału głosów jest możliwe zakonspirowanie ich tajnych wykładów. Odparłem, że dla brydżowej maskarady podział dokonał się w gruncie rzeczy bardzo szczęśliwie. Murawski wraz z czterema studentami utworzy grupę typu „czterej brydżyści i ich nauczyciel", natomiast druga grupa, „nauczyciel i uczennica" – dwuosobowa – pozwala się łatwo i na różne sposoby zakonspirować, choćby w postaci lekcyj domowych. Przyjął moje wyjaśnienie.

Gymnasium Subterraneum zaczęło znów działać. Grupa Murawskiego spotykała się dwa razy w tygodniu w mieszkaniu Jeanette.

Dobrze wybrałem dla nich miejsce nauczania. Nie był to na pewno ogród Epikura, ale – podobnie jak tamta starożytna instytucja – mieszkanie było zabezpieczoną przed wścibstwem ludzi postronnych. Najlepszą przed nim ochroną była oczywiście dyskrecja osób zainteresowanych. *Monsieur* Alphonse, w odróżnieniu od swej kochanki i podopiecznej, potrafił całymi dniami milczeć tak zapamiętale, że ta – nie mając mu zresztą tego za złe – żartowała, iż upodabnia się do swojego katatonicznego „teścia". Sama młoda dama, choć nie była nadmiernie małomówna, miała jedną ważną zaletę – za pieniądze potrafiła w pełni panować nad niedoskonałościami swojego charakteru. Otrzymując stałą sumę co miesiąc, gryzła się w język zawsze, ilekroć miała ochotę zdradzić jakiejś koleżance tajemnicę dziwnych brydżowych kursów dla młodzieży. Nie było też z jej strony ryzyka alkoholowego gadulstwa, bo Jeanette piła wódkę kropelkami i potrafiła przy jednym kieliszku spędzić całą noc. Poza tym i dziewczyna, i jej opiekun szczerze nienawidzili nowego ustroju i nie donieśliby nigdy na nauczycieli i uczniów, którzy – jak sądzili – są jego wrogami.

Był jednak jeszcze jeden ważny powód, dla którego Jeanette milczała. Ten powód poznałem zupełnym przypadkiem, gdy kiedyś rozpalony przez Wenus, zwaliłem się bez zapowiedzi i – przyznaję ze wstydem – nie całkiem trzeźwy do jej gniazdka. Jak to zwykle bywa, moje chęci były wtedy o wiele większe niż możliwości. Niemniej otumaniony przez alkohol, domagałem się natarczywie jej wdzięków i waliłem w drzwi. Kiedy je uchyliła, wtargnąłem do mieszkania. Oprócz smacznie śpiącego jej dziadka katatonika był tam jeszcze ktoś.

Henryk Murawski okazał się, czego jego uczniowie nawet nie podejrzewali, wielkim i bardzo hojnym koneserem wdzięków panny Jeanette. Dwa razy w tygodniu studenci filozofii, siadając na krzesłach przy „brydżowych stolikach", nie mieli najmniejszego pojęcia, że dwa kwadranse wcześniej na tychże stolikach ich profesor wykonywał ruchy, które Kant uważał za niegodne filozofa.

W odróżnieniu od swego kolegi Mieczysław Stefanus prowadził się bardzo przyzwoicie i jedyne ruchy, jakie wykonywał podczas tajnych kompletów z Fryderyką, ograniczały się do gestykulowania, zapisywania w brulionie statystycznych wniosków oraz podnoszenia do ust kolejnych filiżanek kawy. Profesor spotykał się ze studentką u siebie w domu i oficjalnie udzielał jej korepetycyj z matematyki.

Natomiast ja, przygnębiony pierwej chorobą Lodzi, odetchnąłem teraz z pewną ulgą. Wprawdzie moja kuzynka nie wyzdrowiała, ale udało mi się umieścić ją – za grubą zresztą łapówką – w szpitalu Bethesda na Dyrekcyjnej. Stary doktór Antoni Popiński rozpoznał u niej powikłania po nie leczonym zapaleniu oskrzeli i uspokoił mnie jednocześnie zapewnieniem skuteczności inhalacyj.

Natychmiast po wyjściu ze szpitala wróciłem do swych obowiązków. Po poruszającym wykładzie Stefanusa uważałem sam siebie za mały podwodny wir w wielkiej rzece sprawiedliwości. Jeśli wierzyć profesorowi, to pójście pod prąd jest nierozsądne, bo wbrew naturze. Cóż zatem było mi robić? Nic innego, jak tylko bezwzględnie tropić morderców Janiny Maksymońko. To drugie już w tym miesiącu śledztwo zacząłem od złożenia wizyty ojcu zabitej.

WŁADYSŁAW MAKSYMOŃKO OBUDZIŁ SIĘ i z zamkniętymi oczami usiadł na tapczanie w samych kalesonach i w podkoszulku. Był w tym punkcie alkoholowego ciągu, kiedy to jeszcze działa etylowa euforia, a już nieubłagany sprawca kaca, aldehyd octowy, szybko zaczyna zalewać organizm. Osierocony ojciec wiedział, że ból wraz z kacem pojawi się zaraz po pierwszym spojrzeniu wokół siebie. Nie chciał więc na nic patrzeć. Kiwał się na tapczanie i zaciskał mocno powieki. Co miałby zresztą oglądać? Poprzepalaną ceratę? Zdjęcie żony nieboszczki? Rozbitą gitarę? Czarne żałobne ubranie wiszące na gwoździu?

Maksymońko nie przewidział jednak, że zaciskanie powiek może wcale nie zależeć od jego woli. Głuchy stukot jakiegoś przedmiotu o blat stołu i trzask zapałki natychmiast przesłały do jego mózgu właściwy impuls. Rusycysta rozwarł zaschnięte oczy. Kac wlał się w jego głowę potężną falą.

Przy stole siedział mieszkający w sąsiedztwie łysy mężczyzna, którego Jasia mu pokazała kilka dni przed swoją śmiercią. Szedł wtedy pewnym krokiem przez ich podwórko w stronę pobliskiego domu noclegowego. „On mnie śledzi, tatku – powiedziała wtedy. – Ten człowiek od dawna za mną chodzi!" Maksymońko popukał się wtedy znacząco w głowę. Uznał, że córka przeżywa typowe dziewczyńskie rozchwianie nastrojów i w odpowiedzi na jej naleganie machnął jedynie ręką. Potem, kiedy Janina nie wróciła na noc do domu, przypomniał sobie o tym mężczyźnie i na lekkim rauszu chodził po okolicy, wpatrując się w okna mieszkań i wypytując przechodniów.

Jeden z nich wskazał mieszkanie łysego. I ujrzał wtedy tego mężczyznę w oknie na parterze na Grunwaldzkiej, gdy opiekował się troskliwie starszą panią, chyba żoną, podawał jej coś do picia w filiżance, mierzył gorączkę i głaskał po dłoni.

Maksymońko nie mógł wtedy pozbierać myśli. Nie był do końca pewien, czy ten łysy pan jest tym samym, którego wskazała mu córka. Niedostateczne upojenie nie dawało mu odwagi, by wtargnąć do obcego mieszkania. Zmartwiony, wrócił do domu, gdzie czekała na niego niezawodna pocieszycielka zamknięta w zalakowanych butelkach.

KIEDY OD MILICJI dowiedział się o śmierci jedynej córki, zamarł i prawie stracił mowę. Nie był w stanie rozewrzeć szczęk. Mógł jedynie odpowiadać: „Nie wiem", na pytania milicjantów. Na wszystko reagował tą właśnie frazą. Kiedy oficer z posterunku na ulicy Piastowskiej poinformował go o nieznanym łysym mężczyźnie, który na Karłowicach usiłował ratować Jasię, w rozmiękczonym umyśle Maksymońki pojawił się błysk skojarzenia. Zgasł jednak bardzo szybko. Rozpalił się na nowo w czasie pogrzebu. „Kim jesteś?" – pytał w myślach łysego, nie spuszczając z niego oczu.

– Edward Popielski – odpowiedział mu teraz mężczyzna, wypuszczając kłąb dymu. – Jestem prywatnym detektywem. Śledziłem pańską świętej pamięci córkę w związku z pewną sprawą...

Rozległ się głuchy odgłos otwieranej butelki. Przybysz podał mu flaszkę, z której szyjki ulatniały się bąbelki. Pękały w powietrzu, wydzielając zapach landrynek.

– Oranżada – stwierdził Popielski.

Maksymońko wypił duszkiem płyn. Wytarł rękawem podkoszulka załzawione oczy i spojrzał uważnie na gościa.

– Drzwi były otwarte na oścież... Spał pan, no to wszedłem i czekałem...

– Znam lepsze rzeczy na kaca – zaprotestował nauczyciel – niż oranżada...

– A ja znam gorsze – odparł Popielski. – Na przykład piwo... Po jednym nastąpi drugie... Trzecie... Dziesiąte... A potem wóda, wóda,

wóda! I tak całymi dniami... I kac zamienia się w delirium... – Postawił na stole kolejną butelkę oranżady. – Chcę złapać morderców pańskiej córki – powiedział wolno. – Potrafię to zrobić mimo moich sześćdziesięciu lat...

Maksymońko sięgnął po papierosy Popielskiego, włożył jednego do ust, a potem się rozpłakał. Jego półotwarte usta ukazywały źle umocowaną protezę zębową. Z dolnej wargi zwisał przyklejony tam pomięty i nie zapalony papieros.

Popielski wyjął z kieszeni chusteczkę do nosa, na której Leokadia wyhaftowała niegdyś jego inicjały. Maksymońko schował twarz w płócienny materiał pachnący tytoniem i wodą kolońską. Wnet pojawiły się na nim plamy łez i śluzu.

Serce Maksymońki waliło jak oszalałe, w jego uszach rozrastał się szum, ciałem wstrząsały drgawki. Kiedy usłyszał syk otwieranej kolejnej butelki, wzniósł oczy ponad stół. Stało na nim upragnione piwo. Sięgnął po nie trzęsącą się ręką.

– Tylko jedno, panie profesorze, najwyżej dwa! Więcej nie będzie! – usłyszał.

Chwycił mocno butelkę z białym porcelanowym korkiem przytwierdzonym do drucianego stelażu. Przyłożył ją do policzka. Szorstki, sztywny zarost zaszeleścił po etykiecie z napisem „Wiarus". Wypluł papierosa i przełknął parę długich łyków. Grdyka pokryta siwymi włoskami drgnęła kilkakrotnie.

– Dokąd poszła panna Janina tego feralnego wieczoru? – zapytał Popielski.

– Mówiłem już milicji... – wyszeptał Maksymońko. – Nie wiem...

– Wzięła coś ze sobą?

– Nie wiem...

– A pan, profesorze, co wtedy robił?

– Jak to co? – Nauczyciel przesunął dłonią po szyi. – Piłem i śpiewałem... A ona gdzieś tam umierała...

– Odpoczywał pan? Grał na gitarze? – Popielski wskazał dłonią na roztrzaskany instrument.

– Tak, jak śpiewałem, to i grałem...

– Sprawdzał pan wypracowania rosyjskie?

– Nie...

Z każdym łykiem piwa aldehyd octowy stawał się mniej trujący. Alkohol, wsysany przez wysuszony organizm, zaczynał uzdrawiać nauczyciela. Nadawał przedmiotom łagodne zarysy. Światło lampy naftowej stało się rozmyte, a kwadratowa szczęka Popielskiego nabrała obłych konturów. Kiedy gość chodził po pokoju szybkimi krokami, podnosił do oczu rozmaite przedmioty i bacznie się im przyglądał, jego szybkie ruchy zostawiały w imaginacji profesora jakieś barwne smugi.

– Mogę spojrzeć? – zapytał nagle Popielski, wskazując bezładny stos kartek. – To pamiętnik?

Nauczyciel oderwał usta od szyjki butelki.

– Czemu od razu pamiętnik? – Beknął cicho. – To reklamy, co moja córa podbijała pieczęcią...

– Tam są napisane daty...

„A... to moje wiersze, słowa piosenek" – chciał odpowiedzieć Maksymońko, ale tylko machnął ręką. Gość, uznawszy to za pozwolenie, przeglądał uważnie kartki. Rusycysta wysuszył butelkę do dna.

– Najwyżej dwa piwa... – powiedział ponuro, przypomniawszy sobie słowa gościa.

Popielski zrozumiał aluzję, sięgnął do kieszeni paltota i otworzył drugie piwo. Maksymońko omal się nie udławił spienionym płynem.

– Tu jest data zaginięcia panny Janiny. – Popielski wyciągnął papier w kierunku Maksymońki. – To pisał pan czy ona?

– Ja... To tylko tytuł i kilka linijek... Nie zdążyłem więcej...

Popielski czytał uważnie przez dłuższą chwilę.

– Tytuł czego?

– A ballady... Ballady...

– Dlaczego tytuł piosenki brzmi „Tygrysie oko"?

Maksymońko wstał i wcisnął się w stary, ciasny szlafrok. Chodził przez chwilę po pokoju, obijając się o różne sprzęty. Otworzył w końcu palenisko zimnego pieca. W jego umorusanych węglem rękach pojawiła się butelka wódki.

– No i co? No i co? – odezwał się rozpromieniony. – Nie mówiłem, że ją mam? Napije się pan ze mną?

Wytarł rękawem zaschnięte kieliszki i rozlał sprawnie. Wypili bez słowa.

– Co to jest „tygrysie oko"? – Popielski chuchnął.

– A, o to pan pyta... – Maksymońko wycierał brudną ścierką dwa talerzyki. – Może mam coś na ząb...

– Tak, pytałem o „tygrysie oko"...

Nauczyciel zamarł. Jeden z talerzyków upadł na stół i zabrzęczał na nim, kręcąc się jak dziecinny bąk.

– To kamień – powiedział powoli. – Ozdobny kamień... Bardzo duży... Tygrysie oko... Nie wiem, czy szlachetny... Bardzo ładny... Chciałem napisać o nim balladę... Jasia wzięła ze sobą ten kamień... Na przeprosiny dla pani Winiarskiej...

Chwycił butelkę wódki. Już nie częstował Popielskiego. Nalał teraz do szklanki. Wypił duszkiem. Jedną i drugą.

WYDAWAŁO MU SIĘ, że przysnął. Kiedy się obudził, nie był pewien, czy oficer sowiecki, który siedział z nim przy stole, był snem, czy też człowiekiem z krwi i kości. Powoli przypominał sobie kilka scen z owym oficerem. Oto klęka on przy trumnie jego córki, oto przychodzi i wypytuje o łysego mężczyznę, którego niby minął na schodach, oto kręci głową z niedowierzaniem, kiedy on, Maksymońko, nie może przypomnieć sobie nazwiska przybysza, oto zapisuje, że łysy pan mieszka na ulicy Grunwaldzkiej, oto odbiera mu brudną chustkę z inicjałami E.P.

– Nie, ależ nie... – szepnął do siebie. – Nie był duchem... Przecież duchy nie zostawiają wódki. I to rosyjskiej...

Zrzucił ze stołu pustą flaszkę i otworzył nie napoczętą, która stała na środku. Przyłożył ją do ust, a w oczach migały mu rosyjskie litery na etykiecie. Był zbyt pijany, aby je odczytać.

Stało się tak, jak Popielski przewidział. Po jednym piwie nastąpiło drugie. A potem wóda, wóda, wóda. I tak długo jeszcze. Później mieszkanie ożyło. I napełniło się upiorami.

Zatrzasnąłem drzwi od mieszkania Władysława Maksymońki i stanąłem oko w oko z kapitanem Armii Czerwonej. Jedno spojrzenie wystarczyło, bym rozpoznał w nim człowieka, który w ciągu ostatnich godzin stał się we Wrocławiu bardzo popularny. Sam nazywałem go w myślach sowieckim Izajaszem. Minąłem bez słowa i jego, i dwóch sołdatów stojących na półpiętrze, którzy na mój widok instynktownie chwycili za pepesze. Za sobą usłyszałem głęboki głos oficera. Kapitan uspokoił podwładnych, a potem nakazał im czekać na siebie pod drzwiami. Chyba mam sojusznika w mym śledztwie – pomyślałem, wychodząc na ulicę.

Tam zdałem sobie sprawę, że przed chwilą po raz pierwszy od trzydziestu bodaj lat, czyli od czasu gdy jako austriacki podoficer w rosyjskiej niewoli ogrywałem Rosjan w karty, pomyślałem ciepło o jakimkolwiek potomku Borysa Godunowa.

Odpędziłem szybko tę myśl. Usiadłem na skwerze pod szpitalem na Piwnej i zapaliłem drugiego już dziś papierosa. Jego dym śmierdział i drapał po gardle. Zatęskniłem za aksamitnym smakiem przedwojennych egipskich, za ich błękitną prążkowaną bibułką i białym, lekkim popiołem. W tej chwili przywołałem smak tego wytwornego papierosa, a potem dołączyły się jeszcze inne smaki, wśród których wybijał się zwłaszcza jeden – chrupiące bułki, wędzona szynka i jajko z majonezem i chrzanem, czyli moje ulubione drugie śniadanie serwowane w dni powszednie we lwowskiej jadłodajni Mamy Teliczkowej.

Porzuciłem wspomnienia i wstałem ciężko z ławki. Wszedłem do szpitala zakaźnego i zamieniłem dwa słowa z portierem. Zezwolił mi, przekonany dziesięciozłotowym banknotem, skorzystać ze swojego telefonu. Wykręciłem numer do restauracji Dąbrowianka i poprosiłem o pilne skontaktowanie mnie z Mikołajem Zarzecznym, przedstawiwszy się pierwej jako Łyssy. Jakiś ponurak po drugiej stronie mruknął coś, lecz nie odłożył słuchawki. Kiedy po chwili usłyszałem lwowski bałak ukraińskiego przyjaciela, wyjąłem z kieszeni drugą dziesiątkę i portier zaraz zniknął ze swego kantorka. Rozmawiałem krótko. Zarzeczny obiecał pilnie obserwować, czy ktoś z klientów jego prywatnego kasyna nie wymienia na żetony ozdobnego kamienia, oraz wypytać się o toż samo u konkurencji, z którą był w nie najgorszej komitywie.

Załatwiwszy tę sprawę, poszedłem na zakupy w stronę handlowego serca miasta, czyli w kierunku ulicy Stalina. U Dunica na Kilińskiego kupiłem woreczek herbaty oraz cytryn i rodzynek za czterysta złotych. Do tego pan Ignacy Dunic dołożył mi puszkę portugalskich sardynek i wziął za nie po starej znajomości tylko pięćdziesiąt złotych. W stołówce na Stalina zjadłem śniadanie za trzydzieści złotych. Trzy bułki i miska sałatki ze śledzia i fasoli nie były warte tej ceny. Natomiast stołówkowa biała kawa smakowała na tyle dobrze, że przeniosła mnie znów na chwilę w czasie do polskiego Lwowa. Postanowiłem sprawdzić, czy szczęście będzie mi dopisywać i czy w pobliskim kiosku o dumnej nazwie Centralny dostanę jakiś substytut egipskich. Niestety, zabrakło w nim jakichkolwiek papierosów. Rozdrażniony, kupiłem zatem paczkę cygar Alicante, oszukując sam siebie, że przecież są zdrowsze, bo pali się je bez zaciągania. Na przystanku tramwajowym na Pomorskiej wsiadłem do dwójki i pojechałem do szpitala Bethesda.

EDWARD POPIELSKI ZAPŁACIŁ z góry w szpitalnej kasie ponad dwa tysiące złotych za tygodniową kurację Leokadii. Dopisał ten wydatek do innych, które tego dnia poczynił. Potem wszedł na pierwsze piętro, gdzie w jednej z sal leżała jego kuzynka.

Leokadia nie spała i przywitała go lekkim uśmiechem. Ucałował ją w policzek i położył na łóżku produkty, które dla niej kupił. Następnie we wnęce kuchennej zagotował na maszynce spirytusowej wodę, po czym we wrzątek sypnął dwie łyżki herbaty. Kiedy się zaparzyła, posłodził ją obficie i wycisnął piętkę cytryny tak energicznie, że kropla żrącego soku dostała mu się do oka.

Milczeli przez dłuższą chwilę. Leokadia popijała z łyżeczki herbatę, dmuchając w parujący płyn, Edward siedział i tarł kciukiem zakropione cytryną oko, a inne chore kobiety w sali ukradkiem mu się przyglądały. Jedna uśmiechnęła się do Leokadii.

– Dobry ten pani mąż – powiedziała.

Leokadia tylko skinęła głową nad kubkiem herbaty. Edward dał w końcu spokój swemu oczodołowi.

– Lepiej się czujesz? – zapytał.

– Lepiej – odparła. – A ty?

– Byłem wczoraj na pogrzebie tej dziewczyny... Był wielki lament...

– Nic dziwnego, taka młoda... Naprawdę dobrze się czujesz?

– To przecież ty, moja droga, leżysz w szpitalu, nie ja! – Bezwiednie wyjął z kieszeni paczkę cygar. – Jak twój kaszel, gorączka? Gra ci jeszcze w płucach?

– Wszystko ustępuje – szepnęła. – I ustąpi całkiem... Wszystko... Bicie serca, oddech... Niedaleko do mojego kresu...

– Nie martw się – szeptał Popielski. – Mamy jeszcze pieniądze z honorarium, które dostałem... Będziesz miała najlepszą opiekę...

– Ja umieram, Edwardzie. – Jej spierzchnięte usta ledwo się poruszały.

Kobiety leżące obok Leokadii znieruchomiały, nie chcąc szelestem pościeli zagłuszać ich słów. Popielski pogłaskał po czole swoją bladą i wychudzoną kuzynkę. Ta oddychała szybko i chrapliwie.

Nagle jej twarz stężała w paroksyzmie bólu. Patrzyła przez niego szeroko otwartymi oczami. Z uchylonych ust wysunął się koniuszek języka. Przerażony Popielski przysłuchiwał się ni to kaszlowi, ni głuchym westchnieniom, które wydobywały się z jej gardła. Zaczęła się dusić.

– Zaraz będzie dobrze, Lodziu. – Bezradnie chwycił ją za skronie i szeptał jej szybko do ucha. – Mamy jeszcze duże zapasy... Nie muszę szukać na gwałt pracy i mogę siedzieć tu przy tobie całymi dniami. Niczego nie będzie ci brakowało... Może jesteś teraz głodna? Mam dla ciebie sardynki... Co? Zjesz trochę?

Otarł pot z gładkiej głowy. Sięgnął do kieszeni, by wyjąć scyzoryk. Leokadia nieoczekiwanie się uśmiechnęła.

– Udawałam – szepnęła cicho. – Udawałam...

Edward patrzył na nią z niedowierzaniem, a potem się cicho roześmiał. Rozejrzał się po sali. W oczach współtowarzyszek szpitalnej niedoli Leokadii dostrzegł strach. Sam przypomniał sobie wiele podobnych zdarzeń z ich wspólnego dzieciństwa. Udawanie trupów było ich częstą zabawą. Leokadia uwielbiała czarny humor.

– Leżę tu dwa dni i zamartwiam się tobą... – powiedziała tonem usprawiedliwienia, ale i wyrzutu. – Wiem, że w końcu przyjdziesz, ale nic mi nie powiesz o twoich kłopotach... Będziesz siedział przy moim łóżku nieobecny duchem i myślał tylko o tym, by stąd czmychnąć, uciec od starej kuzynki... No to powzięłam plan. Myślałam tak: po moim rzekomym ataku ty wezwiesz pielęgniarkę, która mnie przez chwilę będzie reanimowała, a potem wszystko się uspokoi i ja ci powiem wtedy: „No, mów, co cię gnębi! Przecież ja za chwilę mogę umrzeć! Nie odmawiaj umierającej! Spełnij jej ostatnią prośbę! Powiedz!". Kiepską jestem jednak aktorką i bardzo sztuczny był ten mój atak duszności... A ty nawet lekarza nie wezwałeś... Nie uwierzyłeś mi, nie przejąłeś się mną...

W sali wciąż panowała konsternacja. Edward spojrzał na zaniepokojone twarze chorych kobiet. Kiwnął im głową, zamykał kilkakrotnie powieki i poruszał otwartymi dłońmi w uspokajającym geście.

– Zawsze byłaś dobrą aktorką. – Odetchnął z ulgą, wyjął z paczki cygaro i wsunął je między palce, jakby chciał zapalić. – I potrafiłaś wszystko ode mnie wyciągnąć... Świetnie przesłuchiwałabyś przestępców, choć na nich nie działałby twój szantaż emocjonalny...

– Przepraszam – powiedziała Leokadia. – Bardzo cię przepraszam...

– Nic się nie stało. – Pogłaskał ją po twarzy.

– Kiedy we Lwowie wracałeś do domu – uśmiechnęła się do wspomnień – na pozór zostawiałeś całe zło swej pracy na progu... Bawiłeś się z Ritą, przekomarzałeś z Hanną, ze mną żartowałeś przy kolacji, a przed samą wojną brałeś Jerzyka na barana... Ale ja wiedziałam, że zło wciąż jest w tobie... Nie zostało za drzwiami... Wnosiłeś do domu całe to piekło!

– I często o nim w końcu rozmawialiśmy – wszedł jej w słowo. – Pamiętasz? Zwykle po kolacji, po niemiecku, by Rita nie rozumiała... Opowiadałem ci o aktualnych sprawach, które prowadziłem...

– Ale teraz mi o niczym nie mówisz! – zaprotestowała gwałtownie.

– Dość się nacierpiałaś na UB. – Pochylił się nad nią i wciągnął w nos zapach mocno nakrochmalonej pościeli. – Tam dopiero miałaś piekło. Nowego ci nie trzeba...

Milczeli przez długą chwilę. Leokadia piła wystygłą już nieco herbatę, a Edward wpatrywał się tępo w ścianę. Nagle wstał, chwycił łóżko kuzynki i pchnął je w stronę drzwi. Wyjechał z nim na korytarz i rozejrzał się uważnie. Nikogo nie było. Wtedy pochylił się nad Leokadią i wszystko jej opowiedział. Nie pominął żadnego szczegółu. Odmalował szorstkimi słowami gwałt na Teresie Bandrowskiej i jej matce, deprawację aptekarza Lewitesa, smród bijący od Curyłowej, ruchy frykcyjne jej kilkuletniego dziecka na brudnym tapczanie oraz *delirium tremens* starego nauczyciela. Nie zapomniał o ponurej roli, jaką on sam odegrał. Nazwał siebie podłą sprężyną zdarzeń, których ostatecznym skutkiem było pogruchotanie ciała Janiny Maksymońko i wepchnięcie go w kolczaste krzaki.

Potem odetchnął i ciężko sapał. Mijały minuty. Korytarz wciąż był pusty.

– Wiesz, Edwardzie – Leokadia była poruszona opowieścią – kiedy pracowałeś z innymi policjantami, kiedy walczyłeś w obu, a nawet w trzech wojnach ramię w ramię z innymi, to, paradoksalnie, byłeś w lepszej sytuacji niż teraz. A wiesz dlaczego?

– Niemożliwe – odparł Popielski. – W wojnach było morze trupów, ogrom cierpienia, śmierć Rity. W policyjnej pracy poszatkowane zwłoki dziecka, zamordowane kobiety unurzane gdzieś na strychu w gołębim gównie... W końcu zaginięcie Jerzyka... A tutaj tylko dwa gwałty, w tym jeden śmiertelny... Ot, i wszystko... Chyba się starzeję i potrzebuję drzemek w wiklinowym fotelu i partii szachów z takim samym jak ja emerytem...

– Nie – Leokadia aż się zaróżowiła z emocyj. – To nie o twoje starzenie chodzi. Tylko ty wtedy, podczas wojen i policyjnej roboty we Lwowie, patrzyłeś w piekło razem z innymi... Z policjantami, z towarzyszami broni... A teraz patrzysz w nie sam... A ono wpatruje się w ciebie i cię hipnotyzuje... Dzisiaj i ja spojrzałam w piekło wraz z tobą... Nie uda się diabłu hipnoza... Nie mógł się skoncentrować na jednej tylko osobie...

Edward milczał. Leokadia lekko się uśmiechała.

– A tygrysie oko jest bardzo charakterystyczne i jeśli ci Moskale nie uciekli z Wrocławia, to łatwo ich znajdziesz.

Wpatrywał się w nią w napięciu.

– Jak myślisz, Edziu, co oni z tym kamieniem zrobią?

– Sprzedadzą u pasera...

– Nie, tygrysie oko jest zbyt piękne... Pamiętasz, jakeśmy się śmiali we Lwowie, kiedy żony sowieckich oficerów chodziły do opery w koszulach nocnych zabranych z polskich szaf? Dlaczego to robiły? Bo wcześniej nie widziały koszul nocnych i myślały, że to suknie! Moskal, a zwłaszcza ten potomek Dżyngis-chana, prawdopodobnie nie widział nigdy czegoś tak pięknego jak tygrysie oko. On każe je oprawić w złoto i będzie nosić na palcu sygnet z tym kamieniem, by po powrocie do swej jurty imponować młodym Tatarkom... A może zrobi pierścień dla jednej z nich...

– Być może. – Popielski się zasępił, nie do końca przekonany porównaniem kałmuka z żonami sowieckich oficerów.

– Idź ty, Edziu – szeptała teraz Leokadia bardzo ekspresyjnie i z wielkim wysiłkiem – do pana Tadeusza Barana na Szczytnicką, powtarzam: do Tadeusza Barana... Nie pomyl się tylko, bo tuż obok jego pracowni jest jeszcze inny jubiler... Idź do Barana i przedstaw mu się jako mój kuzyn... Baran kupował ode mnie wiele precjozów... Dużo na nas zarobił... Nie odmówi ci informacyj, na pewno!

– Ale jakich informacyj?

– Jeśli ktoś we Wrocławiu zaobstaluje sobie sygnet albo pierścień z tygrysim okiem, to gwarantuję, że Baran będzie o tym wiedział!

– Czy pan nie przesadza! – Za Popielskim rozległ się tubalny głos doktora Popińskiego. – Czemu pan wyciągnął z sali panią Tchórznicką!

Ordynator oddziału zakaźnego stał rozsierdzony na szeroko rozstawionych nogach i trzymał się pod boki.

– A poza tym co pan sobie myśli! – huczał dalej rozzłoszczony medyk. – Żeby tak tu naśmiecić! Co to jest, chlew?

– Ostatnie słowo, panie doktorze – powiedziała do niego Leokadia. – Już mój kuzyn zabiera mnie z powrotem do sali... – Pomogłam ci? – zapytała szeptem.

– Tak – odparł Edward, odprowadzając wzrokiem doktora.

– W twoich zgryzotach? – dopytywała się Leokadia.

– Nie, w śledztwie. – Pocałował ją w czoło. – Ja nie mam żadnych zgryzot...

– Twoje palce mówiły mi coś całkiem innego! – odparła Leokadia i wskazała na szpitalną posadzkę.

Walały się na niej strzępy cygara Alicante.

Ulicę Szczytnicką, choć nie była ani zbyt długa, ani zanadto reprezentacyjna, upodobali sobie szczególnie drobni kupcy i rzemieślnicy. Na niespełna pięciuset metrach było, jak kiedyś policzyłem, dziesięć sklepów spożywczych, trzech rzeźników, dwie piekarnie, dwa sklepy galanteryjne, jedna apteka, jedna owocarnia i jeden sklep z zabawkami. Oficjalnie zanikła tutaj jedynie branża restauracyjno-rozrywkowa – od czasu gdy zamknięto lokal Odrodzenie, po tym jak żołnierze Wolności i Niezawisłości zlikwidowali tam w styczniu bieżącego roku jednego ubowca. Nieoficjalnie można było jednak na tej ulicy znaleźć niejedną melinę i niejedną kapłankę Afrodyty – niestety, ani jedno, ani drugie nie było pierwszorzędnej jakości. Obrazu ruchliwej handlowej arterii dopełniali ponadto rzemieślnicy – dwaj elektrycy, fryzjer, krawiec i fotograf oraz, co mnie teraz najbardziej interesowało, dwaj jubilerzy.

Jednego z nich odwiedziłem bezpośrednio po wizycie u chorej Lodzi. Upewniwszy się, że właścicielem zakładu złotniczego, przed którym stoję, jest rzeczywiście wspomniany przez mą kuzynkę mistrz Tadeusz Baran, otwarłem drzwi, wszedłem i rozejrzałem się po luksusowym wnętrzu zakładu. Patrzyły na mnie siwe oczy korpulentnego pana o fryzurze podobnej do mojej, a wielki złoty sygnet na jego palcu wysyłał przyjazne błyski. To wszystko uznałem za dobry znak.

PAN TADEUSZ BARAN – w białym wykrochmalonym kitlu i w eleganckim krawacie – wyglądał na lekarza. To porównanie wydało się zresztą Popielskiemu dość adekwatne – każdy złotnik ma pewnie równie zręczne dłonie jak chirurg.

Detektyw stanął na środku zakładu, zdjął kapelusz, powiedział gromkie „dzień dobry!" i rozejrzał się wokół uważnie. Ponieważ nikogo poza nim nie było, przestał udawać przypadkowego klienta. Podszedł do jubilera tak blisko, że zobaczył w jego oczach lekki przestrach.

– Przepraszam, że tak się zbliżam do pana – zaczął. – Ale mam pewną delikatną sprawę... A ściany zwykle mają uszy...

Baran odetchnął, widząc, że przybysz nie ma zamiaru go obrabować.

– Nie wygląda pan na dostawcę trefnego towaru – otrząsnął się z przestrachu i lekko wydął usta – a ja chyba nie wyglądam, proszę ja kogo, na pasera. Poza tym tutaj uszy mamy tylko my dwaj, dwóch moich czeladników, których akurat teraz nie ma, no i ta istota rozumna. – Wskazał na kota siedzącego na daszku dużego wiszącego zegara.

– Nie chcę panu sprzedawać trefnego towaru – zapewnił szybko przybysz, a dodał znacznie wolniej: – Nazywam się Edward Popielski. Kuzyn Leokadii Tchórznickiej!

– No tak, proszę ja kogo! – Baran klasnął dłonią o wysokie czoło. – Nie miałem zaszczytu poznać szanownego pana, ale wiem, wiem... Panna hrabianka nigdy o panu wprawdzie nie wspominała, ale tu cała dzielnica wie, że państwo kuzynostwo mieszkają na Grunwaldzkiej obok fryzjera...

Przerwał i bacznie się przyglądał Popielskiemu. Ten prędko poznał, że jego rozmówca mimo wszystko nie darzy go wielkim zaufaniem. „Każdy może udawać, że jest kuzynem panny Tchórznickiej" – mówiły jego siwe oczy. Popielski wiedział, jak się uwiarygodnić – musiał uderzyć w bardziej osobiste tony i przypomnieć jubilerowi minione transakcje dokonane z Leokadią.

– Moja kuzynka zawsze prowadziła mi dom. I we Lwowie, i tutaj. Dzięki jej zapobiegliwości jakoś żyliśmy – szepnął. – Ale również dzięki pańskiej życzliwości... Nie każdy mistrz jubilerski zapłaciłby tak dużo jak pan za ten złoty łańcuszek ze szmaragdowym krzyżem... Co? Pamięta pan?

Pan Baran uśmiechnął się do wspomnień. Podszedł do oszklonych drzwi wejściowych i przewrócił na drugą stronę wiszący tam na sznurku kartonik. Ten zamiast „Czynne od 8 do 6 po poł." informował teraz „Chwilowo nieczynne". – Wejdźmy na zaplecze, panie Popielarski – rzekł jubiler, a kiedy się tam znaleźli i usiedli przy małym stoliku, podsunął gościowi papierośnicę. – W grunwaldach szanowny pan gustuje? Jak się miewa panna hrabianka?

Popielski zapalił z przyjemnością.

– Czemu pan, panie mistrzu, nazywa moją kuzynkę hrabianką? – Uśmiechnął się łagodnie i skłamał: – Wie pan, tak samo ją nazywałem w dzieciństwie, kiedy się bawiliśmy w domu jej rodziców na Ukrainie...

– Te ruchy, te maniery! – Baran się rozpromienił. – Ta gracja i kultura! Toć to hrabianka! Od razu widać, że wykształcona na najlepszych pensjach! Pewnie Warszawa! A co tam Warszawa! To Wiedeń, proszę ja kogo! Hrabianka to mało, księżną by ją trzeba tytułować. – Zniżył głos. – A ten szmaragd to robota najlepszych mistrzów petersburskich! Już ja mam na to oko!

Powiedziawszy to, jubiler roześmiał się i na dowód swojej biegłości w ocenie biżuterii wcisnął w oczodół okular.

– Panie mistrzu – Popielski przeszedł do rzeczy – moja kuzynka zapewniała mnie, że mistrz mi pomoże w pewnej ważnej sprawie... Czy mogę na pana liczyć?

– Słucham szanownego pana. – Okular wypadł spod czoła Barana i stuknął o blat pokryty grubym wiśniowym suknem.

– Czy ktoś do mistrza albo do innego jubilera przychodził ostatnio z tygrysim okiem? Najpewniej chodzi o wprawienie tygrysiego oka w sygnet... Kuzynka mi mówiła, że w tej branży we Wrocławiu nic się nie dzieje bez pańskiej wiedzy...

Złotnik milczał przez chwilę i obracał w palcach okular. Popielski wypalił grunwalda spokojnie i powoli, po czym roztarł niedopałek w popielniczce.

– Panna hrabianka zna doskonale stosunki gospodarcze i towarzyskie w mojej dziedzinie – odpowiedział powoli Baran. – Wie o tym, że my wszyscy, a jest nas we Wrocławiu raptem trzynastu, specjalizujemy się w różnych zleceniach... Przycinanie i dopasowywanie

kamieni szlachetnych do biżuterii to akurat moja robota... Rzeczy-
wiście koledzy oddają mi takie zlecenia... A ja im daję za to inne...
No dobrze, ale co też szanownego pana obchodzą sprawy cechowe...
A nawet jeśli wiem coś o tym kamieniu, to co?

– Panna Tchórznicka miała nadzieję, że mistrz mi o tym powie...
To bardzo pilna sprawa...

Baran wstał i spojrzał z góry na swojego gościa. Nie przypominał już jowialnego, uśmiechniętego pana, który – ze swym „proszę ja
kogo!", wydatnym brzuchem i szczerym uśmiechem – sprawia wrażenie poczciwego oryginała niczym książę Radziwiłł Panie Kochanku.

– Powiem panu jak na spowiedzi – syknął, unikając już przymiot-
nika „szanowny". – Cenię pańską kuzynkę, ale bardziej jeszcze cenię
własną głowę... Nie chcę jej narażać! A teraz to ja już muszę otwierać
zakład! Jestem zmuszony pożegnać pana!

Popielski również wstał. Trop tygrysiego oka był strzałem w dziesiątkę. Trudnością było teraz tylko znalezienie sposobu, by wydobyć
z jubilera informacje o kliencie, który miał związek z tym kamieniem.
Detektyw był pewien, że prędzej czy później jakoś skłoni Barana do
zeznań. Bał się jednak, że owo „później" mogłoby niestety nastąpić
wtedy, gdy gwałciciel z sygnetem na palcu wróci, jak to ujęła Leokadia, do swojej azjatyckiej jurty.

– Mówi pan, mistrzu – pogłaskał kota, który bezszelestnie zeskoczył z zegara na ladę i wślizgnął się prawie w rękaw jego marynarki –
że znają mnie tu, w tej dzielnicy... Wiedzą, kim jestem, jak mogę pomóc w różnych trudnych i dyskretnych sprawach... A takich spraw
nigdy nie brakuje w życiu zamożnego jubilera i człowieka interesu...
No, ale cóż... Trudno... Moja kuzynka będzie bardzo rozczarowana
pańską reakcją...

Kiwnął głową Baranowi i włożył kapelusz.

– Zaraz, zaraz. – Jubiler chwycił go za rękaw płaszcza. – Dużo tu
rzeczywiście mówią o panu... Wie pan, mam kłopot z inspekcją handlową... Oni wciąż nie zgadzają się z inwentaryzacją mojego zakładu,
oskarżają mnie o zagarnięcie mienia poniemieckiego, znaczy teraz
państwowego... Chodzi o kilka srebrnych blaszek, które nie zostały

zinwentaryzowane przez mojego byłego pracownika, gamonia jednego... Drobiazg zupełny... Gdyby pan szepnął za mną słówko komu trzeba, to ja może tak bym się nie bał zdradzić, co i jak z tym tygrysim okiem, proszę ja kogo...

– Załatwię wszystko, panie Baran – odpowiedział Popielski bez zastanowienia. – Może być pan spokojny... Ale najpierw pana kolej!

– Pasierbiak Feliks, paser – szepnął jubiler. – Adresu dokładnego nie znam, ale to tu, blisko... Za mostem Tumskim, nad apteką... Ma tu przyjść w sobotę po sygnet, po zamknięciu zakładu...

W tym momencie do Popielskiego dotarło z całą mocą, co w ustach Barana znaczyła prośba o interwencję w inspekcji handlowej w połączeniu z wcześniejszym dwuznacznym „dużo tu mówią o panu". Spojrzał na jubilera i już otworzył usta, by wytłumaczyć, że nie jest prominentnym beneficjentem nowego ustroju ani tajnym ubeckim konfidentem, kiedy usłyszał:

– Ja tam nic nie wiem, proszę ja kogo... Ale jedno tylko pewne, że... Jeśli sanacyjny policjant taki jak pan chodzi tu swobodnie pod własnym nazwiskiem, to jest mocniejszy od Pasierbiaka, który tego i owego zna na Łąkowej... I że taka osoba jak on bardzo może pomóc. – Pulchną dłonią zamknął sobie usta, a jego sygnet w świetle elektrycznym rzucał dokoła rozliczne błyski.

Kot prychnął i odsunął się od Popielskiego, jakby zniesmaczony jego bliskością.

Było ciemno, a ulicę Katedralną wypełniała rzadka mgła. Z niej wynurzali się spóźnieni przechodnie śpieszący do domów, unikający w miarę możliwości lepkich rąk kieszonkowców i brudu żebraków, którzy – mimo przenikliwego zimna – w tej zaćmie szukali dla siebie jakiejś szansy. Widok jednego z nich był szczególnie przejmujący. Na wózku inwalidzkim siedział bowiem piętnastoletni może chłopak pozbawiony nóg i jednej ręki. Do oparcia wózka przywiązany był tęgi drut, który na końcu oplatał mocno organki. Chłopak grał na nich smętną balladę warszawską, przytrzymując je tylko ustami. Jedyną kończynę, jaką posiadał, wyciągał w stronę przechodniów. Dałem mu piątaka.

W świetle tego, co mi się po chwili przydarzyło, ten gest litości bardzo mi się opłacił.

POPIELSKI PRZYJRZAŁ SIĘ dokładnie budynkowi, którego parter zajmowała Apteka Piastowska. Wejście do bramy znajdowało się na podwórku ogrodzonym z trzech stron wysokim murem.

Wszedł tam i zaraz usłyszał donośny głos:

– Pan do mnie? Jaki zameczek panu usprawnić?

Na środku podwórza stała drewniana szopa przypominająca stragan. Za ladą owego straganu siedział młody człowiek w czapce uszance i w kufajce, a za jego plecami stały półka z narzędziami i stół z ogromnym imadłem. Pod daszkiem warsztatu wisiała lampa oświetlająca reklamowy slogan „Każdy stary zamek można otworzyć lada drutem. Ja każdy zamek zamieniam w najprecyzyjniejszy sejf".

– Ja do Pasierbiaka – powiedział Popielski. – On tu mieszka? Wie pan?

– Kto ma wiedzieć, jak nie ja?! – Ślusarz się roześmiał. – Ja tu za dozorcę jestem! Oczywiście, że wiem... Ale pana Pasierbiaka to teraz nie ma... Nie ma go od kilku już dni...

Popielski uznał, że wyczerpał już tego dnia zapas swego szczęścia.

– A wie pan, gdzie on?

– Otóż nie wiem, nie mówił. – Dozorca zatarł ręce sine z zimna. – Na dłużej gdzieś wyjechał, bo ja mam u siebie listy od niego dla różnych ludzi... Interesantów, znaczy się, którzy go w tych dniach odwiedzą... Może mam coś i dla pana... Chodźmy, sprawdzimy...

Powiedziawszy to, dozorca przykręcił knot w obu lampach naftowych, w budzie i nad ladą, po czym zabrał się do zamykania swego warsztatu. Na łańcuchu powiesił potężną kłódkę i wetknął w dziurkę klucz tak wielki, jakby nim otwierano wrota pobliskiego młyna Świętej Klary. Zamknął ją w końcu wśród zgrzytania po kilku nieudanych próbach. Potem zawiesił na łańcuchu blaszkę z napisem „Zaraz wracam", jakby to kogolwiek obchodziło.

Popielski błogosławił powolne poczynania dozorcy, bo dzięki temu nierychłemu tempu mógł zebrać myśli i kiedy nagle, w drodze do bramy, niefortunny ślusarz uderzył się w czoło i zawołał: „Ale, ale! Ja nie zapytałem pana o nazwisko!", miał gotową odpowiedź:

– Siergiej Iwanow!

Ślusarz spojrzał na niego nieufnie.

– Pan Rosjanin?

– *Da, ja russkij, Rosijanin.* – Popielski starał się nadać śpiewność swej intonacji. – *Iz Omska...*

– Poczekaj! – powiedział dozorca i wszedł do kamienicy.

W stróżówce na parterze zapaliło się światło w mieszkaniu. Widać było, jak mężczyzna siada przy stole i przegląda kilka kopert. Potem otworzył okno i krzyknął:

– Jak nazwisko, bo zapomniałem?

– Iwanow! – Tym razem Popielski zaakcentował poprawnie: na ostatnią sylabę.

– Nie, nie ma – odrzekł stróż. – Ja tu mam tylko „Borofiejew".

Mogłem spróbować oszukać stróża i zapewnić, że przekażę list Borofiejewowi. Zauważyłem jednak, że dozorca, po pierwsze, nie bardzo uwierzył w moją kiepską intonację, która bardziej niż ruszczyzną trąciła lwowskim bałakiem, a po drugie i najważniejsze, nie zamknął na haczyk okna służbówki, co stwarzało mi nowe możliwości działania.

Szybko powiedziałem stróżowi „do widzenia" i wróciłem na most Tumski. Jednoręki chłopak wciąż grał na organkach. Rozpoznał mnie i uśmiechnął się szeroko. Byłem jeszcze hojniejszy niż poprzednio, a potem poprosiłem go o przysługę, pokazując mu cztery banknoty dwudziestozłotowe. Zgodził się i gwizdnął głośno. Natychmiast spod mostu wyszli dwaj chłopcy w jego wieku – brudni i niezbyt trzeźwi. Wytłumaczył im moje zlecenie. Spojrzeli na mnie ponuro i kiwnęli głowami na zgodę.

Po chwili byliśmy na podwórku kamienicy numer 9 na Świętej Jadwigi. Jeden z chłopców wtaszczył wózek z kalekim kolegą na podwórko, a ten wygrywał co sił w płucach „tango samobójców", jak nazywano słynną piosenkę Mieczysława Fogga *To ostatnia niedziela*.

Zapaliły się światła w kilku oknach. Ktoś krzyknął, ktoś zaśpiewał do wtóru melodii. Stróż kamienicy wypadł rozwścieczony na podwórko i z okrzykiem: „Wyłudza pieniądze, pokraka jedna!", chciał wypchnąć wózek z posesji. Trudno mu było to jednak uczynić, bo wokół niego skakał i ubliżał mu najgorszymi słowy opiekun kaleki. W końcu ów drugi wyrostek chwycił za oparcie wózka i wyprowadził go na Staromłyńską. Zapadła cisza, zgasły światła w kilku oknach. Chłopak z organkami mrugnął do mnie i oddalił się wraz ze swoim opiekunem. Stałem przez chwilę w cieniu młyna Maria i patrzyłem, jak osobliwa para znika gdzieś w krzakach i gruzach pod młynem Świętej Klary – tam gdzie przed kilkoma minutami zniknął ich trzeci towarzysz, dostarczywszy mi pierwej cztery koperty z listami.

Mocno się zaciągnąwszy końcówką papierosa, energicznie wydmuchnąłem dym. Dwa uczucia walczyły we mnie – wilczy głód (nie jadłem nic od rana) i chęć przeczytania listów Pasierbiaka.

Obie te potrzeby zaspokoiłem w jadłodajni akademickiej Caritas, mieszczącej się na pierwszym piętrze narożnej kamienicy przy zbiegu Kuźniczej i Urszulanek. Nie byłem wprawdzie akademikiem, ale odznaczałem się – jak twierdziła Lodzia – dostojnym wyglądem, dzięki czemu obsługa jadłodajni nie miała większych wątpliwości co do mojego statusu. Po zjedzeniu dwudaniowego obiadu (barszcz ukraiński i pierogi z płuckami) za dwadzieścia pięć złotych zapaliłem w końcu pierwsze dzisiaj cygaro Alicante i przystąpiłem do lektury listów Pasierbiaka.

Od dziecka wyznawałem zasadę *finis coronat opus*, a nauczyłem się jej jeszcze w latach gimnazjalnych w rodzinnym Stanisławowie. Mieszkałem wówczas w domu wujostwa, gdzie zostałem przygarnięty po tragicznej śmierci rodziców i gdzie znalazłem niezawodną towarzyszkę mych dalszych lat życia – córkę owych wujostwa, moją kuzynkę Leokadię. Wuj był profesorem historii naturalnej i fizyki w stanisławowskim gimnazjum, czyli człowiekiem majętnym. Posiłki w jego domu były pożywne i smakowały tak wspaniale, jak nic nigdy później mi w życiu nie smakowało. Jeśli już mógłbym się na coś małostkowo uskarżać, to chyba tylko na nieco zachwiane proporcje potraw mącznych i ziemniaków do mięsa – na niekorzyść tego ostatniego. Używałem pewnego fortelu, by jak najintensywniej nacieszyć się mięsem – jadłem je zawsze na końcu. Tak nieświadomie zacząłem stosować zasadę *finis coronat opus* – jej głębię, nieomylność i nieprawdopodobny powab odkryły i ugruntowały moje pierwsze męskie szlify, które zdobyłem tuż po maturze.

Tak i teraz, zgodnie z rzymską maksymą, lekturę listów Pasierbiaka zacząłem od błahych, a owego Borofiejewa zostawiłem sobie na koniec.

Pierwszy był zaadresowany do niejakiej Elżuni. Rozdarłem kopertę, wyjąłem z niej list i bardzo szybko przebiegłem oczami po niestarannie zapisanych linijkach, krzywiąc się przy każdym z licznych błędów ortograficznych. Zawartość gęsto zapisanych dwóch stron papieru można by streścić w krótkim zdaniu: „Wyjeżdżam w interesach do Wielkopolski. Wrócę niedługo. Kocham cię". To ostatnie wyznanie, wielokrotnie się powtarzające, wzmocnione było na końcu wierszem, na który zareagowałem równie entuzjastycznie jak na błędy ortograficzne.

Drugi list był zaadresowany do Eugeniusza Pasierbiaka. Paser przepraszał swojego, jak wynikało z treści listu, brata za nieobecność i kazał mu rozgościć się w mieszkaniu i spokojnie poczekać kilka dni, aż on sam wróci z ważnej podróży, którą był podjął w interesach.

Trzeci list skierowany był do niejakiego „wielmożnego pana Kazimierza Pucka". Pasierbiak zapewniał pana Pucka, że wszystkie obrazy zostały sprzedane i że niedługo nastąpi ostateczne rozliczenie długu. „Upraszam wielmożnego pana o cierpliwość" – pisał na końcu niezbyt gramatycznie.

List do Borofiejewa mnie zelektryzował. Czytałem powoli krótkie, telegraficzne rosyjskie zdania. „Już się nie znamy. Wyjechałem. Nie przychodzić do mnie. Koniec z dziewczynami. Zbyt gorąco. W sobotę 23 listopada po szóstej po południu samemu odebrać sygnet od Barana, Szczytnicka 29. Kwit w kopercie. Cena jak ustalono".

– Mam cię, skurwysynu – mruknąłem do siebie. – W sobotę do gardła ci wepchnę twoje tygrysie oko!

POPIELSKI ZGASIŁ CYGARO i poczuł mrowienie na skórze nad czołem. Mógłby powiedzieć, że włosy stanęły mu na głowie, gdyby je tylko miał. Był pewien, że jego niezawodny policyjny instynkt mówi mu: „Jesteś obserwowany, Łyssy".

Fryderyka Pasławska nie spuszczała z niego wzroku, dopóki siedzący obok niej profesor Stefanus czegoś cicho jej nie powiedział. Wtedy odwróciła się obojętnie i spojrzała na swoje dłonie, które ogrzewała kubkiem kawy zbożowej. Nie podniosła głowy również wtedy, kiedy Popielski wstał i przeszedł koło nich bez słowa, kierując się ku wyjściu. W uszach jej dźwięczały słowa Stefanusa: „Nie znamy go. Takie są zasady konspiracji!".

– O czym to my mówiliśmy? – zapytał Stefanus.

– Mówiłam panu profesorowi, że chrześcijaństwo tak naprawdę wywołuje nienawiść, nie miłość! – powiedziała studentka z ogniem w oczach. – Wciąż mówi o winie, o karaniu za grzechy! Księża na ambonach wołają: „Nie grzesz, bo inaczej spotka cię kara!", zamiast mówić: „Wyrzeknij się grzechu z miłości do Boga"!

– Różni są kaznodzieje, moja droga – ostudził ją Stefanus. – Jedni straszą piekłem, inni wabią miłością Bożą... Pojedynczy ludzie, także księża, nie są jednak ważni... Ważny jest rozwój całych doktryn religijnych. Czy wiesz, moja Fredziu, co zauważyłem, zbadałem i *expressis verbis* napisałem w mojej książce, którą niedługo wydam we Francji? Otóż doktryny religijne ewoluują ku dobru, jak cała ludzkość... Pamiętasz, jak reagował Bóg Izraela na ludzi innej wiary?

– Chyba nie bardzo ich lubił – bąknęła cicho dziewczyna, jakby wstydząc się swojej niewiedzy.

– Oczywiście! – wykrzyknął Stefanus. – Nienawidził ich! Kazał ich palić żywym ogniem i eksterminować jak Niemcy Żydów! W Księdze Liczb Bóg rzekł do Mojżesza „Zemścij się na Midianitach za krzywdy!". I lud bardzo radykalnie spełnił polecenie swego Boga. Izraelici wybili wszystkich Midianitów, a ich kobiety i dzieci wzięli do niewoli. Wtedy Mojżesz, wyraziciel woli Boga, okazał swe niezadowolenie z ich łagodności. Kazał wymordować wszystkie wzięte do niewoli kobiety i wszystkich chłopców, pozwolił zaś zostawić przy życiu jedynie dziewice! A takich miejsc w Starym Testamencie jest ogromnie dużo!

Pasławska wpatrywała się w swego nauczyciela tak intensywnie, jakby chciała go zahipnotyzować. Jej oczy pociemniały, a usta drżały. Z trudem się hamowała.

– Ale są tam też inne fragmenty. – Stefanus uniósł palec jak retor. – Pełne dobroci, chęci zjednoczenia i pojednania. U Izajasza mamy cudowną opowieść o przekuwaniu mieczy na pługi, o błogosławionym zaniku sztuki wojennej, o wiecznym pokoju, kiedy wilk będzie się kładł obok jagnięcia i nie uczyni mu krzywdy, Bóg zaś będzie kochał wszystkich, nawet tych, których w poprzednich księgach kazał wytępić jak wszy... Wiesz, Fredziu, że odkryłem tu pewną prawidłowość, o której niedawno napisałem list do mojego mistrza w filozofii Piotra Teilharda de Chardin... Wiesz, jaka to prawidłowość?

– Nie – szepnęła nieco zdezorientowana dziewczyna i zapytała zaczepnie: – A skąd mam niby wiedzieć?

– Otóż przeczytałem na nowo całą Biblię – Stefanus nie dał poznać po sobie, czy w ogóle zauważył prowokacyjne pytanie studentki – w poszukiwaniu fragmentów o agresji i pokoju. Wypisałem wszystkie te wersy i stwierdziłem, że agresywne i nietolerancyjne powstawały zawsze wtedy, gdy Izraelici cierpieli głód, biedę i niewolę. Kiedy zaś robili dobre interesy i cieszyli się wolnością, pisali passusy pełne miłości i pokoju! Ludzie gnębieni są pełni nienawiści, ludzie wolni i robiący interesy – wręcz przeciwnie. To samo stwierdziłem w Nowym Testamencie, ba!, nawet w Koranie! Święty Paweł, który genialnie propagował chrześcijaństwo, był znakomitym, *sit venia verbo*, dyrektorem propagandy, skupiającym obok siebie również wpływowych ludzi interesu. Im bardzo na rękę była jego maksyma: „Nie masz już Żyda ani Greka, a wszyscy jesteśmy równi w Chrystusie". Kochał swoich partnerów, a oni kochali jego i wszyscy prosperowali tą miłością. O tym też piszę w swojej książce! Ofiaruję ci ją z dedykacją, kiedy się tylko ukaże!

Zapadła cisza. Stefanus ciężko oddychał po swoim wywodzie, a Pasławska zbierała myśli. Gruby kucharz wszedł na salę, stanął koło nich i znacząco postukał się w zegarek. Profesor wstał i podał studentce płaszcz. Wyszli w mrok i mgłę.

– Odprowadzę cię – powiedział nauczyciel. – Jest już późno, a w tym mieście nigdzie nie jest bezpiecznie, a już zwłaszcza w okolicach twojego domu!

– Może i religie zmieniają się na lepsze – Pasławska była tak skupiona na swej myśli, że nawet nie dosłyszała deklaracji profesora – ale nienawiść jest wciąż w ich symbolice! Niech pan zauważy, panie profesorze, że krzyż, symbol religii chrześcijańskiej, to tak naprawdę narzędzie śmierci i tortur! I świat, który się wciąż zmienia na lepsze, bo tak wykazują pańskie wyliczenia ofiar wojen i pańskie badanie Biblii... No tak... – zgubiła wątek. – No tak! – Aż przystanęła, kiedy go znów złapała. – Ten coraz lepszy świat każe mi wciąż oddawać cześć krzyżowi, czyli narzędziu tortur! I co pan na to powie?

Szli dłuższą chwilę w milczeniu. Weszli na most Piaskowy. Ich kroki dudniły we mgle. Z góry odpowiadał im stukot, który rozchodził się z dachu gotyckiego kościoła Najświętszej Marii Panny, gdzie cieśle i dekarze mimo zimna i późnej pory wciąż naprawiali dach przy świetle latarek.

– Wchodzisz, moja droga, w trudną dziedzinę symboliki – powiedział w skupieniu. – Aby ci odpowiedzieć na twoją wątpliwość, musiałbym zrobić mały wykład...

Dziewczyna przystanęła gwałtownie i obiema rękami ujęła profesora za ramię. Na jej zarumienionej twarzy malowało się napięte oczekiwanie.

– Niech pan mi odpowie... Mam czas...

Stefanus na ułamek sekundy stracił panowanie nad sobą. Przez mgnienie oka chciał dotknąć ustami tych policzków, tryskających zdrowiem, entuzjazmem i młodością. Opanował się i odsunął od uczennicy na przyzwoitą odległość.

– Symbol nie ma znaczenia uniwersalnego, jednakowego dla wszystkich, a przynajmniej dla większości ludzi. Wyobraź sobie, że psychologowie pokazują ludziom różnych ras i narodów zdjęcie słodkiego bobasa i pytają ich wtedy, co czują. Zgodzisz się chyba ze mną, że większość ludzi – nieważne, czy Eskimos, Hiszpan czy Patagoń-czyk, nieważne, kiedy żył: wczoraj czy przed wiekami – na widok ro-ześmianego oseska odczuje jakąś tkliwość, przyjemność... Dziecko jest symbolem wszędzie skojarzonym z poczuciem dobra... A krzyż? Z cierpieniem kojarzył się tylko ludziom starożytności, a dzisiaj tylko takim przenikliwym i inteligentnym studentom jak ty... Europejczy-kom kojarzy się z Kościołem i z klasą szkolną, a Eskimosom czy Pig-mejom z Konga z niczym... Przyznasz zatem, że ludzkie rozumienia jakiegoś symbolu nie są uniwersalne, lecz czasowe... Na przykład przepiękny symbol szczęścia, jakim była swastyka, został w ostat-nich latach splugawiony przez Niemców... W chrześcijaństwie zaszło odwrotne zjawisko: plugawy symbol tortur nabrał wielkiej wartości! On oznacza świętość poprzez cierpienie!

Przeszli na ukos przez ulicę Sienkiewicza i znaleźli się przy murze Państwowej Fabryki Chleba, biegnącym wzdłuż Świętokrzyskiej. Nie-liczni przechodnie ze zdziwieniem patrzyli na młodziutką zamyśloną dziewczynę i gestykulującego gwałtownie mężczyznę.

– Świat dąży do doskonałości, czyli jest niedoskonały, zgadzasz się ze mną?

– Tak, jest bardzo niedoskonały...

– A zatem aby dążyć do doskonałości, musi przezwyciężyć swoją niedoskonałość, logiczne? Na przykład jakiś uczeń, Polak mieszka-jący w Polsce i żaden geniusz językowy, chce przezwyciężyć swoją niedoskonałość polegającą na nieznajomości języka angielskiego... No to uczy się go i cierpi... Wkuwa słówka, powtarza, okazuje się, że się myli, inni uczniowie go prześcigają, nauczyciel go upomina... Sło-wem: uczeń cierpi przy tym przezwyciężaniu swej niedoskonałości. A jednocześnie nigdy nie osiągnie doskonałości, bo nigdy nie bę-dzie mówił jak rodowity Anglik! Zgadzasz się ze mną?

– No tak.

– Tak i świat cierpi, przezwyciężając swą niedoskonałość, a świat to ty, to ja, to inni... Wszyscy cierpimy... Zło jest nieodzownym warun-kiem rozwoju świata ku dobru, rozumiesz mnie, droga Fredziu? Teil-hard powiedział: „Podobni jesteśmy żołnierzom ginącym w czasie szturmu w walce o powszechny pokój"... Kiedyś ci przedstawię dokładnie moją całą patodyceę, czyli obronę zjawiska cierpienia!

Dziewczyna zatrzymała się pod swoim domem.

– Dziękuję za lekcję, panie profesorze. – Dygnęła przed nauczycielem. – Teraz w domu muszę spisać to wszystko, o czym pan mówił...

Zaczął padać deszcz ze śniegiem. Stali w milczeniu, żadne z nich nie chciało odejść. Stefanus z powodu szczęścia, jakim go napawało przebywanie z tą mądrą dziewczyną, Fryderyka – z powodu palącego pytania, które chciała profesorowi zadać przynajmniej od godziny. W końcu się ośmieliła.

– Czy mogę?... Osobiste pytanie? – wydukała.

– Tak, proszę. – Uśmiechnął się łagodnie. – Najwyżej ci nie odpowiem...

– Kiedy pan profesor cierpiał w Oświęcimiu... – dziewczyna wahała się jeszcze przez ułamek sekundy – kiedy Niemcy pana bili i głodzili przez cztery lata... czy wtedy też czuł się pan jak żołnierz, który doznaje ran w walce o dobro?

Stefanus milczał tak długo, że studentka wystraszyła się swoją zuchwałością.

– Posłuchaj, Fredziu – odezwał się w końcu. – Kiedy cierpiałem, mogłem tylko wyć z bólu... Cały byłem bólem... Mój umysł, mój rozum nie istniały. Sens cierpienia, problem Boga i inne myśli znikały... Rozpuszczały się jak sacharyna w bąblach wrzącej wody... Ale ból w końcu odchodził... Na krótko, jednak odchodził... A ja w czasie tych krótkich chwil czułem nieopisaną radość życia... Czułem się jak odpoczywający biegacz, jak najedzony nędzarz... jak wyspany niewolnik... Wrząca woda stygła i wyparowywała... Wytrącał się osad... Znów pojawiała się sacharyna... Znów budził się rozum, znów napływały zewsząd myśli o ewolucji ku dobru... I tak moje codzienne życie w obozie biegło w amplitudzie „dobro – zło". A ja na podstawie swoich badań wiedziałem, że ono biegnie ku powszechnemu wielkiemu dobru, że kiedyś sinusoida zamieni się w funkcję wykładniczą...

– Jak to było? Patodycea? – zapytała Pasławska.

– Przeczytaj to. – Wręczył jej swój zeszyt. – To moje notatki do książki o patodycei. Dowiesz się stąd wiele...

Chciał coś jeszcze powiedzieć, ale nie zdążył, bo nagle z sąsiedniej zrujnowanej kamienicy, w której mieszkała banda młodych zdegenerowanych uliczników, rozległ się potworny ryk. Fryderyka zadrżała, na Stefanusie ten krzyk nie zrobił jednak najmniejszego wrażenia. Wskazał tylko palcem na ciemną ruinę.

– Ten, co krzyczał, teraz pewnie cierpi tak, jakby mu właśnie we wrzątku pękały bąble na skórze...

Profesor Stefanus trafnie oddał stan ducha krzyczącego mężczyzny. Stał on w wypalonym oknie kamienicy i wczepiał się paznokciami we framugę. Przez łzy wzbierające w oczach wpatrywał się w dwoje ludzi stojących na chodniku. Jego długoletni kolega właśnie zwyciężał, bo oto zdobywał młodą kobietę, która nim, krzyczącym, wzgardziła. Mężczyzna w oknie nazywał się Henryk Murawski.

Minął kwadrans i profesor doszedł do siebie. Opuścił zrujnowaną kamienicę wśród dymu, który unosił się z piwnicy, gdzie młodociani bandyci grzali się przy ognisku i przy bańce kwaśnego, plugawego zacieru.

Przeszedł pod samym oknem Fryderyki. Widział, że dziewczyna siedzi przy stole pod oknem i pilnie notuje coś w małym zeszycie do słówek. Zawrócił i jeszcze raz przeszedł pod jej oknem. Widział teraz, jak czyta swoje notatki. Na zeszycie wypisane było dużymi literami „Patodycea". Uczennica wstała i zasłoniła okno.

Murawski odszedł na bezpieczną odległość. Znał dobrze koncepcje Stefanusa i wiedział, jak je obalić. Natomiast nigdy nie słyszał o patodycei. I to go zaniepokoiło. Stefanus miał nad nim przewagę w walce, której stawką była Fryderyka.

– Muszę wypożyczyć ten zeszyt – mruknął do siebie i uciekł w noc.

———————————

W drodze do domu zakradłem się do kamienicy na Świętej Jadwigi i przez szparę na listy w drzwiach dozorcy wsunąłem całą korespondencję Pasierbiaka. Było to konieczne. Adresat Borofiejew musiał przecież przeczytać list, by pójść w sobotę do jubilera Barana.

W oczekiwaniu na ten dzień stawałem się coraz bardziej nerwowy. Ekscytację starałem się poskromić odwiedzinami u Lodzi i przygotowaniami do akcji. Poza wypożyczeniem trójkołówki od Zarzecznego oraz gumowej pałki i mocnego sznura od jego goryla nie miałem jednak nic do roboty.

Denerwowałem się. To robota już chyba nie dla mnie. W dawnym lwowskim życiu, a nawet w czasie wojny, przed ostateczną konfrontacją z najgroźniejszym nawet zbrodniarzem i wrogiem potrafiłem – jakby nigdy nic – czy to unurzać się w rozpuście, czy to wypić cysternę wódki. W czasie wojny przed akcją stawałem się koneserem bimbru, a w czasach przedwojennych przed spotkaniem ze zbrodniarzem wypiliśmy z moim przyjacielem księdzem Jasiem Blicharskim niejedną zmrożoną karafkę baczewskiego pod najlepszy na świecie wędzony półgęsek, który serwowano u Atlasa. Potem spałem snem sprawiedliwego, budziłem się bez najmniejszych – poza wzmożonym pragnieniem – kacowych dolegliwości i ruszałem na akcję. Ale wtedy byłem w wieku męskim i cieszyłem się szacunkiem. Teraz – poza fryzurą – wszystkim się różniłem od tamtego dawnego Edwarda Popielskiego i mój organizm inaczej się zachowywał niż nawet, powiedzmy, dwa lata temu. Poza jedną zmianą na lepsze – prawie całkiem ustąpiła moja epilepsja – wszystkie inne były na gorsze. Przed decydującą konfrontacją z Sowietem nie poznawałem sam siebie – nie mogłem spać i czułem się jak nie zastygła studzienina. Jedno mnie tylko pocieszało. To drżenie nie było ze strachu. Tak objawiała się moja głucha wściekłość.

W SOBOTĘ POPIELSKI wjechał na podwórko na ulicy Szczytnickiej pożyczoną od Zarzecznego trójkołówką przykrytą brezentową budą. Zaparkował ją tuż obok tylnego wejścia do zakładu jubilerskiego Tadeusza Barana, a potem tymże wejściem dostał się do środka. Czekał tam już na niego sam mistrz, nieco wystraszony i skonfundowany, ponieważ tak naprawdę nie wiedział, co Popielski zamierza wyczyniać w jego luksusowym lokalu i po co tu przyjechał wspomnianą trójkołówką. Czeladnikom – na żądanie tego ostatniego – skrócił dzień pracy, a żonie zapowiedział, że wróci później niż zwykle.

Teraz na darmo usiłował się dowiedzieć od Popielskiego, czego on właściwie chce od Feliksa Pasierbiaka, który zgodnie z umową ma tego dnia zapłacić za sygnet z tygrysim okiem. Detektyw siedział na zapleczu, milczał jak grób i obracał w palcach wybitne dzieło sztuki złotniczej.

Aż zegar wybił szóstą i ktoś zapukał do drzwi. Potem dzwonek rozdzwonił się tak głośno, że kot zeskoczył z zegara.

Na widok rudawego mężczyzny w zbyt dużym paltocie i w czarnym kapeluszu mistrz Baran wstał za ladą i począł pośpiesznie wyjaśniać, że nie jego tu oczekiwał. Mężczyzna zdjął kapelusz i wyjął z niego zwitek pieniędzy. Potem zaczął coś mówić po rosyjsku, pomagając sobie wydatną gestykulacją. Popielski zadrżał jak koń przed gonitwą. W mężczyźnie rozpoznał tego, który kierował jeepem na ulicy Asnyka. „Nawet wąsika nie zgolił" – pomyślał detektyw i wyjął z rękawa płaszcza gumową pałkę. Wyszedł cicho z zaplecza i zaszedł Rosjanina od tyłu.

Mężczyzna odwrócił się gwałtownie i Popielski poczuł, że staje się znów tym dawnym policjantem czy żołnierzem, który rzadko tracił głowę. W zimnym opanowaniu, jakby w zwolnionym tempie, uniósł pałkę. Świsnęła w powietrzu i trafiła przybyłego w nasadę nosa. Zanim mężczyzna osunął się na eleganckie kafelki podłogi, Popielski chwycił go pod pachy i pociągnął w stronę zaplecza, by nikt z ciekawskich idących ulicą niczego nie ujrzał przez szklaną witrynę. Ciężko sapiąc, pociągnął bezwładne ciało na podwórko, tam związał mocno krowim postronkiem ręce i nogi Rosjanina, ciało wrzucił na budę pojazdu. Wsiadł do trójkołówki i zza kierownicy rzekł do przerażonego jubilera, który wystawił głowę spoza tylnych drzwi zakładu:

– Jesteśmy kwita, panie Baran. Ten pan – wskazał palcem w kierunku skrępowanego – zapłacił panu za sygnet i udał się w niewiadomym kierunku, rozumiemy się? Tak ma pan mówić wszystkim, którzy będą pytać! Milicji, ruskim i temu paserowi! Jasne?

– Dobrze, oczywiście – mówił jubiler. – Ale co ja mam zrobić z sygnetem?

– Weź go pan sobie. – Popielski zapuścił motor. – Lubi pan koty, to będzie panu dobrze z tygrysim okiem!

Ruszył w stronę bramy wyjazdowej. Wjechał w nią i zatrzymał się gwałtownie. Wyjazd blokowała ciężarówka. Popielski zaklął i zatrąbił. Zdał sobie sprawę, że zapomniał zakneblować swego jeńca. Zatrąbił raz jeszcze. Ciężarówka ani się ruszyła. Popielski wysiadł ze swojego pojazdu i wtedy poczuł pod okiem coś zimnego.

Lufa pistoletu boleśnie uciskała mu garb na nosie. W bramie rozległ się tupot żołnierskich buciorów. Ktoś wykręcił mu ręce, ktoś chwycił go od tyłu za gardło. Popielski charczał i patrzył na sołdatów, którzy w bladym świetle latarek uwijali się w ciasnej przestrzeni. Dwaj z nich wyciągnęli spod brezentu swego ziomka i oswobodzili mu ręce.

– Dziękuję za uratowanie, towarzyszu kapitanie – powiedział Rosjanin i spojrzał wściekle na Popielskiego.

Ten w migotliwym świetle rozpoznał wybawcę gwałciciela: sowieckiego oficera, którego widział na cmentarzu i na schodach u Maksymońki. Kapitan podszedł do uwolnionego rodaka i długo mu się przyglądał. Potem rozłożył kartkę papieru, na której widniał portret pamięciowy, i przez chwilę przenosił wzrok z kartki na mężczyznę i odwrotnie.

– Dziękujecie mi za uratowanie, towarzyszu?

– Tak, bardzo dziękuję...

Kapitan uśmiechnął się szeroko.

– Jeszcze pożałujecie, że was nie wziął ze sobą ten Polak!

Rosjanin nawet nie zdołał się zdziwić, bo w jednej sekundzie powalił go na ziemię straszliwy cios kolbą pistoletu. Kapitan klęknął kolanem na piersi leżącego i zaczął go bić pięścią w twarz z taką szybkością, jakiej Popielski nie widział od dawna. Potem wstał, pomasował obolałą dłoń i trącił butem rozerwany postronek walający się na klepisku.

– Tym go wiązał? – powiedział po polsku do Popielskiego. – Nie, tym to krowy wiązać! A on gorszy zwierząt! Tym go zawiążem!

W dłoni trzymał drut kolczasty.

Sowiecki kapitan wydał swoim żołnierzom kilka rozkazów. Mówił tak szybko, że prawie niczego nie zrozumiałem. Natychmiast jednak poczułem skutek jego poleceń – moje ręce stały się wolne, a gardła już nikt nie uciskał. Oparłem się ciężko o chropowaty mur i oddychałem pełną piersią. W tym czasie żołnierze wrzucili nieprzytomnego gwałciciela na tył ciężarówki, a sami zniknęli jak duchy. Zahuczał silnik i potężny gmc wycofał się, odblokowując przejazd. Zostaliśmy sami – tylko we dwóch.

– Ja kapitan Michaił Czernikow – powiedział sowiecki oficer i wyciągnął do mnie rękę. – A wy?

Podałem mu ją po chwili wahania, nie odpowiedziawszy jednak na jego pytanie.

– ROZUMIE PAN *po ruski*? – Czernikow zadał drugie pytanie, a widząc skinienie głowy swego rozmówcy, przeszedł na rosyjski. – Ja rozumiem po polsku. Będziemy rozmawiać w naszych ojczystych językach, dobrze?

– Nie, nie rozumiem – skłamał Popielski. – Znam łacinę, grekę i niemiecki... Zna pan któryś z tych języków?

– W porządku, niech będzie po niemiecku. Uczyłem się tego języka w młodości...

– Dobrze – odezwał się Popielski. – Ale tutaj nie będę rozmawiał...

– Zrozumiałe! – Czernikow się uśmiechnął. – Nie chce pan, by z okien ludzie widzieli, jak pan rozmawia z Rosjaninem? To by pana skompromitowało, prawda?

Popielski w odpowiedzi pomasował obolałą szyję.

– No to wsiądźmy do pańskiego pojazdu i przejedźmy się trochę po waszym mieście... Choć teraz to chyba niczego nie poogladamy... Noc... Mgła...

Popielski wsiadł do trójkołówki i zapuścił silnik. Rosjanin zajął miejsce obok.

Wyjechali z bramy na ulicę Szczytnicką. Kapitan wskazał stojący na ulicy gmc. Popielski zrozumiał ten gest i podjechał do ciężarówki.

– Do koszar, jazda! – krzyknął do szofera. – A tę swołocz do karceru i do lodowej kąpieli! Potem niech trochę ochłonie przy otwartym oknie! – Odwrócił się znów do Popielskiego. – A pan niech jedzie dokądś, gdzie pana nie znają!

Ruszyli prosto ulicą Skłodowskiej-Curie. O tej porze było już na niej pusto. Żadnych interesantów pod gmachem zakładu ubezpieczeń, żadnych karetek pogotowia pod polikliniką chirurgiczną. Za mostem Zwierzynieckim skręcili w lewo i zaraz się zatrzymali przy gęsto zadrzewionym dużym skwerze.

– Tu mnie nikt nie zna!

– Wysiądźmy zatem. – Czernikow uśmiechnął się. – Zapalimy, pogadamy trochę... Zapali pan biełomora?

Wysiedli i stanęli na chodniku. Zagryźli puste tekturowe gilzy biełomorkanałów i zaciągnęli się ostrym, gryzącym dymem.

– Ładnie tutaj – ocenił Rosjanin, patrząc w górę ulicy, w stronę parku Szczytnickiego. – Przyjemne wille... Jaka to ulica?

– Mickiewicza – odpowiedział Popielski, a widząc, że nazwisko to nie zrobiło na oficerze sowieckim żadnego wrażenia, dodał z dumą: – To był nasz największy poeta...

Czernikow spojrzał przeciągle na swojego rozmówcę.

– Spotkaliśmy się kilka dni temu na schodach przy mieszkaniu nieszczęsnego ojca zamordowanej dziewczyny, pamięta pan?

– Tak, pamiętam.

– Pijany nieszczęśnik powiedział nam, kim pan jest i gdzie pan mieszka. Od tego momentu nie spuszczałem pana z oka. Nie zawsze jednakowo skutecznie... Raz moi ludzie pana zgubili... We mgle pod katedrą... – Wypuścił dym nosem. – Był pan jedną z dróg, którymi poszedłem, tropiąc morderców dziewczyny. I do jednego z nich mnie pan doprowadził! A teraz ja od niego za chwilę wyciągnę wszystko, co wie... Być może dzisiaj, może jutro będą u mnie siedzieli jego kompani... To wszystko dzięki panu... Co mogę w zamian dla pana zrobić? Jak się mam odwdzięczyć za pańską nieświadomą pomoc?

Popielski wypluł papierosa i przydeptał go nogą.

– Niech pan po prostu wyjedzie z mojego kraju! – rzekł obojętnym tonem. – I zabierze ze sobą wszystkich swoich rodaków!

Czernikow zatarł ręce i nacisnął na czoło uszankę.

– Mogę z pańskiego kraju wyjechać na dwa sposoby... Albo na rozkaz moich dowódców, albo na rozkaz Boga, czyli w sosnowym garniturze i z pośmiertnym medalem na piersi... A pan nie jest moim dowódcą... A może jest pan Bogiem? – Popielski milczał.

– „W takiej ciszy tak ucha natężam ciekawie – powiedział po polsku Czernikow i chwycił za klamkę trójkołówki – że słyszałbym głos z Litwy... Jedźmy! Nikt nie woła!"

– Zna pan Mickiewicza! – zareagował żywo Popielski. – Nie spodziewałem się...

– Znam też jego wiersz *Do przyjaciół Moskali*! – Czernikow lekko westchnął. – Mam prośbę! Podrzuci mnie pan do komisariatu na Piastowskiej? Stamtąd już mnie zawiozą do koszar...

Popielski ruszył do sowieckich koszar. Przez całą drogę na Karłowice nie odezwali się do siebie ani słowem.

Kiedy dojechali, kapitan podał detektywowi rękę.

– Gdyby pan ode mnie czegoś potrzebował – nie puszczał dłoni Polaka – proszę tu przyjść na wartownię i poprosić dyżurnego o przekazanie mi jednego słowa, a właściwie nazwiska. Rylejew. Na pewno pan zapamięta.

– I co będzie dalej? – spytał Popielski.

– Będę po kwadransie pod wieżą ciśnień – odparł Rosjanin. – Albo w ciągu dwóch godzin u pana w domu.

Wyszedł z trójkołówki i ruszył w stronę wartowni, a Popielski powtarzał cicho nazwisko jednego z Mickiewiczowych „przyjaciół Moskali".

Tego samego wieczoru oddałem pojazd Zarzecznemu, a gumową pałkę barmanowi z Dąbrowianki. W tymże lokalu wypiłem na jeden łyk sto gramów wódki pod sałatkę jarzynową. Przez dłuższą chwilę patrzyłem na rozbawionych ludzi, którzy w ścisku tańczyli skoczne walczyki. Do domu wróciłem piechotą grubo po północy. Zanim wszedłem do pokoju, obudziłem swego sąsiada doktora Scholza. Poinstruowałem go cichym głosem, co ma robić, gdyby mnie zabrakło. Potem napaliłem w piecu i usiadłem przy nim, opierając się plecami o kafle. Czekałem, aż rozejdzie się ciepło w pustym, zimnym pokoju. Nie kładłem się spać, jedynie drzemałem przy piecu. Mimo wszystko nie wierzyłem w polsko-rosyjską przyjaźń i spodziewałem, że mogą przyjść dziś po mnie siepacze sowieckiego Izajasza.

PRZENIKLIWE ZIMNO panowało również w piwnicach sowieckich koszar, gdzie urządzono więzienne cele dla dezerterów. W jednej z takich cel stał nagi morderca i trząsł się tak mocno, że wydawało się, iż podskakuje na palcach stóp, ledwo dotykających betonowej posadzki. Przeguby miał oplecione automatycznymi kajdankami, zwanymi amerykankami, pomiędzy którymi przeciągnięty był łańcuch. Jego wolny koniec zwisał z haka wbitego w sufit.

Młody, tęgi żołnierz stał za plecami mordercy pod zakratowanym okienkiem i czekał na polecenia Czernikowa, który siedział na krześle i pilnie sporządzał jakieś notatki. Obaj byli, w odróżnieniu od przesłuchiwanego, ciepło ubrani – w szynele, rękawiczki i czapki. Drugi pomocnik dowódcy, identycznie zresztą ubrany, stał na progu celi.

– Nazwisko?! – wrzasnął kapitan.

– Aleksandr Kołdaszow – wychrypiał przesłuchiwany.

– Stopień wojskowy?

– Jefrejtor!

– Ostatnia jednostka?

– 240. Pułk Strzelecki 117. Dywizji Strzeleckiej Pierwszego Frontu Białoruskiego... – wypowiedział to sprawnie, jednym tchem, mimo szczękania zębów. – Ranny, potem lazaret w Otwocku.

– A potem dezercja?

– Ależ nie! Ja tylko szukałem swojej jednostki!

Czernikow wstał i przeszedł się po celi.

– Podciągnij go! – polecił stojącemu pod oknem żołnierzowi.

Ten zaparł się mocno plecami o ścianę i zaczął ciągnąć łańcuch. Po chwili Kołdaszow kołysał się pod sufitem. Kapitan zbliżył się do niego.

– Posłuchaj, Saszka – powiedział. – Obiecałem temu miastu, że twoje ścierwo rzucę na grób dziewczyny, którą zamęczyliście na śmierć ty i twoi dwaj kamraci. I dotrzymam słowa! Zawiśniesz na Rynku tego miasta. Jedyny wybór, jaki masz, to zawisnąć ze stopami lub bez stóp!

Czernikow siegnął po szmatę leżącą na podłodze i zwinął ją w kłąb. Podsunął sobie krzesło, wszedł na nie i jednym ruchem wepchnął w usta mordercy brudny knebel.

Wyjrzał na korytarz i kiwnął głową na swojego drugiego pomocnika, stojącego pod drzwiami. Ten wszedł do środka i wyjął z kieszeni brzytwę. Chwycił wiszącego za stopę i wraził lśniące ostrze pomiędzy dwa ostatnie palce. Klinga zgrzytnęła po kości. Wiszący dławił się i wierzgał, pomocnik kata przeklinał tępą brzytwę i – obryzgiwany strugami krwi – rżnął nią między paliczkami, aż wrył się do połowy stopy. Potem się odsunął i z uznaniem spojrzał na to, czego dokonał. Pomiędzy najmniejszym palcem stopy a czterema pozostałymi ziała rana długości około dziesięciu centymetrów.

Mordercą targały drgawki, na kneblu pojawiły się krew i piana.

– Dobrze. – Czernikow spojrzał na swoich pomocników. – Teraz spać! Już nie będziecie mi potrzebni! A brzytwę umyć i zostawić!

Żołnierz spod okna zwolnił łańcuch i bandyta runął głucho na beton. Zwinął się w kłębek, trzymał za okaleczony czubek stopy i wypluwał z ust strzępy mokrej, brudnej szmaty. Dowódca usiadł na krześle i poczekał, aż jego pomocnicy wyjdą.

– Mój człowiek najpierw będzie brzytwą oddzielał palec od palca, jeden od drugiego – powiedział. – Jeszcze tak kilka razy. – Policzył cicho w myślach. – Dokładnie siedem razy odczujesz taki ból jak przed chwilą. A potem twoje stopy będą tak oto wyglądały. – Rozczapierzył palce dłoni przed oczami leżącego. – A potem mój człowiek chwyci mocno każdy luźny palec i wsadzi go w obcinarkę do cygar. I odetnie ci jeden po drugim...

Kapitan zapalił papierosa.

– I wtedy właśnie zawiśniesz na Rynku bez stóp! Chyba że – wypuścił dym pod sufit – chyba że przestaniesz kłamać tak jak przed chwilą, gdy mówiłeś, że nie jesteś dezerterem, tylko zagubionym żołnierzem szukającym jednostki... Kiwnij głową, Saszka, jeśli chcesz, by twoje stopy dyndały w całości na szubienicy... – Kołdaszow skinął głową. Czernikow przysunął się z krzesłem do więźnia. – Coś ci opowiem, Saszka – podjął bardzo cicho, oglądając się na drzwi. – Prawie nikt o tym nie wie... Ciebie też poproszę o dyskrecję... Dobrze, Saszka? Będziesz dyskretny, mój chłopcze?

– Tak, będę, towarzyszu kapitanie – załkał morderca.

– Wiesz, chłopcze, za cara byłem już oficerem. – Czernikow uśmiechnął się do wspomnień. – Walczyłem z Japończykami i dostałem się do niewoli. Dobrze wspominam tę niewolę w 1905 roku. Daliśmy słowo honoru, że nie uciekniemy, i Japończycy nawet straży nie postawili przed naszym barakiem. Po raz drugi do japońskiej niewoli dostałem się w trzydziestym ósmym nad jeziorem Chasan. Ze mną była młodziutka pielęgniarka Natasza. Japończycy już nie byli ludźmi honoru. Mnie udało się uciec, a Nataszka u nich została. Zamienili ją w *jugun-ianfu* i robili z nią to, co ty robiłeś z różnymi kobietami. A potem ją oddali do instytutu badawczo-medycznego, do słynnej jednostki 731. Tam zakazili ją rzeżączką, syfilisem i gruźlicą. Wenerycy ją gwałcili na zmianę! Tak jak ty i twoi przyjaciele. – Milczał przez chwilę, a potem mówił dalej zdławionym głosem. – W sierpniu czterdziestego piątego znów byłem w Mandżurii. Wysyłają mnie tam często, znam język... I spotkałem wtedy Nataszkę. Leżała w podziemiach szpitala w Port Arthur... Jeszcze żyła... Ale to życie było tylko w jej oczach... A właściwie śmierć... Bo ona prosiła mnie o śmierć. Ciało już nie żyło... Tkwiło bez ruchu w napiętej szarej skórze, pełnej pęcherzy... Niektóre z nich pękły i coś się z nich wylewało... Kochałem Nataszkę i z tej miłości ją zastrzeliłem... Myślisz, Saszka, że będę się wahał, by osobiście obcinać palce takiemu gwałcicielowi jak ty?

W ciągu najbliższej godziny Czernikow dowiedział się wszystkiego. Poznał ponure koleje losu starszyny Władymira Borofiejewa i krasnoarmiejca Bachtijara Kekilbajewa. W jego uszach brzęczały szczegółowe opisy gwałtów, charakterystyki polskich dziewic, które rozdzierali, adresy domów, które okradali, i melin, gdzie mieszkali.

Kołdaszow nie chciał jedynie wyjawić adresu aktualnej meliny ani nazwiska polskiego handlarza żywym towarem dostarczającego im adresy dziewczyn. Kapitan wspomniał znów o Mandżurii, ale to nie pomogło. Westchnął zatem ciężko, powstrzymał odruch wstrętu i odłupał jak drzazgę mały palec od śródstopia mordercy. Po minucie już wiedział, co chciał. Przez kolejną godzinę zapisywał to w notesie, nie przejmując się jękami mordercy.

Zostawił go potem wijącego się na betonowej posadzce, zamknął celę i wyszedł z budynku. Była ciemna, wilgotna i zimna noc. Dobrze by było runąć w miękką pościel swego łóżka, a rano wstać – świeży i wypoczęty – i napisać raport dla Bogdyłowa. „Raport będzie jednak niepełny – pomyślał – bo sprawa niezamknięta".

Poszedł do garażu, w którym jego podwładny, szofer i adiutant Wieniedikt Kryżawcew siedział w zaparkowanej cieżarówce i smacznie spał.

– Bierz ludzi i jedziemy! – Szarpnął za ramię żołnierza. – Najpierw Świętej Jadwigi, a potem kierunek Dürrgoy, po polsku Cierniogaj! Wiesz, gdzie to jest?

– Nie mam pojęcia, towarzyszu kapitanie! – Rozespany Kryżawcew przecierał oczy.

– Tak myślałem. – Czernikow się uśmiechnął. – Dlatego potrzebujemy dobrego przewodnika!

Obudziło mnie łomotanie w okno. Spojrzałem na zegarek. Dochodziło wpół do piątej. Bez najmniejszego zdziwienia wstałem od pieca i zbliżyłem się do okna. Wśród targanych wiatrem gałęzi ujrzałem ludzi w pikowanych kufajkach, tak zwanych ciałogrzejkach, i w uszankach. Był to widok znienawidzony przez Polaków ze Lwowa, których Sowieci w lutowej pierwszej wywózce 1940 roku wygnali w lodowate syberyjskie i kazachskie otchłanie. Nigdy nie wierzyłem w przyjaźń polsko-rosyjską.

Kiwnąłem ze spokojem głową tęgiemu młodemu żołnierzowi, który się dobijał do okna, wziąłem przygotowany zawczasu pakunek z najpotrzebniejszymi rzeczami i wyszedłem z mieszkania. Na korytarzu czekał na mnie w szlafroku doktór Paul Scholz. Bez słowa odprowadził mnie na ulicę, gdzie ryczał i pluł spalinami silnik gmc. Niemiecki lekarz ucałował mnie i otarł łzę z oka.

– *A wy czego*, pan Popielski? – powiedział Czernikow łamaną polszczyzną i otworzył drzwi szoferki. – Na Sybir się wybierajcie? Zostawcje ten *czemodan*, siadajcie koło mnie i *wperiod*, bo zimno...

GMC ZAHAMOWAŁ na Staromłyńskiej tak gwałtownie, że Popielski i Czernikow omal nie uderzyli czołami w szybę.

– *A ty czto, job twoju mat'!* – kapitan wydarł się na kierowcę. – Kartofle wieziesz czy ludzi?

Buciory żołnierzy załomotały po bruku ulicy. Był wśród nich młody mężczyzna w milicyjnym mundurze. Kilku sołdatów pobiegło na ulicę Świętej Jadwigi, gdzie stanęli z pepeszami wycelowanymi w okna kamienicy, a kilku, poprzedzanych przez milicjanta, weszło na podwórko. Czernikow i Popielski znaleźli się tam ostatni. Detektyw szepnął coś kapitanowi i wskazał okno na parterze. Czernikow powtórzył milicjantowi to, co usłyszał.

Ten zastukał kilkakrotnie we wskazane okno, za każdym razem energiczniej i głośniej. Po dłuższej chwili z mieszkania doszły przekleństwa i ujrzeli w oknie rozczochrane włosy i opuchnięte oblicze. Dozorca uniósł wyżej lampę naftową i zobaczył milicjanta. Przestał przeklinać i ze słowami: „No już! Co jest? Pali się, panie władza?", otworzył drzwi do kamienicy. Wionęło od niego gorzelnią.

– Gdzie żyje Feliks Pasierbiak? – zapytał milicjant.

– A na pierwszym piętrze – odpowiedział stróż i odwrócił się w stronę swojego mieszkania.

Polska wymowa milicjanta była tak samo wiarygodna jak wymowa rosyjska Popielskiego, którą ten usiłował oszukać dozorcę kilka dni wcześniej. Wtedy niespecjalnie rozgarnięty kamieniczny funkcjonariusz zaufał detektywowi, teraz zaś uwierzyłby we wszystko, byleby tylko pozwolono mu wrócić do łóżka. Milicjant jednak nie pozwolił.

– Wy z nami! – Szturchnął stróża. – Bierać klucz i prowadzić! Prowadzić!

Kilku żołnierzy zostało na podwórku i tam zachowali się podobnie jak ich koledzy na ulicy – lufy pepesz wycelowali w okna, z których dwa rozjarzyły się mdłym światłem. Czernikow, Popielski, „milicjant" oraz dwóch krasnoarmiejców poczekali przed drzwiami dozorcy, aż ten wróci z kluczem. Rozespany i najwyraźniej pijany jeszcze człowiek pojawił się po chwili w ogromnym baranim kożuchu. Wszedł niechętnie na schody i poczłapał pod duże drzwi na pierwszym piętrze.

Otworzył je i puścił wszystkich przodem. Popatrzył na Popielskiego zamglonymi oczami. Nic nie wskazywało na to, by go rozpoznał. Detektyw mruknął ostro:

– Pan z nami, proszę, proszę! Przodem!

Mieszkanie było duże. Składało się z trzech pokoi, kuchni i łazienki. Wszystkie te pomieszczenia byłyby wielce przestronne, gdyby nie zagracono ich do granic możliwości. Popielski odniósł wrażenie, że w tym domu wszystko zostało zdublowane. Każda szafa stojąca pod ścianą miała swój odpowiednik zajmujący miejsce w centrum pokoju, każdy obraz – swoje lustrzane odbicie na przeciwległej ścianie, nawet dywany ułożone były warstwami. Skutkiem tego mieszkanie przypominało labirynt, po którym myszkowali teraz Czernikow i Popielski. Otwierali szafy, przeglądali pościel, ręczniki, bele materiałów i zastawy stołowe.

– Szabrownik i paser – powiedział Popielski do Rosjanina. – To mieszkanie typowego szabrownika i pasera... No, takiego, co kradnie i sprzedaje kradzione rzeczy – wyjaśnił, widząc, że Czernikow nie rozumie tych terminów.

Popielski wiedział, że każdy paser ma w domu skrytkę, gdzie trzyma rzeczy, które w razie wpadki mogą być towarem przetargowym, czymś, czym może zyskać przychylność policji. Była to często biżuteria, ale jeszcze częściej jakieś pokwitowania, tajne umowy czy kompromitujące fotografie. „Teraz nadszedł czas – pomyślał Popielski – by poszukać rzeczy ukrytych. Listów, dokumentów, adresów".

Między półkami i etażerkami przepchał się do kuchni. Śmierdziało tu zepsutym jedzeniem. Zapalił światło i znieruchomiał. Odruchowo sięgnął po browninga. Nie wziął go jednak ze sobą, przekonany, że trafi w łapy NKWD. Musiał się zatem zadowolić tasakiem do mięsa, który wisiał nad zlewem. Porwał go i zacisnął na nim mocno palce.

W napięciu czekał na jakikolwiek ruch mężczyzny, który siedział skulony na stołku. Ten jednak nie wykonał żadnego wrogiego ani niebezpiecznego gestu. Twarz krył w dłoniach i kiwał się miarowo jak żyd, który odprawia rytuał szuklingu.

– Dawaj tu dozorcę! – krzyknął Popielski do przedpokoju. – Mam tu kogoś!

Do kuchni wpadł Czernikow z tetetką w dłoni, a za nim „milicjant", popychający przed sobą dozorcę.

– Patrz tu na mnie. – Popielski trącił mężczyznę rączką tasaka.

Ten zrobił to, co mu kazano. Jego twarz była czerwona i obrzmiała od płaczu. Rzadkie, sypkie włosy drżały przy każdym skurczu spowodowanym bezgłośnym szlochem.

– Pijany czy jak? – zapytał Popielski sam siebie, a potem warknął na stróża. – To Pasierbiak?

– A tak, tak... Pasierbiak – wysapał dozorca. – Gienek Pasierbiak, brat Felka... Dzisiaj przyjechał ze wsi z wałówą, to żem go wpuścił, nie?

– A Felek gdzie? – zapytał go Czernikow.

Nikt nic nie powiedział. Tylko płaczący mężczyzna wskazał palcem wąskie drzwi prowadzące najwyraźniej do spiżarki. Czernikow spojrzał na „milicjanta" i wskazał drzwi lufą. Ten podszedł i otworzył.

Woń zepsutego jedzenia, a dokładniej – zepsutego mięsa z rozgotowaną i przypaloną marchwią – wzmogła się potężnie. Wszyscy się nią zachłysnęli i wszyscy ją bezbłędnie rozpoznali.

Gdyby nie wojenne oswojenie ze smrodem śmierci, ludzie ci rzygaliby teraz do zlewu jak nieszczęsny dozorca. Zamiast tego stali w zagraconej kuchni i przecierali oczy ze zdumienia. Nad podłogą kołysały się nogi. Z poszarpanych skarpetek wystawały ogryzione palce bez paznokci. Wielki chudy kocur siedział nastroszony w kącie. W pysku trzymał trofeum. Duży palec ludzkiej stopy.

Kapitan Czernikow srogo się rozsierdził. Zamknął kopniakiem drzwi, odcinając od nas w ten sposób źródło smrodu, a potem walnął w nie kułakiem z całej siły. Jako stary policjant rozumiałem bardzo dobrze jego frustrację. Oto tej nocy na mordercy złapanym w zakładzie jubilera Barana wymusił zeznanie, które teraz okazało się całkiem bezużyteczne! Oto wpadł w swym śledztwie w ślepy zaułek, gdzie wisiał oblepiony muchami trup Feliksa Pasierbiaka – jedynego świadka, który mógł go doprowadzić do dwóch pozostałych morderców!

Czernikow runął w kierunku drzwi do przedpokoju. Jego buty zachrzęściły na skorupach talerza leżących na podłodze. Drogę zagradzał mu dozorca, wciąż krztuszący się nad zlewem. Kapitan chwycił go za kołnierz i odepchnął na ścianę. Po chwili jego głośne *„job twoju mat'!"* słychać było w całym mieszkaniu, a potem na podwórku. Wyszedłem za nim.

Stan jego ducha rozumiałem dobrze, ale nie współczułem okupantowi. Ogarnęły mnie zimna obojętność i znużenie. Oczy mi się zamykały. Zszedłem na podwórko, przeciskając się między podekscytowanymi sensacyjną wieścią sąsiadami, którzy cisnęli się na klatce schodowej. Zbliżyłem się do Czernikowa i zapytałem go, czy jestem wolny i mogę wrócić do domu.

– TAK – ODRZEKŁ KAPITAN. – Ja też jadę, jak tylko tutaj przyjedzie prawdziwa milicja. Muszę jeszcze raport dla pułkownika Bogdyłowa napisać...

Był już spokojny. O jego niedawnym pobudzeniu świadczyły może tylko szybkie ruchy palców, którymi poprawiał bez przerwy pasek biegnący na ukos przez piersi i raportówkę. Popielski nacisnął kapelusz na oczy i zapiął paltot.

– Chce mi pan nadal okazać wdzięczność, kapitanie? – zapytał. Rosjanin spojrzał na niego podejrzliwie i nic nie powiedział. – No to niech pan mi opowie, co jeszcze wyśpiewał ten morderca!

Czernikow pomasował się w zamyśleniu po policzkach, na których kiełkował twardy szpakowaty zarost.

– Ja już panu okazałem wdzięczność! – szepnął. – Uratowałem panu życie! – Popielskiemu nagle minęła cała senność. Otworzył usta w zdumieniu, upodabniając się trochę wyrazem twarzy do szefa Czernikowa, co ten zauważył i skwitował lekkim uśmieszkiem. – To święta prawda, panie Popielski – powiedział. – Ujął pan, a ja przesłuchałem dziś niejakiego jefrejtora Aleksandra Kołdaszowa. nie wiem, jak to po polsku „jefrejtor"...

– Chyba kapral – sapnął Popielski – Mniejsza o to!

– To syfilityk i dezerter – ciągnął Czernikow. – Kiedy jego choroba weneryczna wyszła na jaw, nie miał łatwego życia. Wie pan, w prostych chłopakach w Armii Czerwonej, a nawet oficerach, pozostały jakieś dziwne złoża surowej, a nawet mieszczańskiej moralności, jakieś osady zakłamania... Nasi żołnierze, jak wszyscy żołnierze świata, chorują na choroby weneryczne, ale wielu z nich się do nich nie przyznaje, bo powszechnie uważa się syfilis za karę za grzechy... Da pan wiarę, sowieccy ludzie wierzą w grzech! Co gorsza, wierzą w to również lekarze i do jednej kary dokładają następną: nie leczą chorych... Kompletny absurd! Kołdaszow padł ofiarą tego absurdu... I spotkał podobnych do siebie...

– Zaraz się rozpłaczę nad jego losem – rzekł Popielski. – Ma pan chusteczkę?

– Nie interesuje pana, jak uratowałem mu życie? – Czernikow zatarł ręce. – Cierpliwości, dojdziemy do tego... Przecież sam pan chciał, abym mu powiedział, co wyśpiewał ten ptaszek... No to proszę słuchać! Kołdaszow w końcu w lazarecie w Otwocku zaleczył kiłę. Poznał tam dwóch kolegów... Miał kompanów w swej chorobie... Jeden z nich to Władymir Borofiejew, dodatkowo chory na gruźlicę... To Rosjanin o urodzie Gruzina, a drugi to Kazach, niejaki Bachtijar Kekilbajew. Wszyscy trzej dobrali się jak w korcu maku! Nie chcieli już nigdy zachorować na syfilis, bali się ryzyka, a z drugiej strony mieli silne potrzeby... Jakie było wyjście? Jedno jedyne: ruchać dziewice! – Czernikow urwał, widząc, jakie wrażenie zrobił na Popielskim wulgarny czasownik. Przez zacięte oblicze Polaka przeleciał jakiś cień. – Nie jest to łatwe – ciągnął Rosjanin. – Za dziewictwo trzeba dużo płacić. Potrzebowali pieniędzy... Zdezerterowali z wojska, rabowali na potęgę, a wszystkie pieniądze wydawali na informacje o zdrowych, czystych, młodych dziewczątkach... Tych informacji dostarczał im ten, co dynda teraz w kuchni. – Wskazał palcem na kamienicę pełną światła i gwaru. – A teraz do rzeczy! Kiedy pan zasadził się na Kołdaszowa, ci dwaj byli na podwórku za zakładem jubilerskim. Wtedy przyjechałem ja tym ryczącym potworem – spojrzał na ciężarówkę – i chyba ich wystraszyłem, a panu tym samym ocaliłem skórę! A te skurwysyny znów wlazły do jakiejś nory... I, jak sądzę, połączyły się z inną bandą degeneratów... Dwaj sołdaci, jeden Gruzin i jeden Kazach, to łatwy cel, każdy ich rozpozna. Muszą się z kimś zjednoczyć... Ale, ale – uśmiechnął się. – Nie widzę wdzięczności na pańskiej twarzy...

Popielski nie miał najmniejszego zamiaru dziękować. Znał Rosjan doskonale. Uważał ich za ludzi przebiegłych, wielkodusznych i okrutnych. Nie wiedział jednak, jaki przymiotnik dopasować do kapitana Czernikowa. W tej sytuacji, podpowiadało mu doświadczenie, najlepiej zachować nieruchomą twarz i bezpieczne milczenie.

Tak też zrobił. Obrócił się na pięcie i powoli powlókł się w stronę katedry.

Do Czernikowa podszedł Kryżawcew.

– Co z nim? – zapytał, wskazując na barczyste plecy Popielskiego.

– Śledzić go do odwołania – powiedział w zamyśleniu Czernikow. – On nas doprowadzi do pozostałych. Jest lepszy ode mnie...

———————

Był zimny, ciemny poranek, kiedy nieprzytomny ze zmęczenia padłem na tapczan w nyży, na którym zwykle spała Leokadia. Jej pościel trąciła jeszcze delikatną wonią jej waniliowego mydła. Zamknąłem oczy i kiedy już zasypiałem, coś mną mocno wstrząsnęło – jakby w nyży nastąpiły jakieś elektryczne wyładowania. Ludzie zwykle opisują takie uczucie słowami: „Śmierć mi w oczy zajrzała". Pomyślałem o najgorszym, o śmierci Leokadii w szpitalu. O stanie zapalnym, który dewastuje jej organizm, wyniszczony przez wielotygodniowe bestialskie przesłuchania w ubeckich kazamatach. Nie mógł się on obronić przed zarazkiem zwykłej grypy, która teraz rozrosła się w zapalenie płuc i grozi Leokadii skonem. I pomyślałem wtedy o sprawcy tego zniszczenia – o zwyrodnialcu i sadyście pułkowniku Placydzie Brzozowskim.

Wtedy przyszedł mi do głowy plan. W razie śmierci Leokadii popełnię czyn godny kamikadze. Podejdę do Brzozowskiego na jednym z meczów hokejowych, które uwielbia, i wyrwę zawleczkę z granatu.

Uśmiechnąłem się do tego planu i zasnąłem mocnym snem. Nie sądziłem, że niedługo dane mi będzie spotkać to monstrum.

PUŁKOWNIKOWI PLACYDOWI BRZOZOWSKIEMU dokuczała podagra. Wykręcała mu paluch u lewej stopy tak dotkliwie, że nie tylko nie mógł na nim stanąć, ale nawet nie mógł go dotknąć. Atak przyszedł w niespodziewanym momencie – wczesnym rankiem, tuż przed raportem, który codzienne mu składał jego zastępca kapitan Bazyli Jakowlew.

Brzozowski od momentu ukończenia kursu oficerskiego NKWD w Kujbyszewie był zwolennikiem jak najdalej posuniętego formalizmu w oczywistym sowieckim stylu. Od zwierzchników oczekiwał upokorzeń, a od podwładnych bizantyjskich pokłonów. Z tymi ostatnimi obchodził się ostro i zdecydowanie, swoją wyższość zaznaczając jednostronnym tykaniem. To zawsze działało i już na samym początku wszystkim pokazywało miejsce w szeregu.

Niestety, nie mógł pokazać go swemu nowemu zastępcy, ponieważ ten był protegowanym jednej z najwyżej postawionych osobistości. Ten młody, niespełna trzydziestoletni funkcjonariusz został bowiem Brzozowskiemu narzucony przez samego ministra Stanisława Radkiewicza, który z jego ojcem blisko się przyjaźnił jeszcze na uniwersytecie Kominternu.

Nowy zastępca różnił się od swojego poprzednika Artura Wajchendlera – którego zresztą dzięki protekcji ordynarnie wygryzł – tylko butą i pewnością siebie. Od swojego szefa odróżniał się natomiast pod każdym względem – był szczupły, przystojny, wykształcony i towarzysko bardzo obyty. Szybko zjednywał sobie sympatię mężczyzn i zainteresowanie kobiet, które bez skrupułów wykorzystywał. W ciągu dwóch tygodni swojego pobytu we Wrocławiu zdążył już uwieść, jak szeptano w przestronnych korytarzach dawnej siedziby gestapo, jedną maszynistkę i jedną protokolantkę. Bazyli Jakowlew nie dorównywał swojemu szefowi tylko w dwóch cechach – w przebiegłości i w okrucieństwie. Brzozowski wiedział o tej swojej przewadze nad Jakowlewem i cierpliwie czekał na moment, kiedy ją wykorzysta. Tylko to pozwalało mu wciąż odczuwać wyższość nad zarozumiałym podwładnym, który niczego się nie bał i szydził z całego świata. Tego dnia Brzozowski dał mu oczywisty powód do drwin.

Podagra odezwała się około siódmej rano, kiedy jego sekretarka oznajmiła, używając nakazanego przez szefa sformułowania, że oto kapitan Jakowlew „czeka na audiencję". Brzozowski poprawił mundur na wydatnym brzuchu i kazał prosić. W tym samym momencie spojrzał na swoje stopy w samych tylko skarpetkach i przeklinając swój zwyczaj ściągania rano butów w biurze, wrzasnął, żeby Jakowlew jednak poczekał. Sięgnął pod biurko po wyglancowane oficerki. Wtedy podagra przystąpiła do ataku. Brzozowski za nic nie mógł wciągnąć buta na lewą stopę z obrzmiałym paluchem.

Sapiąc i stękając, porzucił w końcu swe obuwie i uniósł wzrok nad blat biurka. Kapitan Jakowlew najwidoczniej nie usłyszał zakazu wstępu i stał w gabinecie już od dłuższej chwili. Widział zatem dobrze szamotaninę szefa zakleszczonego w dziwnej pozycji między biurkiem a fotelem.

– Dzień dobry, obywatelu pułkowniku – przywitał się Jakowlew, najwyraźniej rozbawiony całą sytuacją. – Mogę w czymś pomóc?

– Nie! – warknął Brzozowski. – Siadać i meldować, co jest nowego!

Opadł ciężko na fotel. Z wściekłością patrzył na swoje stopy w skarpetkach. Nabrzmiały czerwony paluch wyłaził przez dziurę w jednej z nich. Nie był pewny, czy Jakowlew przypadkiem nie dostrzega ze swojego miejsca tego zawstydzającego braku w garderobie. Wsunął zatem nogi pod fotel.

– Jest tylko jedna ważna rzecz – powiedział zastępca i wyjął z aktówki brudnożółtą kopertę. – Raport Anastazji. Przeczytać obywatelowi pułkownikowi?

– Nie czytać! Streścić!

Jakowlew zaczął chodzić po pokoju i mówić spokojnym głosem. Jego nienaganna polszczyzna była jeszcze jednym powodem niechęci Brzozowskiego do narzuconego sobie zastępcy. Sam mówił nieskładnie, wplatając w swe wypowiedzi białoruskie i lwowskie wyrazy, a tymczasem ten elegancik, Moskal z dziada pradziada, mówił po polsku jak profesor, zdradzał go tylko lekki akcent. Brzozowski patrzył na swą dziurawą skarpetkę i nie mógł się skupić na słowach podwładnego.

– Siadać! – krzyknął w końcu. – Nie łazić, bo mnie głowa boli! I wszystko raz jeszcze! Od początku!

Jakowlew usiadł i spojrzał na szefa przeciągle. W jego oczach migotały ogniki rozbawienia.

– Już mogę?

– Wiecie, towarzyszu – Brzozowski przyklepał wielką dłonią gęste siwe włosy, które mu się układały nad czołem w trzy fale – wiecie, trochę niezdrów jestem, wczoraj było o jeden za dużo i podagra się odezwała... Powinienem lepiej słuchać lekarza. Zabronił wódki i czekolady, a wczoraj w Savoyu było i to, i to...

– Mój ojciec miał podagrę – powiedział Jakowlew. – Współczuję wam, ból nie do zniesienia... To co? Mam streścić teraz raport Anastazji?

Brzozowski kiwnął głową i odwrócił się z fotelem do okna, skutecznie ukrywając dziurawą skarpetkę przed wzrokiem podwładnego. Zapatrzył się na pusty, rozjeżdżony plac Wolności. Aż stąd, z drugiego piętra, widział, jak spod kół jadącej przezeń ciężarówki strzyka błoto.

– Anastazja odezwała się po kilku tygodniach – rozpoczął Jakowlew. – Pojawia nam się ciekawy ptaszek. Mieczysław Stefanus, profesor liceum ogólnokształcącego...

– Przesadzacie z tytułami – mruknął Brzozowski. – Profesorowie to byli przed wojną... Znałem takich... Każden z nich funia strugał... Teraz to jest normalny nauczyciel, funkcjonariusz na odcinku oświaty...

– Otóż ten funkcjonariusz na odcinku oświaty – zastępca pułkownika nawet nie próbował ukryć ironii w swym głosie – wyznaje poglądy wrogie socjalizmowi i radzieckim sojusznikom. Napisał książkę, którą chce wydać za granicą, we Francji. Koresponduje ze znanym filozofem, klechą i jezuitą Pierre'm Teilhard de Chardin. Jego książka, tak twierdzi, może go uczynić sławnym na cały świat. Jest to bardzo poważna praca... Nie takie sobie zwykłe filozofowanie, ale rozprawa pełna matematycznego aparatu, wzorów, wykresów, obliczeń i statystycznych danych, które zbierał wiele, wiele lat...

Brzozowski był znudzony. Odwrócił się do swojego podwładnego i uciszył go szybkim gestem.

– Zawracacie mi głowę takim gównem? – wysyczał przez rzadko rozstawione i krzywe zęby. – Mało to mamy porządnej roboty? Co nas obchodzi ten filozof, jakiś zakrystianin, dziad kościelny? Jak będzie się zanadto rzucał, to trafi tu do nas ze swoimi papierami i niczego nie wyda na zgniłym Zachodzie!

Jakowlew wyciągnął papierośnicę, otworzył ją i podał usłużnie szefowi, podchodząc do niego. Na widok jego dziurawej skarpetki uśmiechnął się nieopanowanie.

– Nie jest to takie proste, bo na aresztowanie Stefanusa nie pozwala Anastazja, a jest ona dla nas zbyt ważna! – mówił szybko, uprzedzając wybuch irytacji szefa, który zaraz się zorientował, że jego garderobiane uchybienie zostało odkryte. – Przez te konspirujące dzieci dojdziemy do ich rodziców...

– No tak. – Brzozowski natychmiast się uspokoił i postukał kwadratowymi, popękanymi paznokciami o blat stołu. – Rzeczywiście jest dla nas ważna... – Otworzył szafkę w swoim biurku. Chwycił obiema rękami bolącą nogę. Ze stękaniem wsunął ją do otwartej szafki i położył ją na pustej półce. Najwyraźniej mu ulżyło. – Nie możemy marnować czasu i ludzi – powiedział spokojnie. – Anastazja nie pozwala go chapnąć? No to go nie chapniemy! Macie zdjęcie tego Filipusa? Tak? No to pokażcie!

Jakowlew położył przed nim teczkę. Brzozowski przyjrzał się uważnie szczupłemu, przystojnemu brunetowi uwidocznionemu na zdjęciu. Trudy i niebezpieczeństwa życia wyostrzyły jego wrodzoną podejrzliwość i niezawodny zwykle instynkt szybkiej oceny ludzi po wyglądzie, ruchach, spojrzeniu. „Mam bystre oko do ludzi" – mawiał. Mieczysław Stefanus nie wzbudził w nim żadnych podejrzeń. Pchnął akta przez biurko w stronę Jakowlewa.

– Książka tego Filipusa ma być jak najszybciej na waszym biurku! Znacie się na takich bzdurach, to ją przeczytajcie! A potem do pieca z nią! Wykonać, obywatelu kapitanie!

– Tak jest!

Zapalił papierosa i powtórzył w zamyśleniu jego słowa:

– Hm... Anastazja osobiście go chroni... – mruczał. – Dlaczego, do jasnej cholery, jest zainteresowana jakimś gościuniem, który może ma szmergla? Powiedzcie no mi...

Spojrzał na Jakowlewa i uśmiechnął się złośliwie. Zauważył bowiem, że jego podwładny nie zrozumiał określenia „gościunio ma szmergla". To go wprawiło w znakomity nastrój. Postanowił go jeszcze podręczyć, aż ambitny elegancik pęknie, aż pokaże jakąś słabość.

– Nie wiem – odparł Jakowlew. – Tu chyba chodzi o jakieś przywiązanie, zauroczenie, sam nie wiem. Po prostu sprawy sercowe...

– Sprawy sercowe, no nie wytrzymam. – Brzozowski wybuchnął śmiechem i zatrząsł się cały, aż jego paluch zareagował ostrym bólem. Chwycił się za nogę. – Tak mnie giczoły naiwaniają, że chyba sczeznę! – wysyczał. – Co mi na to poradzicie?

– Nie wiem – odparł niepewnie Jakowlew.

– Jak to? – zdziwił się Brzozowski. – Przecież wasz ojciec też na to chorował!

Ból ustąpił i pułkownik zarechotał. Jakowlew wstał i spojrzał na szefa z niepowstrzymaną pogardą.

– Obywatelu kapitanie – powiedział dobitnie – z całym szacunkiem, ale ja bardzo dobrze znam język polski, a nawet wyrazy dialektyczne... I chętnie powiem wam, gdzie się tak dobrze nauczyłem po polsku. Studiowałem w Leningradzie matematykę i zachwyciłem się waszymi logikami. Tymi wszystkimi Tarskimi i Leśniewskimi... I zacząłem ich czytać w oryginale, po polsku... Potem przyszła literatura... A teraz ja wam coś powiem, obywatelu pułkowniku, powiem wam coś raz na zawsze! – Jakowlew wpadł w taki nastrój, że Brzozowski, mimo swego przekonania o świetnym władaniu polszczyzną, nie wiedział, jak go nazwać. Ułatwił mu to mówca. – A zatem powiem was coś w uniesieniu, obywatelu kapitanie! Tak, w uniesieniu Są tylko dwie wielkie kultury słowiańskie. Polska i rosyjska A ja jestem człowiekiem obu tych kultur, czy się to wam podoba, czy nie!

– Zaraz, zaraz. – Brzozowski uśmiechał się drwiąco. – A inne narody? Na przykład nasi bracia Białorusini, Ukraińcy to niby co?

– Co?! – Jakowlew się zaczerwienił. – Cała reszta to chamy bez kultury! Zwykłe chachłaki!

Brzozowski śmiał się długo i donośnie nawet wtedy, gdy jego zastępcy już dawno nie było w gabinecie. Był zadowolony, bo przypadkiem znalazł słaby punkt u kogoś, kogo uważał za irytujący monolit. W swych codziennych starciach z Jakowlewem po raz pierwszy odniósł zwycięstwo. Sięgnął po słuchawkę telefonu i kazał sekretarce podawać „wzmocnione" śniadanie. Po kilku minutach stały przed nim koszyk bułek, talerz szynki, maselniczka i samowar, a obok malutka, pękata karafka wódki. Jadł łapczywie, wpychając sobie palcami do ust grube plastry wędliny. Noga już mniej go bolała.

– Mam w dupie podagrę – sapnął, po czym nalał sobie wódki. – Uniósł kieliszek, patrząc na drzwi, za którymi zniknął Jakowlew. – Spierdalaj do Moskwy, kacapie! – powiedział i wypił.

Obudziło mnie pukanie do drzwi. Otwarłem oczy i przez kilka sekund zastanawiałem się, gdzie właściwie jestem. Po chwili rozpoznałem kształty i zapachy. Leżałem w nyży Lodzi, zegarek pokazywał samo południe, ale coś się nie zgadzało. Te odgłosy. Zrozumiałem, że ktoś puka – ze wszystkich stron jednocześnie. Ktoś stukał w jedne drzwi od strony korytarza i w drugie od strony pokoju, do którego wychodziły drzwi od nyży. Zebrałem myśli i wytypowałem sprawcę tego hałasu. To mogli stukać tylko mój najbliższy sąsiad i jego żona. Po prostu każde z państwa Scholzów dobijało się od innej strony mojego mieszkania.

Te przypuszczenia się sprawdziły. Od strony korytarza usłyszałem bowiem głos doktora:

– *Herr Doktor Popijelski*, czas wstawać!

Wstałem ciężko z łóżka i narzuciłem paltot na ramiona. Nie bardzo rozumiałem, skąd mój sąsiad wie, że nadszedł czas wstawania, i dlaczego właśnie południe byłoby tym czasem. Wyszedłem z nyży i otwarłem drzwi wejściowe. Stał w nich doktór Paul Scholz i szeroko się uśmiechał.

– Zapraszamy pana do nas na obiad, *Herr Doktor*! Jest niedziela, a pan sam... Moja żona zrobiła *Eintopf* i naleśniki na deser.

Tego poranka nie byłem zbytnio rozgarnięty. Zamiast grzecznie podziękować za uprzejmość, zacząłem wietrzyć jakiś podstęp i oszustwo. Podrapałem się w głowę i spojrzałem na zegarek.

– Obiad? Przecież dopiero dwunasta...

Doktor Scholz głośno się roześmiał.

– Bolszewicy puścili pana wolno, z tej radości to się chyba panu czas poprzestawiał. Jest druga, *Herr Doktor Popijelski*, czas obiadu!

Dopiero teraz podziękowałem mojemu sąsiadowi, nastawiłem spóźniający się zegarek i obiecałem zjawić się na obiedzie jak najszybciej – jak tylko się ogolę.

Mydląc twarz, zastanawiałem się nad dzisiejszym dniem. Zaproszenie Scholza świadczyło o wielkiej serdeczności, ale burzyło mój plan. Jeszcze wczoraj bowiem postanowiłem sobie, że zaraz po przebudzeniu udam się do mieszkania Pasierbiaka i przeszukam je o wiele dokładniej niż ostatniej nocy, kiedy to byłem skrępowany mimo wszystko obecnością Sowietów i tak skonany wypadkami wieczoru, że chciałem tylko zagrzebać się w pościeli i zapomnieć o całym świecie. Byłem pewien, że stróż mi nie przeszkodzi w planowanej rewizji. Nieborak był tak skołatany wypadkami ostatnich dni, że nie wiedział, jak się nazywa. Poza tym moja obecność w sowieckim oddziale bardzo mnie uwiarygadniała w jego oczach jako śledczego. „Takie czasy – mruczałem do siebie, zdzierając brzytwą zarost. – Aby prowadzić śledztwo, muszę się podawać albo za ubeka, albo za ruska".

Przeszukanie mieszkania Pasierbiaka było więcej niż uzasadnione. Mocno wątpiłem w jego samobójstwo. Paser był nie tylko bogaty, ale i dobrze ustosunkowany. O pierwszym świadczyło oczywiste nagromadzenie rzeczy wartościowych, widoczne w całym mieszkaniu na każdym kroku, o drugim zaś to, iż z nikim nie dzielił ogromnego mieszkania. By cieszyć się tak wielkim lokalem – na oko ponadstumetrowym – nie wystarczyło dawać łapówek w Wydziale Mieszkaniowym Zarządu Miejskiego: znajomości w policji politycznej były tu również konieczne. A zatem wybraniec losu, bogacz z koneksjami w ubecji, mężczyzna zakochany i szczęśliwy, jak to wynikało z wyznań do niejakiej Elżuni, zostawia listownie handlowe dyspozycje i zwykłe informacje dla swoich kundmanów i krewnych, po czym wiesza się w kuchni? Nie wydawało mi się to prawdopodobne. Musiałem znaleźć odpowiedź na jedno ważne pytanie: jak zinterpretować słowa Pasierbiaka skierowane do Borofiejewa: „Koniec z dziewczynkami. Zbyt gorąco"? O czym one świadczą – o ogólnej atmosferze w mieście czy też jakichś szczególnych naciskach na pasera? O tym wszystkim mogły mi powiedzieć tylko jakieś ukryte materiały, których nie zdołałem znaleźć. Odkrycie ciała Pasierbiaka uniemożliwiło mi dalsze eksploracje. Musiałem to nadrobić dzisiaj. „Niestety – westchnąłem małodusznie – zrobię to dopiero po naleśnikach". Nawiasem mówiąc, nigdy nie przepadałem za tą potrawą.

POPIELSKI PO ZJEDZENIU OBIADU i deseru pożegnał gościnnych państwa Scholzów i ruszył często ostatnio przez siebie uczęszczaną drogą w stronę katedry i mostu Tumskiego. W nocy spadł pierwszy tamtego roku śnieg. Na rogu ulic Szczytnickiej i Świętego Wojciecha napotkał całą chmarę dzieci z sankami, które ciągnęły w stronę mostu Wojewódzkiego i Wzgórza Polskiego. Kilku malców zaczęło się rzucać śnieżkami. Jedna z nich minęła o kilka centymetrów rondo kapelusza Popielskiego i trafiła w słup ogłoszeniowy. Detektyw spojrzał na plakat, w który trafiła śnieżka, i zaraz porzucił zamiar ostrego upomnienia malca. Śnieg rozlewał się bowiem po twarzy widniejącego na plakacie czerwonoarmisty, który tańczył kazaczoka i wskazywał palcem na napis: „Teatr Miejski zaprasza na koncert rosyjskich pieśni ludowych, jakie wykona Zespół Pieśni i Tańca Wojsk Radzieckich".

Na moście Tumskim detektyw usłyszał melodię *Czerwonych maków na Monte Cassino* wygrywaną na organkach i ujrzał swego dobrego znajomego – nieszczęsnego chłopca bez nóg i jednej ręki. Uśmiechnął się do niego i rzucił mu do czapki kilka monet.

Muzykant spojrzał na ofiarodawcę i uciekł wzrokiem. Podejrzliwy Popielski wyczuł w tym geście jakiś fałsz. Przystanął kilka metrów za chłopcem, ręce oparł o barierkę mostu i zapatrzył się w nurt Odry. Starał się szybko złapać pierwsze intuicje i skojarzenia, które pojawiły się w jego umyśle.

Zwykły człowiek może by się oburzył w duchu, że kaleki chłopiec, który dzięki niemu przedwczoraj zarobił sporą – jak na swoje możliwości – sumę, teraz udaje, że nie zna dobroczyńcy. Może ktoś inny zwróciłby kalece uwagę, a nawet – w tym czasach nie brakowało ludzi o gwałtownych reakcjach – zwymyślał go za obojętność. Popielski tego nie zrobił. Po pierwsze, nie miał żadnych oczekiwań wobec ludzi, a po drugie, był starym, doświadczonym policjantem i wiedział, że ucieczka wzrokiem świadczy o jednym – że on sam jest dla chłopca osobą niepożądaną.

Postanowił dowiedzieć się dlaczego i odwrócił się do kaleki. Tego już jednak nie było. Kilkanaście metrów dalej młody obdartus pchał szybko wózek, który turkotał po nierównym bruku.

Popielski rzucił się w pogoń. Był wprawdzie starszym panem i dawno już nikogo nie ścigał, ale tym razem nie miał najmniejszych wątpliwości, że złapie młodego żebraka.

Jego buty ślizgały się niebezpiecznie po śniegu, ale z każdą sekundą dystans pomiędzy nim a uciekającymi się zmniejszał. Obdartus pchający wózek, widząc to, porzucił w pewnej chwili swego kolegę i wskoczył za ceglany mur okalający podwórko przy moście i tam zniknął na dobre. Popielski go nie ścigał. Chwycił wózek, na którym siedział młody żebrak, i pociągnął pojazd w stronę pomnika Świętego Jana Nepomucena. Chłopak wył i wrzeszczał, czym przyciągnął uwagę jakiegoś starszego mężczyzny, u którego boku szła dużo młodsza kobieta. Mężczyzna ostrym tonem zadał Popielskiemu pytanie, co mianowicie wyprawia z tym kaleką, widząc jednak jego ponury wzrok i wrogi wyraz twarzy, poniechał wszelkich interwencyj.

Popielski popchał wózek w stronę ruin kamienic, które stały pomiędzy kanałem Odry a kościołem Świętego Marcina. Gdy wjechał do pierwszej lepszej bramy, ciężko oddychał. Chłopak przestał krzyczeć. Siedział w milczeniu cichy i gniewny. Popielski wciąż sapał. Mimo zimna zdjął kapelusz i wachlował się nim intensywnie. Chłopak pociągnął nosem z charkotem i plunął w stronę detektywa. Ten uskoczył w porę i zastanawiał się, jak zacząć z tym chłopcem. Był starym i doświadczonym policjantem, ale po raz pierwszy w życiu przesłuchiwał tak ciężko dotkniętego przez los kalekę.

– Co tak skaczesz, łysy skurwysynu?! – wrzasnął chłopiec. – I tak ci tej forsy z listu nie oddam, chuju złamany! Możesz mnie zabić, a ja jej, kurwa, nie mam! Nie mam i już!

– A sam list masz? – zapytał go spokojnie Popielski po chwili zastanowienia.

– Wyrzuciłem, kurwa! Po co miałem trzymać jakiś jebany list?!

Popielski poczuł, że wściekłość żebraka mija. Nie zamierzał jej na nowo wzbudzać agresywnym tonem i nerwowymi ruchami. Wyciągnął w stronę chłopca papierosy. Ten pokręcił przecząco głową.

– Gdzie wyrzuciłeś? – zapytał Popielski, wypuszczając dym. – Gdzieś niedaleko? Powiedz mi, chłopcze, pojedziemy tam, znajdę list i dam ci spokój! Nie chodzi mi o żadną forsę, ale o list, rozumiesz?

Chłopiec milczał. Popielski spojrzał mu w oczy i ujrzał jakby lśnienie łez. Już wiedział, że to milczenie oznacza zgodę. Oparł ręce na wózku i wyprowadził go ze śmierdzącej moczem bramy. Chłopak wskazywał kierunek swoją jedyną kończyną. Po chwili znaleźli się na moście prowadzącym na Wyspę Słodową.

– Gdzieś tu go wypierdoliłem. – Kaleka wskazał na śmieci walające się po lewej stronie przed mostem.

Jeszcze nie zaczęły się zimowe popołudniowe ciemności i było całkiem widno. Popielski wszedł na stos odpadków, płosząc dwa szczury, które czmychnęły w stronę rampy młyna Maria. Kijem przerzucał co większe przedmioty i po chwili znalazł kopertę. Wyjął z niej list i przeczytał go dwukrotnie.

Szanowny Panie Profesorze,
tą listowną drogą oddaję teraz Panu mój dług, sto dolarów, z gorącymi przeprosinami. Niestety, nie mogłem oddać go osobiście z powodu pilnego wyjazdu.

Z poważaniem
Feliks Pasierbiak

Popielski podszedł do chłopca i spojrzał na organki kołyszące się na drucie. Sto dolarów to było bardzo dużo, nawet do podziału między trzech. Żebrak przez dłuższy czas nie musiał uprawiać swego procederu.

– Jak widzisz, nic ci nie zrobiłem. – Popielski przyglądał się chłopcu. – Powiedz mi tylko jedno. Jest was trzech albo czterech, o ile się nie mylę. Podzieliliście między siebie tę forsę z listu? Jeśli tak, to co tu jeszcze robisz na tym moście? Trzydzieści, a nawet dwadzieścia pięć dolców to sporo siana. Nie siedź już na zimnie i nie graj więcej. Masz pieniądze, to zamieszkaj w znośnych warunkach! Znam na Kiełbaśniczej bursę dla inwalidów. Idź tam, a nie marznij tutaj na tym moście!

Kaleka spojrzał na Popielskiego spode łba.

– Da mi pan cygareta?

Detektyw wyciągnął paczkę w jego kierunku.

– Płacę im za opiekę – usłyszał. – No to zaiwanili moją działkę. Będą się mną za to opiekowali przez pół roku... A na organkach to i tak muszę grać... Muszę z czegoś żyć...

Popielski pchnął wózek.

– Na most? – zapytał.

Chłopiec skinął głową. Kiedy już się znaleźli na moście Tumskim, Popielski nachylił się nad żebrakiem.

– Mówię ci, idź na Kiełbaśniczą. Tam się lepiej tobą zaopiekują niż twoi koledzy...

– Oni się dobrze mną zajmują – prychnął chłopak. – I nic panu do tego!

W Popielskim obudził się duch polemiczny.

– Właśnie widziałem, jak się tobą dobrze zaopiekował! Porzucił cię na środku ulicy i zwiał!

– Co ci, kurwa, do tego, łysy chuju?! – wrzasnął kaleka. – A zresztą to nie należy do ich obowiązków!

– A co należy? – zapytał Popielski.

– Podcieranie mi dupy!

Detektyw pozostawił chłopca na moście. Jego wyzwiska i obelgi nie czyniły na nim najmniejszego wrażenia. Szedł noga za nogą i cały poświęcał się rozmyślaniom. W kieszeni jego paltota tkwiła koperta, a na niej widniały wielkie jak kulfony litery układające się w słowa: „Wielmożny Pan Profesor Henryk Murawski".

Nie przeszukałem dzisiaj mieszkania Pasierbiaka ani nie wypytałem o nic dozorcy kamienicy. Kiedy zajrzałem na podwórko domu na Świętej Jadwigi, ujrzałem tam milicyjny samochód. Zawróciłem na pięcie i udałem się do restauracji Lwowskiej na Kilińskiego. Tam przy dwóch kuflach fulla wrocławskiego i bułce z siekanym śledzikiem udało mi się zebrać myśli.

Pojawienie się w śledztwie Murawskiego i zdumiało mnie, i zasmuciło. Oba te uczucia nie były połączone ze sobą koniunkcją, lecz raczej implikacją – smutek był skutkiem zdziwienia. Choć lepiej może by było użyć wyrazu „zadziwienie". Zadziwia nas na przykład piękno natury i w tym uczuciu doświadczamy jakiejś pełni – góry, strumień i łąki są przez nas ujmowane jako części dobrze urządzonego świata, jako elementy układanki, które świetnie do siebie pasują i tworzą godną podziwu pełnię. Pojawienie się Murawskiego w sprawie gwałtów było właśnie dobrze dopasowanym kamykiem w skomplikowanej mozaice. A oto zarys tej mozaiki. *Primo*: Murawski jest nauczycielem i ma łatwy dostęp do adresów swych uczennic – młodziutkich dziewcząt, które są bardzo cennym żywym towarem. *Secundo*: profesora łączyły z Pasierbiakiem jakieś bardzo intratne interesy, skoro paser był mu winien astronomiczną sumę stu dolarów. *Tertio*: Pasierbiak był stręczycielem, który za grubą forsę dostarczał bolszewickim mętom adresy dziewic. *Quarto*: przez Kołdaszowa *et consortes* zostały zgwałcone dwie uczennice Murawskiego – Teresa Bandrowska i Janina Maksymońko. Czyż z tych czterech przesłanek nie wynika oczywisty wniosek, że Murawski może być pierwszym ogniwem tego łańcucha? Cały proceder mógł wyglądać następująco: Murawski wynotowywał z dziennika lekcyjnego adresy uczennic i sprzedawał te informacje Pasierbiakowi, a ten odsprzedawał je następnie bolszewickim kanaliom.

I ten właśnie wniosek bardzo mnie zasmucił. Gdyby był prawdziwy, to wtedy zagorzały przeciwnik sowieckiego ustroju, autorytet młodzieży i znakomity pedagog, który ryzykuje swoją posadę, wolność, a może nawet życie, w szlachetnej służbie prawdzie, okazałby się najgorszym łajdakiem, kupczącym życiem i śmiercią swych uczennic!

Musiałem dowiedzieć się czegoś więcej o Murawskim. Od kogo? W moim zasięgu były tylko dwie takie osoby. Pierwszą był profesor Stefanus, jego przyjaciel, z którym podejrzany niegdyś dzielił obozową pryczę, a teraz angażuje się w tajne nauczanie. Mimo różnic ideowych, jakie ich dzielą, jeszcze więcej ich łączy – niezgoda na indoktrynację młodzieży oraz szczytne wspólne przedsięwzięcie edukacyjne. Czy zatem Stefanus zdradzi mi cokolwiek, co by mogło zaszkodzić jego serdecznemu koledze? Ta chodząca szlachetność na pewno nie tylko mi nie powie nic, co by obciążało Murawskiego, ale nawet może nie zechcieć wysłuchać do końca moich podejrzeń!

Pozostawała mi zatem druga osoba, która wprawdzie przestawała z profesorem od niedawna, ale za to znała go – by tak rzec – dogłębnie.

Wiedziałem z własnego doświadczenia, że niejeden mężczyzna po chwilach erotycznych uniesień – choćby dla zabicia czasu, nim nabierze nowych sił – paple z kurtyzaną o wszystkim i wyjawia jej czasem nawet największe sekrety.

Wieczorem tego dnia, kiedy odkryłem konszachty Murawskiego z Pasierbiakiem, złożyłem wizytę Jeanette.

Spotkałem ją pod domem. Wystrojona i starannie umalowana, szła pod rękę ze swoim alfonsem. Przez ramię miała przewieszoną skórzaną torbę. Poprosiłem ją o chwilę rozmowy, ale nie miała czasu. *Monsieur* Alphonse potwierdził to. Eskortował ją do specjalnego klienta. Gadatliwa Jeanette wymieniła nawet jego nazwisko, za co sutener ją zresztą ostro zbeształ. Śpieszyli się.

Pobiegłem za nimi. Nie ustępowałem i obiecałem wyręczyć tymczasowo alfonsa w opiece nad Jeanette i odprowadzić ją do klienta. Zgodził się pod warunkiem, że zaprowadzę ją tam, a potem odprowadzę do domu. Miało mnie to zniechęcić. Był przekonany, że moja godność i poczucie przyzwoitości nie pozwolą mi wcielić się w jego rolę. Ale sutener i ja przez słowa „godność" i „przyzwoitość" rozumieliśmy coś zupełnie innego. Zgodziłem się ku jego zdziwieniu.

I tak Jeanette zawisła u mego ramienia. Bez najmniejszego oporu zgodziła się na to, abym wszedł wraz z nią do domu klienta i poczekał tam na nią, jeśli kochaś na to pozwoli. Szedłem zatem ulicą Nowowiejską, jedną z głównych arterii Wrocławia, a przy mym boku szła kołyszącym się, prowokacyjnym krokiem piękna dziewczyna. Ludzie, którzy nas mijali, nie mogli się powstrzymać od słownych i pozasłownych komentarzy. Jacyś młodzieńcy drwili z mojej rzekomej jurności, jakiś milicjant przez chwilę się wahał, czyby nas nie zatrzymać i nie zażądać od Jeanette książeczki zdrowia, jakaś jejmość siarczyście splunęła nam pod nogi. Uśmiechnąłem się na myśl o ironicznych uwagach, jakie Leokadia pewnie by wygłosiła na nasz widok. Nie dbałem o opinię ani mej kuzynki, ani wrocławskiej ulicy. Klient, do którego odprowadzałem Jeanette, był to człowiek zajmujący moje myśli przez całe dzisiejsze popołudnie.

PROFESOR HENRYK MURAWSKI mieszkał w okazałej kamienicy na ulicy Ukrytej. Zanim tam doszli, Popielski wyjaśnił pewną wątpliwość dotyczącą tej „wizyty domowej".

– Dlaczego nie przyjmujesz go w domu? – zapytał.

– Nie powinnam mówić o klientach, bo Wicek by się gniewał... – Spojrzała na Popielskiego z wyczekiwaniem.

– Słowa mu nie powiem, obiecuję. – Spełnił jej niemą prośbę.

– Ten profesorek nie wszystko ma po kolei w głowie, wie pan? Strasznie się denerwuje w czasie, kiedy... No wie pan... Krzyczy wtedy różne bzdury... Muszę go uciszać... A on nie słucha i dalej się drze... Nie mogę go w domu przyjmować...

– A na przykład co krzyczy? – dopytywał się Popielski.

– A na ten przykład, że Bóg jest diabłem. – Dziewczyna szybko się przeżegnała. – Albo że Boga nie ma... Takie coś krzyczał... Więcej nie wiem...

– No dobrze – indagował ją nadal detektyw. – Z tak błahego powodu już go nie przyjmujesz? Tylko dlatego, że trochę krzyczy? Gdybyś na te wrzaski machnęła ręką, to nie musiałabyś chodzić teraz po nocy do niego i jeszcze Wincentego w to angażować!

– Niech pan tak tylko do niego nie mówi... – Jeanette ściszyła głos. – Wincenty znaczy... Tak nie... On tego nienawidzi, bo tak do niego mówił przed wojną pan, u którego on był za parobka... „Mój poczciwy Wincenty". Tak mówił...

Jeanette zamilkła i rozejrzała się bojaźliwie. Szli ulicą Prusa, pomiędzy Instytutem Botaniki a parkiem Nowowiejskim. Było tu znacznie bezpieczniej niż wśród ruin na ulicy Górnickiego. Tu niebezpieczeństwo groziło tylko od strony parku, skąd mógł wynurzyć się ktoś niepożądany, w ruinach zaś trzeba było mieć oczy dokoła głowy.

Kiedy minęli ulicę Rozbrat, a potem szli Chemiczną, Jeanette przypomniała sobie o pytaniu swego towarzysza.

– Wie pan, to wcale nie takie fiu-bździu, te jego krzyki znaczy... On się strasznie głośno drze... Takim głosem jak katabas jaki z ambony... Kiedyś tak się darł... aż tatuś się wystraszył i zaczął piszczeć... I kiedy weszłam do dziadziusia, dziadziuś nasrał... On, biedak, niezwyczajny takich krzyków... I Wicek zabronił przyjmować go już w domu...

Popielski z trudem stłumił śmiech. Doszli do właściwego numeru i po chwili stali pod właściwymi drzwiami.

Murawski nie mógł pohamować zdziwienia. Patrzył na Popielskiego, a jego grdyka poruszała się gwałtownie ponad rozpiętym kołnierzykiem.

– A pan co tu robi?

– Jestem prywatnym detektywem i wykonuję swoją pracę. – Uśmiechnął się do nauczyciela. – Dzisiaj na przykład zajmuję się eskortą panny Jeanette... – Nachylił mu się do ucha. – Wie pan, będę miał za to darmowe ruchanko!

Murawski otworzył usta ze zdumienia. Popielski nie pozwolił mu dojść do głosu.

– Pozwoli mi pan u niego poczekać?

– Nie! Proszę wyjść! I proszę mnie nie nachodzić!

Miał rzeczywiście donośny głos. Zadudnił on potężnie na klatce schodowej. Trzasnęły drzwi u góry. Jakiś młody mężczyzna w wymiętej koszuli i w kaszkiecie przechylił się przez poręcz. Spojrzał na dziwną parę stojącą u drzwi Murawskiego. Jeanette w jego wzroku dostrzegła zainteresowanie, Popielski – lekceważenie.

– Może w czymś pomóc, panie profesorze? – zapytał, wychylając się jeszcze mocniej.

– Nie, nie, dziękuję, panie Józku – powiedział nauczyciel. – To domokrążcy... No, wchodźcie, wchodźcie, pokażcie, co tam macie!

Weszli, słysząc za sobą okrzyk pana Józka: „To może i ja coś kupię!?".

Stali w ciemnym przedpokoju. Poprzez uchylone drzwi słychać było wesołe młodzieńcze głosy. Murawski wskazał Jeanette łazienkę i dziewczyna zaraz tam poszła. Potem podszedł do detektywa.

– Pan już dla nas nie pracuje, Popielski – mruknął. – Nie mam zamiaru pana u siebie przyjmować... Poza tym przychodząc tu, burzy pan zasady konspiracji...

– Jeanette nic mi nie mówiła, że chce ją pan przedstawić swoim uczniom...

– Bo nie chcę! – syknął Murawski. – Mam jeszcze kwadrans wykładu! Ta biedna dziewczyna jest analfabetką, to i chyba na zegarku nie zna się zanadto... No, żegnam pana! Ona do kibla, a pan fora ze dwora!

Popielski poczuł lekkie swędzenie na czubku głowy. Była to oznaka nadchodzącego gniewu. Opanował go. Postanowił rozładować go tylko częściowo. Zamiast wyrżnąć nauczyciela w twarz, pchnął go mocno w pierś. Murawski runął na wieszak, na którym wisiały płaszcze. Trzasnął materiał któregoś z nich i guzik stuknął o posadzkę.

– Mam przedstawić kurwę pańskim uczniom? Licealistom? – Detektyw wyraźnie cedził słowa. – Chce pan, by to wyszło na jaw? Czy też może pozwoli mi pan jednak spokojnie wypalić kilka papierosów w pańskiej kuchni? Obiecuję, nie będę podsłuchiwał i nie będę wam przeszkadzał... Nie chce mi się iść do domu i potem znów tu przychodzić po Jeanette... Pański sąsiad, pan Józek, chyba mnie nie polubił i nie ucieszy się, kiedy mnie spotka kręcącego się po kamienicy...

Murawski spuścił głowę.

– Pal! – warknął. – Tylko zamknij pan drzwi, żeby żaden nie widział pańskiej łysej pały...

Detektyw wszedł do kuchni. Po chwili usłyszał miarowy głos profesora kontynuującego wykład.

Rzeczywiście zapalił papierosa. Był na siebie zły. Powinien kontrolować swoją agresję i nie dopuścić do rękoczynów wobec nauczyciela. Nie był na sto procent pewien jego winy, a już traktował go jak przestępcę.

Wyszedł z kuchni i wszedł cicho do przedpokoju. Los sprawił mu nie lada prezent. Trafił bowiem do mieszkania podejrzanego i mógł je w dodatku w miarę dokładnie przeszukać, oczywiście z zachowaniem wszelkich środków ostrożności. Zaraz jednak powstrzymał przedwczesną radość. Dokładna rewizja nie wchodziła tego dnia w grę, a było mało prawdopodobne, by profesor Murawski dowody swojej winy oprawił w ramy i powiesił w salonie.

Popielski najpierw wszedł do łazienki, gdzie na zamkniętej muszli klozetowej siedziała Jeanette. Na kolanach trzymała swoją dużą torbę. Wystawała z niej jakaś sukienka.

– Mieszka sam? – zapytał cicho Popielski.

Dziewczyna skinęła potwierdzająco głową. Detektyw rozejrzał się po wąskim wnętrzu, w którym głośno huczał ogień w wysokim, podłużnym piecu. Na umywalce stał pędzel do golenia i słoik z białymi zaciekami. Ze słoika wystawała brzytwa. W porcelanowej mydelniczce leżał zużyty, cienki plaster mydła. Na drzwiach wisiał jeden ręcznik. Jeanette miała rację. Profesor najwyraźniej mieszkał sam.

Popielski obejrzał sąsiadującą z łazienką równie wąską kuchnię. Była czysto wysprzątana. Na stole leżało pół bochenka chleba obok słoiczka smalcu, jednej szklanki ze spodkiem i z łyżeczką, jednym talerzem i jednym zestawem sztućców. Wszystkie nieliczne przedmioty bez pary wywarły na Popielskim przygnębiające wrażenie. Były równo poukładane – jakby ktoś z nudów albo powodowany chorobliwą pasją do porządku, ułożył je obok siebie w jednakowych odległościach. Mówiły one więcej o samotności niż wszystkie wiersze Rilkego.

Detektyw niczego więcej nie znalazł w dwóch pozostałych pokojach. Jeden z nich był tak zagracony potężnym tapczanem, ubraniami i kartonowymi pudłami, że trudno się było w nim poruszać, a co dopiero go przeszukać. Po pobieżnym przejrzeniu wnętrza i przerzuceniu kilku ubrań wszedł cicho do gabinetu. Ten sąsiadował z największym pomieszczeniem, czyli – jak można było wnosić – jadalnią, gdzie teraz odbywał się wykład. Mimo kuszących perspektyw rewizji nie można było gabinetu dokładnie przetrząsnąć. Uniemożliwiał to mrok, lekko tylko rozproszony słabą poświatą dochodzącą zza oszklonych drzwi do jadalni, a zapalenie światła w gabinecie groziło zdemaskowaniem. Nie można było również przejrzeć papierów i notatek, które leżały na parapecie pod oknem. Wprawdzie trochę światła padało z ulicy, ale – by się dostać do okna – trzeba było od niego odsunąć stolik szachowy, na którym stały duże drewniane figury. Popielski zarejestrował jedynie, że profesor rozgrywał jakiś skomplikowany wariant obrony sycylijskiej.

Detektyw już chciał wyjść z gabinetu, kiedy zwrócił uwagę na oprawione w ramkę zdjęcie. Uniósł je z blatu biurka do oczu i próbował obejrzeć. Najciszej jak tylko mógł zbliżył się z nim do nieco jaśniejszego miejsca przy oszklonych drzwiach. Przyjrzał się wtedy dokładnie szczęśliwej rodzinie widocznej na zdjęciu. W zimowej górskiej scenerii obok młodego Murawskiego stała jasnowłosa dziewczyna w wybitnie semickim typie. Trzymała na rękach becik, w którym smacznie spało niemowlę. Rodzina stała na tle ładnego domu z szyldem „Pensjonat Lwowianka". Detektyw obrócił zdjęcie. Miało na odwrocie pieczątkę „Foto Schabenbeck" oraz nadruk jak na karcie pocztowej. „Zakopane, Nowy Rok 1939. Najukochańsza Matko Moja! Z Zakopanego, gdzie zażywamy wywczasów, witam Cię na progu Nowego Roku, żałując, że prócz słów nie mogę złożyć Ci innych, jeszcze namacalnych dowodów szczerych życzeń. Bądź, najdroższa Matko, przekonaną, że nie wedle zwyczaju, ale z serca przesyłam Ci me życzenia. Całuję spracowane rączki mej najdroższej Mamy – do grobu wdzięczny syn Henryk. *Post scriptum*. Esterka i Andrzejek w dobrym zdrowiu, jak widać na fotografii".

Popielski odłożył zdjęcie na biurko cicho i ostrożnie. Zza drzwi dobiegał równy, lecz pełen pasji głos profesora.

– Jeśli ktoś z was wierzy jeszcze w Boga, to musi zadać sobie pytanie: jaki jest ten Bóg? I odpowiedź będzie: to Bóg sadysta! I właśnie sadystów widzieli ludzie dawnych czasów w swych bóstwach! Aztekowie widzieli w nich personifikację zła, a Hindusi, wielbiący boginię Kali, zdawali sobie sprawę, że jest ona najbardziej przerażającym demonem! Co czują indyjskie wdowy palone nawet dzisiaj żywcem na stosach ze swymi zmarłymi mężami? Co czuły nieszczęśnice z haremu Sardanapala, kiedy pochłaniał je ogień? Otóż oni wszyscy myśleli, że są ofiarą religii, ofiarą kultu, którą trzeba obłaskawić złe bóstwo, sadystę! Nie, ludzie dawnych epok nie przeciwstawiali się złu, a najczęściej myśleli w ten sposób: i tak zło mnie dotknie, może by to zło uprzedzić i samemu przejąć inicjatywę? Lepiej zabić, niż samemu zostać zabitym! Oni musieli wyrządzać zło od urodzenia, niejako pod presją bóstwa! I to jest właśnie niewysłowiony tragizm tych ludzi! A czy nas ktoś poddaje presji? Nie! Czy my jesteśmy bardziej cywilizowani od prymitywnych wyznawców Kali i Kukulkana? Oczywiście! Oni byli zaślepieni wiarą, ale my, ludzie nowych czasów, możemy śmiało uznać, że religia i kult są właśnie złem i je *en masse* odrzucić!

– A skąd zło, jeśli odrzucimy tego złego Boga? – zapytał jakiś uczeń.

– Życie jest złe, a my zostaliśmy w nie wrzuceni. My wszyscy: wy, ja, a nawet mordercy Jasi! Jesteśmy ofiarami życia! Nie mamy jednak wyjścia, musimy tkwić w naszej egzystencji, choć jest ona absurdalna! Jakkolwiek by jednak była absurdalna, to i tak jest lepsza od śmierci!

Popielski pomyślał, że oto odbywa się sąd nad jakimś bóstwem zwanym życiem, a gwałciciele i mordercy, których on sam ściga, są w tej wielkiej mowie obrończej niewinnymi marionetkami miotanymi przez złego demona albo przez absurdalność egzystencji. Spojrzał na fotografię. „Esterka ze swoją urodą – pomyślał – nie przeżyła pewnie wojny, a Andrzejek? Jego brak u boku ojca, teraz, tu, we Wrocławiu, jest odpowiedzią na moje pytanie! Ma rację ten narwaniec, życie jest absurdem, ale godnym wyboru".

– Mówi się, moi kochani – dochodziło zza drzwi – że cierpienie uszlachetnia. To prawda, bo każda sytuacja graniczna wysubtelnia nasze myśli i nasze uczucia. Na przykład wojna oznacza niezwykle intensywne odczuwanie sensu życia. Jego wartość jest oczywista, a kto go nie stracił, tak jak my, czuje się wybrańcem losu. I słusznie! Jesteśmy wybrańcami! A jako wybrani nie możemy się tylko poświęcać dla innych! Jeśli w działaniu kierujemy się dobrem wyższym, czyli altruizmem, to w doznawaniu kierujmy się dobrem niższym, czyli egoizmem! Pozwólmy się absurdalnemu światu rozpieszczać, wołajmy jak Horacy: *Carpe diem!*

Zapadła cisza.

– To tyle na dzisiaj – usłyszał Popielski i wycofał się szybko z pokoju.

Przebiegł na palcach przez przedpokój i wskoczył do kuchni. Przez szparę w drzwiach obserwował twarze młodzieńców rozpalone słowami profesora. W milczeniu wkładali buty i płaszcze. Wszyscy mieli – tak jak ich mistrz – rozpięte pod szyją kołnierzyki. „To znak ich sekty" – pomyślał Popielski.

Studenci kłaniali się z powagą Murawskiemu i wychodzili. Po chwili ich buty zadudniły na schodach. Profesor zniknął w głębi mieszkania.

Popielski wyszedł do przedpokoju. Stanął jak wryty. Przed nim dygnęła Jeanette ubrana w uczniowski fartuszek z dużym białym kołnierzem.

– Ładnie? – Uśmiechnęła się, a nie widząc potwierdzenia, dodała nieco zażenowana: – No co się pan tak patrzy? Przecież pan też lubi różne takie... Żebym miała na sobie tylko pończochy... A profesorek za to chce w fartuszku... Jestem jego uczennicą... O, właśnie poszedł do pokoju wywietrzyć po lekcji i szykować ławkę szkolną... Ja tam usiądę, a on będzie mi coś dyktował... Mówi do mnie „Fredzia"...

– A co ci dyktuje?

– Same świństwa... Muszę je wszystkie zapisywać...

Detektyw przyglądał się dziewczynie. Stała nieco zarumieniona i speszona. Wiedział, że żadna dziwka nie ma złotego serca, że żadna z nich nie jest małym trzepoczącym ptaszkiem, którego trzeba utulić na piersi. Znał pijaństwo kurew, ich skryte szydzenie z intymnych rozmiarów swych klientów, ich zamiłowanie do plotek, ich zajadłe spory o najpodlejszy nawet grosz. Nie żałował nigdy tych kobiet, nie litował się nad nimi. Nie miał co do nich najmniejszych złudzeń. Ale mimo wszystko je lubił.

Pogłaskał dziewczynę po policzku. Zarumieniła się jeszcze bardziej.

– Poczekam na ciebie w kuchni, Jeanette.

– Niech chociaż pan mówi do mnie „Krysia" – rzekła poważnie.

Murawski nie protestował, kiedy mu oznajmiłem, że poczekam na dziewczynę w kuchni. Najwyraźniej go to bawiło, by nie rzec – ekscytowało. „Niech pan się tylko zanadto nie zgorszy, Popielski – powiedział do mnie. – Panna Jeanette wydaje bardzo głośne, namiętne okrzyki. No, ale, ale... Pan też mi nie wygląda na członka kółka różańcowego". Odparłem zgodnie z prawdą, że nic mnie nie gorszy, nawet to, gdy – tu zacytowałem samotnika z Królewca – filozof wykonuje ruchy „niegodne filozofa". Na to Murawski szczerze się roześmiał, przyznał, że nigdy nie lubił Kanta, i łaskawie dał mi całkowite przyzwolenie na dysponowanie kuchnią i jej zapasami. Byłby równie hojny, gdyby mi ofiarował pałac na Marsie.

Kiedy się udał z dziewczyną do jadalni, ja znów jak najostrożniej pomyszkowałem po jego mieszkaniu. Nie odkryłem niczego, co by w jakikolwiek sposób bezpośrednio wiązało Murawskiego z Pasierbiakiem. Znalazłem jednak sporo dowodów pośrednich, które świadczyły nie tyle o konszachtach z paserem, ile raczej o dużej zamożności nauczyciela. Były to przede wszystkim ubrania. Niegdyś ja sam ubierałem się bardzo starannie, ba!, we Lwowie uchodziłem wręcz za dandysa, toteż natychmiast rozpoznałem najlepsze bielskie wełny o podwójnym skręcie, z których były uszyte garnitury profesora. Odruchowo sięgałem do wewnętrznych kieszonek marynarek, by zobaczyć metryczkę krawca. Wszystkie ubrania szyte były u W. Śmiałka, wrocławskiego mistrza nożyc. Był to najlepszy krawiec w mieście, a o jego klasie świadczyło to, że nie mógł opędzić się od interesantów i szył tylko klientom poleconym. Ja sam zostałem kiedyś przez niego odprawiony z kwitkiem.

Wiele były też warte obrazy profesora. Nie jestem znawcą sztuki i niewiele mówiło mi nazwisko M. Willmann widoczne na kilku z nich, natomiast piękno malarstwa nigdy nie pozostawiało mnie obojętnym i potrafiłem rozpoznać kicz. Żaden z czterech obrazów wiszących w sypialni i w gabinecie Murawskiego kiczem nie był. Ktoś je zdobywał, czyli kradł w niemieckich domach, a potem ktoś inny je dostarczał koneserom takim jak Murawski. Przedostatnim ogniwem mógł być oczywiście nieżyjący Feliks Pasierbiak.

Niczego już więcej nie znalazłszy, zamknąłem się w kuchni, by nie słyszeć jęków Krysi i sapania profesora. Wypaliłem kilka papierosów i skorzystałem z przyzwolenia pana domu, by wykorzystać kuchnię do właściwego jej celu. Zaparzyłem sobie cienkiej herbaty i sączyłem ją w zamyśleniu.

Po godzinie odprowadzałem Krysię do domu. Zwróciłem uwagę na jej czerwone dłonie. „Aż tak zmarzłaś, że takie czerwone?" – zapytałem. Krysia schowała ręce za siebie. „Czasem bije mnie linijką po rękach – odparła. – Każe mi być niegrzeczną Fredzią, a potem bije. Ale to nie boli bardzo i za to płaci dodatkowo". Poczułem, że łysina oblewa mi się purpurą. Przez chwilę walczyłem z gwałtowną myślą, by złożyć Murawskiemu nieoczekiwaną wizytę i powiedzieć mu, co myślę o sadystach. „Niech pan tam nie idzie, bo tylko stracę klienta! – Krysia odgadła moje myśli. – Wolę takiego, co czasem jest dziwny, ale czysty i kulturalny! Wielkie mecyje! Pan też czasem lubi mi dać klapsa!". Porzuciłem myśl o nauczce dla profesora. Sam nie byłem bez winy.

EDWARD POPIELSKI WSTAŁ wcześnie rano. Mimo przenikliwego chłodu nie napalił w piecu, bo zamierzał spędzić dzisiejsze przedpołudnie u Leokadii, którą wczoraj był zaniedbał i nie odwiedził w szpitalu. Miał z tego powodu wyrzuty sumienia. Usiłował je zagłuszyć szybką poranną krzątaniną. W ekspresowym tempie umył się i ogolił w pokoju, prychając w zimnym powietrzu jak rumak. Wytarł szmatą lekkie rozpryski wody na podłodze i drżąc z zimna, ubrał się w białą koszulę i w swój najlepszy dwurzędowy granatowy garnitur w cienkie prążki. Było to świetne ubranie, szyte na miarę u krawca – sąsiada z przeciwnej strony Grunwaldzkiej – mistrza Sobocińskiego. W wytworności, a zwłaszcza w doborze tkaniny, trochę ustępowało wełnianym garniturom Murawskiego, ale i tak na tle szarzyzny garderobianej Wrocławia prezentowało się znakomicie. Zawiązując nowy jedwabny krawat, sporządził w głowie spis planowanych na ten dzień czynności i kolejność ich wykonania – najpierw zakupy dla Leokadii i odwiedziny w szpitalu, następnie jeszcze jedna próba rewizji u Pasierbiaka, później obiad, a na koniec kolejna wizyta u kurtyzany Krysi, aby ją dokładnie wypytać o obyczaje Murawskiego. Nie chodziło mu tutaj o ochronę Fryderyki, którą uważał za niezłe ziółko. Erotyczna fascynacja profesora uczennicą Pasławską wydawała się Popielskiemu nieco chorobliwa, a nawet groźna, ale to nie ona była przedmiotem jego śledztwa. Chciał intymne doświadczenia i wspomnienia Krysi wykorzystać przeciw nauczycielowi. Postanowił zdobyć jakąś kompromitującą o nim informację, aby go nią szantażować i zmusić do wyjawienia, skąd pochodzą jego dobra materialne i jaki był charakter jego konszachtów z Pasierbiakiem. Wtedy odzewało się jego sumienie. Po chwili machnięciem ręki porzucił wszelkie wątpliwości i obiekcje co do swojego postępowania, które Krysi mogło odebrać hojnego klienta, a Murawskiego – upokorzyć. Karesy, uprzejmości i subiekcje nie należały do jego zawodu.

Sporządziwszy plan działania, wyszedł ze swojego pokoju. Przed wspólną ubikacją, którą dzielił i z doktorostwem Scholzami, i ze lwowskim tramwajarzem Bolesławem Kulikiem, zobaczył małe zgromadzenie. Oto jedno z ośmiorga dzieci Kulika, z którymi ten zajmował od strony podwórka dwa pokoje i kuchnię, zatrzasnęło się w ubikacji i płakało, nie mogąc się stamtąd wydostać. Tramwajarz uspokajał dziecko i manipulował przy zamku, a Scholz łapał się za głowę, nie przyjmując do wiadomości, że mógł się zepsuć niemiecki solidny zamek.

– Widzi pan, *Herr Popijelski* – spojrzał zafrasowany na sąsiada – tu dziecko w ubikacji, a ja muszę koniecznie skorzystać, bo jak mi się zachce na paradzie, to dopiero będzie klapa! Kompletna klapa! Ja nie mam zdrowych nerek, *Herr Popijelski*...

– Na jakiej paradzie? – zapytał detektyw.

– A to nie wie pan? – zdziwił się Niemiec. – Pan naprawdę nic nie wie? Przecież to comiesięczna parada sojuszników z Armii Czerwonej. Za godzinę! A teraz to dopiero będzie wielki pokaz! Będą pędzić przez Gartenstrasse przy dworcu rosyjskich szabrowników i przestępców, a wśród nich jednego z gwałcicieli tej biednej dziewczyny, która mieszkała z ojcem alkoholikiem na Fritz-Geisler-Strasse, o, *pardon*, na Kleine Scheitniger Strasse! Precz! Precz! Co mi przyszło do głowy, by wymieniać dawną nazwę ulicy z nazwiskiem tego hitlerowca!

Popielski kiwnął głową sąsiadowi i wybiegł na trzaskający mróz, który zbrylił i utwardził śnieg. Musiał iść bardzo ostrożnie – nie wszędzie z jednakową dbałością posypano chodniki piaskiem. O poślizg i złamanie kończyn było nietrudno.

Był lekko poirytowany – jak zawsze, kiedy nieoczekiwane wypadki niweczyły jego misterny i dopracowany prawie co do minuty program dnia. I jak zawsze potrafił jednak sam siebie przekonać, że przeszkody w realizacji planów tak naprawdę przyczyniają się jedynie do ich modyfikacyj.

Tym razem modyfikacja, polegająca jedynie na przesunięciu w czasie zakupów i wizyty u Leokadii, była tak niewielka, że natychmiast zajął swe myśli czymś innym. Nie wiedzieć dlaczego podczas dwudziestominutowej pieszej wędrówki na ulicę Pomorską oraz przez całą podróż tramwajem na Dworzec Główny myślał o doktorze Paulu Scholzu. Niemiec zawsze wydawał się Popielskiemu człowiekiem prawym i zacnym. W myślach detektyw przyznawał rację swojemu staremu niemieckiemu druhowi Eberhardowi Mockowi, który już wyjechał na zawsze z Wrocławia, a przed opuszczeniem rodzinnego miasta polecił mu jako miejsce do zamieszkania kamienicę doktora Scholza. Mock mieszkał tam w połowie lat trzydziestych i znał dobre serce właściciela. W dobie kłopotów mieszkaniowych doktór Scholz bez wahania odstąpił jeden ze swoich pokoi przyjacielowi komisarza Mocka.

Popielskiemu podobał się zwłaszcza stoicki spokój, z jakim ten zamożny przedwojenny chirurg przyjął radykalne pogorszenie się własnych warunków życiowych. Oto po zdobyciu Festung Breslau został wygnany z pięknego domu na ulicy Akacjowej i zmuszony do zamieszkania z żoną w swojej dawnej kamienicy na Grunwaldzkiej, gdzie tymczasowo – jako dozorcy! – przyznano mu dwa pokoje w mieszkaniu na parterze. Mimo tej degradacji – z właściciela na ciecia – doktór Scholz pozostał człowiekiem pogodnym i opanowanym. Mówił Popielskiemu często, że wojna pozwoliła mu nie tylko poznać smak pracy fizycznej, ale również powrócić do dawnego medycznego zawodu, który uprawiał równolegle. „Kto wie, kim bym był, gdyby nie upadek Wrocławia – zwierzał się Leokadii i Popielskiemu, z trudem wymawiając polską nazwę swojego rodzinnego miasta. – Pewnie człowiekiem interesu i kamienicznikiem, który wraz z każdą transakcją staje się coraz bardziej bezduszny i coraz bardziej ciśnie lokatorów. A tak, dzięki wojnie, ponownie odkryłem swoje powołanie, aby nieść ludziom ulgę w cierpieniu". I rzeczywiście niósł swoją lekarską pomoc – po godzinach pracy dozorcy – wszystkim. Czynił to za darmo, czym zyskał sobie szacunek całej dzielnicy. Często w jego misji towarzyszyła mu Leokadia, która odgrywała rolę tłumaczki.

Myśli o dobrym lekarzu nieoczekiwanie przerodziły się znów w te same poranne wątpliwości. „Czy doszukując się jakichś ciemnych osadów w duszy Murawskiego – myślał, wysiadając z dwójki przy dworcu – nie uczynię nieprzebaczalnej krzywdy szlachetnemu, dotkniętemu ciężko przez los człowiekowi, którego całą winą są nieszkodliwe dziwactwa erotyczne? Wszak mogę go zniszczyć psychicznie! Powinienem brać przykład z doktora Scholza, który znalazł swoje miejsce w Stefanusowym świecie ewoluującym ku dobru. A jakie jest moje zadanie? Naprawianie świata? Poprzez niszczenie innych?"

Wykorzystał stojącą na przystanku poniemiecką spluwaczkę do celu jej przeznaczonego i rozejrzał się dokoła. Ludzie gromadzili się na chodnikach. Pod hotelem Grand, na rogu ulicy Ogrodowej i Kołłątaja, stało puste podium z desek, rodzaj trybuny honorowej, jak się domyślił. Spojrzał na zegarek. Dochodziła ósma. Zaraz wszystko miało się rozpocząć.

Po kilku minutach na trybunę weszli sowieccy i polscy oficerowie. Towarzyszyło im kilku cywili, wśród nich Władysław Maksymońko, najwyraźniej pijany. Popielski przepchnął się przez tłum robotników z jakimiś transparentami, którzy ofuknęli go pogardliwie. Na kilkustopniowym mrozie ich usta zionęły parą, w której wyczulony nos Popielskiego natychmiast rozpoznał gorzelaną woń. „Pewnie dostali w stołówce przyzakładowej po dwie sety i dwadzieścia deka kiełbasy gotowanej – pomyślał – to i poszli »spontanicznie« na paradę bratniej armii".

Przyjrzał się gościom honorowym. Nie było wśród nich kapitana Czernikowa, co przyjął z pewnym rozczarowaniem. Odwrócił się do tłumu i czytając napisy na transparentach: „Szabrownicy, ręce precz od Ziem Odzyskanych!" i „Bratnia Armia Czerwona zaprowadzi porządek!" – myślał o Stefanusowej wizji makabrycznych rodzinnych pikników organizowanych w dawnych wiekach na miejscach kaźni. „Tu nie będzie tryskania krwi i głuchego trzasku łamanych kości – myślał – ma chyba rację Stefanus: cywilizujemy się".

Tłum wypełniający chodniki na ulicy Kołłątaja zawył przeciągle. Parada skazańców właśnie się rozpoczęła. Popielski w swych przewidywaniach nieco się pomylił. Owszem, nikt nie wykręcał członków, nikt nie dusił, ale krew kapała – z przegubów ludzi, którzy pojawili się u wylotu ulicy.

Było ich dwudziestu pięciu. Ich dłonie związano na plecach drutem kolczastym; spod niego niektórym wypływały strużki krwi. Ubrani byli w szmaty, podarte szynele, brudne bandaże. Na bosych stopach mieli drewniaki, pewnie ich buty przydały się towarzyszom. Szli rzędem, jeden za drugim, oddzieleni od chodników zaporą z sowieckich żołnierzy, a na ich szyjach wisiały tablice z wypisanymi tam przestępstwami, których się dopuścili. Pierwszy z nich kuśtykał i zginał się rytmicznie w pasie, jakby był pijany albo bił wszystkim obecnym pokłony. Jedna jego stopa, wystająca z podartej nogawki, pokryta była zakrzepłą krwią. Na szyi wisiała mu tablica z polskim i rosyjskim napisem: „Morderca i gwałciciel Janiny Maksymońko". Jego dłonie pokryte były skrzepami krwi, a jeden z kciuków – odchylony od dłoni pod nienaturalnym kątem – najwyraźniej był złamany.

Ryk wokół narastał. Ludzie aż do zachrypnięcia miotali przekleństwa pod adresem Kołdaszowa. Ten posuwał się wolno, pociągając nogą, aż minął człowieka, za sprawą którego znalazł się na tej paradzie. Popielski napawał się jego cierpieniem tak długo, że nie zdołał się już przyjrzeć większości innych skazańców ani ich przewinom. Jedynie dwaj ostatni stali się obiektami jego uwagi. Potężny szpakowaty mężczyzna o wielkiej okrągłej głowie, z gęstymi włosami i takąż brodą, szedł w rozchełstanej koszuli, która odsłaniała jego wytatuowaną pierś. Tablica z napisem „Kat z UPA" wisiała mu nisko na brzuchu. Ostatni był młody chłopak, który trząsł się na mrozie tak dotkliwie, że dreszcze prawie go rzucały między tworzącymi szpaler sowieckimi żołnierzami. Nabrzmiałe wrzody pokrywały siną skórę jego twarzy, widać je było też w dziurach podartych spodni. „Syfilityk i gwałciciel" – oskarżała tablica na szyi.

Przestępcy poszli ulicą Ogrodową, a potem skręcili w Stawową. Okrzyki tłumu ucichły. Ciżba wokół Popielskiego przerzedziła się. Robotnicy z okrzykiem „Wstąp kolego na jednego!" ruszyli w stronę ulicy Dąbrowskiego, gdzie była knajpa, której nazwą był właśnie taki alkoholowy apel. Detektyw spojrzał na trybunę honorową.

Obok oficera o podłużnej twarzy i wielkim podbródku stał Michaił Czernikow. Spojrzał na Popielskiego i skinął mu głową. Detektyw lekko się odkłonił, nie podnosząc kapelusza, i oddalił w pośpiechu.

– Kto to był? – bezceremonialnie zapytał pułkownik Bogdyłow.

– Znajomy Polak – odparł Czernikow i zaklaskał w dłonie, by pobudzić krążenie. – Zimno! Chodźmy już po tej nieudanej uroczystości...

– Nie podobało się wam, co? – Bogdyłow spojrzał spod oka na swego zastępcę, a jego oblicze rozciągnęło się z irytacji. – Coś od rana stroicie fochy jak panna przed nocą poślubną! – podniósł głos. – Rzuciliśmy polaczkom na pożarcie kilku urków... Uspokoiliśmy ich... O co więcej wam chodzi!?

– To miała być parada jednego aktora! – nie wytrzymał Czernikow. – Tylko Kołdaszowa miałem przepędzić ulicami, a potem go w Rynku powiesić! To mi obiecaliście! Polacy z tej parady mieli wynieść silne przekonanie, że tak potwornej zbrodni Armia Czerwona nie puszcza płazem! A tak, to co oni przed chwilą zobaczyli? Najgorszą bestię wśród zwykłych złodziei! Nie sądzi towarzysz pułkownik, że zrównanie potwora ze złodziejem niewłaściwe było? A Polacy tak teraz to komentują: „Obiecali powiesić, a zrobią to co ze złodziejaszkami!". Tak pewnie mówią!

Bogdyłow nie odezwał się ani słowem, bo zbliżał się wysoki, czterdziestoletni na oko mężczyzna z wyciągniętą w jego stronę ręką. Ubrany był w granatową czapkę i bryczesy tegoż koloru. Na czerwonym otoku i na żółtych epoletach błyszczała jedna gwiazdka. Ten mundur budził lęk wszystkich bez wyjątku – i Polaków, i Rosjan.

– Towarzyszu kapitanie – zwrócił się do oficera NKWD Bogdyłow – oto mój zastępca kapitan Michaił Czernikow. A to – zwrócił się do Czernikowa – kapitan Jewgienij Striżeniuk...

Mężczyźni podali sobie dłonie. Czernikow poczuł zimną, śliską skórę. Wiedział, z kim ma do czynienia. Był to szef oddziału NKWD rozpracowującego i inwigilującego żołnierzy garnizonu. Wszystkich żołnierzy, komendanta nie wyłączając.

Striżeniuk uśmiechnął się pod wyskubanym wąsikiem.

– No ładnie, ładnie, Nikołaju Iwanyczu – zwrócił się do Bogdyłowa, uważnie przyjrzawszy się pierwej jego zastępcy. – Bardzo ładny pokaz... Ale chyba coś źle policzyłem... Miało być dwudziestu siedmiu, a było tylko dwudziestu pięciu ptaszków... – Bogdyłowowi opadła dolna szczęka. Zakłapał nią jak krokodyl i nie rzekł ani słowa. – Tak, tak... – ciągnął Striżeniuk łagodnym tonem. – A przeze mnie zapytuje was pułkownik Dawydow... kiedy będzie dwudziestu siedmiu... Kiedy dwóch ostatnich gwałcicieli, Gruzin i Kazach, pójdzie ulicami Wrocławia? No, powiedzcie mi, towarzyszu pułkowniku... Kiedy?

– Jak najszybciej! – odparł Bogdyłow.

– Tydzień – szepnął Striżeniuk. – Towarzysz pułkownik Dawydow daje wam tydzień i ani dnia dłużej! Po tym terminie przyjedzie do was osobiście z całym naszym pułkiem!

Bogdyłow zwrócił swój wściekły wzrok na Czernikowa. Ten wytrzymał go przez dłuższą chwilę, po czym uciekł oczami. Striżeniuk to wszystko uważnie obserwował.

– No co, towarzysze? – zakrzyknął wesoło. – Trzeba oblać sukces! Zapraszamy wszystkich do Monopolu! Jesiotr astrachański nie codziennie się trafia!

Zeskoczył wesoło z podium, pogwizdując piosenkę *Wołga, Wołga, mat' rodnaja*. Za nim, znacznie wolniej, zeszli Bogdyłow i Czernikow.

– On zabronił mi publicznego wieszania jednego człowieka! „Było ich trzech, ma trzech wisieć". Tak mówił. – Dowódca garnizonu kipiał śliną i gniewem. – A teraz posłuchaj, Czernikow! Albo mi ich przyprowadzisz na sznurku do następnego wtorku, albo wracasz do swojej Japonii! A teraz do roboty, *job twoju mat*! Won stąd! Nie dla ciebie Monopol!

– Nigdy nie lubiłem jesiotra! – powiedział Czernikow.

Przyjęcie w Monopolu trwało do białego rana. Mimo swej podagry był na nim również pułkownik Placyd Brzozowski. Około północy, kiedy enkawudzista Striżeniuk już wyszedł, Bogdyłow zaprosił do baru szefa wrocławskiego UB. Długo dobijali targu. Brzozowski obiecał dostarczyć Bogdyłowowi w ciągu tygodnia dwóch Polaków z podpisanymi zeznaniami, w których przyznawaliby się do gwałtów wspólnie z Kołdaszowem. W zamian miał otrzymać srebrny augsburski komplet do kawy, składający się z tacy, imbryka, czajniczka, cukiernicy oraz mlecznika. Brzozowski zapewniał, że jeden z przestępców będzie brunetem podobnym do Gruzina. Problem stanowił jedynie Azjata. Szef wrocławskiego UB nie gwarantował, że uda mu się znaleźć jakiegoś „Mongoła". Bogdyłow zmniejszył zatem zapłatę o imbryk i mlecznik, a potem długo w milczeniu rozważał możliwości akcji propagandowej, w której należało przekonać wrocławian, że kompanami Kołdaszowa nie byli Rosjanie, ale dwaj Polacy. Trzeba tylko kazać kilku Polkom pójść na milicję i zeznać, że zostały zgwałcone przez trzech mężczyzn – Kołdaszowa i dwóch Polaków. On sam nie byłby w stanie takich kobiet znaleźć. Tym powinna się zająć bezpieka. Powiedział o tym planie Brzozowskiemu, a ten po chwili namysłu przedstawił swój udział w dwóch jego wariantach – albo wykombinuje „Mongoła" i akcja propagandowa będzie niepotrzebna, albo zamiast Azjaty dostarczy Polaka i akcję przeprowadzi się wtedy, gdy ów Polak będzie już siedział w garnizonowym więzieniu i przyznawał się do winy. I jeden, i drugi wariant był jednakowo trudny i wymagał odpowiedniego honorarium, którym byłby oczywiście pełny komplet sreber – i z imbrykiem, i z mlecznikiem.

Bogdyłow drapał się przez chwilę po opuszczonej dolnej szczęce, zastanawiając się, czy akcja Brzozowskiego z Polakami w roli głównej jest warta tych sreber.

Około wpół do pierwszej kiwnął głową. Mężczyźni podali sobie ręce, stuknęli się kieliszkami i wrócili do swych stolików.

Wszystkie zaplanowane na dzisiaj czynności wykonałem, choć ich przebieg i skutek srogo mnie rozczarowały. Leokadia – mimo znacznej poprawy zdrowia – była małomówna, zniechęcona do wszystkiego i najwyraźniej na mnie obrażona. Wypomniała mi moją wczorajszą nieobecność w szpitalu i zakazała mi dalszych odwiedzin, jeśli są one aż tak dla mnie uciążliwe i rozbijają mi boleśnie dzień pracy.

Jej wymówki przyjąłem bardzo spokojnie, podobnie jak niepowodzenie, jakie mnie spotkało w kamienicy na Świętej Jadwigi. Tam przerażony czymś dozorca wcale nie chciał ze mną rozmawiać, twierdząc, że wszystko, co wiedział o Pasierbiaku, powiedział już milicji. Nie pomogły żadne prośby, groźby i strojenie się w piórka sowieckiego politruka. Stróż o znajomych pasera milczał jak grób. Gdy opisałem Murawskiego, twarz jego lekko drgnęła. Poszedłem za ciosem – nakrzyczałem na ciecia, natupałem nogą, a skutek był wciąż ten sam. Do rewizji w mieszkaniu również nie przystąpiłem. Okazało się bowiem, że milicja wywiozła stamtąd wszystkie sprzęty, kosztowności i dywany, pozostawiając gołe ściany i podłogi. Pracodawca dozorcy, czyli kierownik działu budowlanego w urzędzie kwaterunkowym, kazał mu przysposobić lokal dla nowych najemców. Sprawa Pasierbiaka utknęła w martwym punkcie.

Nie wiedziałem, że to nie koniec na dzisiaj drobnych irytujących przeciwności losu. Kolejną była reakcja panny Krysi, a właściwie jej alfonsa. Kiedy zjawiłem się na Nowowiejskiej, stanąłem oko w oko z Wincentym. Ten gwałtowny młodzieniec zagroził, że policzy mi zęby, jeśli jeszcze raz zbliżę się do jego podopiecznej. „Może stracić dobrego klienta przez ciebie, łysa łachudro! – darł się na mnie. – Won stąd, bo facjatę zdefasonuję!” Z opinii o nim, jaka panowała w dzielnicy, wiedziałem, że ta groźba nie jest tylko pustosłowiem.

Wstąpiła jednak we mnie pewna przekora. Poklepałem go po policzku i powiedziałem: „Do widzenia, mój poczciwy Wincenty”, co go straszliwie rozsierdziło. Gdyby nie Krysia, która uczepiła się jego rękawa, moja twarz wyglądałaby inaczej niż dziś rano przy goleniu.

A tak z nietkniętym obliczem wróciłem do domu i zastanawiałem się, co mnie jeszcze złego dziś spotka.

Jeden rzut oka na doktora Scholza, gdy wyskoczył, słysząc, że nadchodzę, w zupełności mi wystarczył, by wiedzieć, że to jeszcze nie koniec kłopotów na dzisiaj. Nie zapytawszy o nic doktora i zawierzywszy instynktowi, zakręciłem się na pięcie, by uciec tam, skąd przybyłem. Niestety – za mną stali dwaj krasnoarmiejcy z pepeszami i uniemożliwiali wszelki odwrót.

Wszedłem do mieszkania. Przy moim stole siedział kapitan Czernikow i palił spokojnie papierosa. Widząc mnie, uśmiechnął się.

– Chodźmy, nikt nie woła – sparafrazował Mickiewicza.

Pojechaliśmy na cmentarz na Bujwida. Nad grobem Janiny Maksymońko kłębił się spory tłum. W pierwszym szeregu stał pijany ojciec dziewczyny, podtrzymywany przez dwóch mężczyzn. Na pobliskim drzewie wisiał stryczek.

Trzej żołnierze sowieccy chwycili Kołdaszowa pod pachy i za nogi. Przyciągnęli do drzewa szamoczące się ciało. Założyli na szyję skazańca szorstki powróz i spojrzeli na Czernikowa. Ten dał im znak. Pociągnęli za sznur, jakby chcieli rozkołysać dzwon. Rozszedł się smród. Wisielec zadrgał na konarze. Po jego gołej zdeformowanej stopie popłynęła strużka łajna.

Choć byłem pewien, że powieszenie Kołdaszowa naprawiło minimalnie zły świat, widowisko to nie napełniło mnie wielką radością. Chyba już ulegałem indoktrynacji ideami Stefanusa. Ale mimo wszystko – kiedy już się kładłem spać – dawna ma osobowość szeptała mi do ucha: „Ten zły dzień przynajmniej dobrze się skończył!".

PROFESOR MURAWSKI SIEDZIAŁ w swym gabinecie i czytał uczniowskie wypracowania o *Kordianie* Słowackiego. Niektóre z nich były bardzo słabe, niektóre bardzo dobre, a większość trąciła banałem, śmiertelną nudą i przewidywalnością. Polonista nie dziwił się temu i nie krytykował nigdy swych uczniów. Wiedział, że praca rzadko kiedy jest rozrywką. Zgodnie ze swoimi poglądami nazywał nauczycielski znój „absurdalnym dobrem".

Niekiedy jednak przynosił mu on wielką przyjemność. Tak miało być za chwilę, kiedy otworzy ostatni zeszyt przygotowany do sprawdzenia.

Polonista umoczył tymczasem stalówkę w czerwonym atramencie i wpisał „dostatecznie" niejakiemu Bronisławowi Dzikiemu, który ukończywszy ukraińsko-rosyjską podstawówkę gdzieś pod Tarnopolem, sadził takie błędy ortograficzne i używał takich rusycyzmów, że nauczycielowi jeżyły się włosy na głowie.

Postawiwszy zamaszysty podpis pod oceną, otwarł zeszyt Olka Najdorfa. Patrzył przez chwilę z podziwem na równe, kaligraficzne pismo swojego ulubionego ucznia. Ten ciężko doświadczony przez wojnę młodzieniec był mu szczególnie bliski pod wieloma względami. Obaj pochodzili z Warszawy, obaj przeżyli obóz koncentracyjny i obaj utracili podczas wojny swych najbliższych: Najdorf – rodziców i siostrę w niemieckim gazie, Murawski – żonę i rocznego synka podczas bombardowania Warszawy we wrześniu trzydziestego dziewiątego. Łączyło ich jeszcze jedno: swoboda w myśleniu i pogarda dla konwenansów.

W życiu ucznia, pochodzącego z zamożnej rodziny rabinackiej, zachodziły podobne wypadki jak w życiu nauczyciela. Jeden, już jako genialnie uzdolnione dziecko, odrzucił judaizm, uznając go za neolityczny zabobon, drugi jawnie zlekceważył katolicką formację i – ku zgrozie swej bogobojnej matki – w wieku lat szesnastu wystąpił z Sodalicji Mariańskiej. Jeden demonstracyjnie wzgardził pradawnymi obyczajami swych rodaków, obciął pejsy i przestał mówić w jidysz, drugi sprzeniewierzył się rasowym przesądom i jeszcze w czasie studiów filozoficznych i polonistycznych poślubił młodą Żydówkę Esterę Żurawiel. Rodzice pierwszego znosili fanaberie młodego geniusza, matka drugiego, znana warszawska modystka, zerwała jednostronnie – bo on przez całe lata do niej pisał – wszelkie kontakty ze swym synem. Nawiązała je dopiero tuż po wojnie we Wrocławiu – na bardzo zresztą krótko, bo zmarła latem czterdziestego piątego na udar mózgu. Nic zatem dziwnego, że Najdorf i Murawski przylgnęli do siebie. Uczeń szukał mistrza, a nauczyciel, który nade wszystko pragnął uznania i podziwu, obu tych uczuć doświadczał od swojego wychowanka.

To pragnienie nie opuszczało Murawskiego od wczesnego dzieciństwa i bywało na ogół spełniane. W gimnazjum realnym,

podziwiany przez kolegów i rozpieszczany przez profesorów, ucho-
dził za wszechstronnego geniusza. Przed wojną wśród koleżanek studentek miał zasłużoną opinię pogromcy damskich serc, za okupacji
wśród towarzyszy broni z AK cieszył się famą bojowca odważnego
aż do granic zuchwałości, wśród obozowych współwięźniów – wy-
trzymałego charakterniaka, który zbawiennym cynizmem potrafił
choć na chwilę wytłumić ból i cierpienie. Nikt z nich nie wiedział,
że – po śmierci najbliższych – Murawski tak naprawdę nie widział
w życiu żadnego sensu i po prostu o nic nie dbał. Rzucał się zatem
w największy wir bojowych akcji, a w obozie docinkami prowokował
najgorszych bandytów spośród współwięźniów. Pewnego dnia kapo
tak go skatował, że doznał drgawek i stracił przytomność. Cudem do-
żył nocy. Wtedy Stefanus opatrywał go w ciemności i przekonywał,
że lepiej będzie dla wszystkich, ba!, dla całego ewoluującego ku dobru świata, żeby Murawski ocalał. Była to rozmowa przeprowadzona
w ostatniej chwili. Następnego poranka Henryk miał zamiar zakoń-
czyć swój roczny pobyt w Oświęcimiu i pójść na druty.

Po wyjściu z obozu szybko otrząsnął się z traumy. Poczuł niezwykły, oszałamiający smak życia. Był pewien, że wojna, śmierć najbliższych i graniczne doświadczenie kacetu były tylko chwilową złą
passą, a niezawodne powodzenie wróci. I rzeczywiście powoli wra-
cało – wyzdrowiał, spotkał się z matką, dostał duże mieszkanie bez
dodatkowych lokatorów, wykonywał dobrą i szanowaną pracę, za
którą otrzymywał nadliczbowe kartki żywnościowe, a nielegalne interesy też nie przysparzały mu szczególnych kłopotów.

I pewnie profesor znów stałby się pieszczochem losu, gdyby nie
namiętność, która nim zawładnęła. Jej moc była odwrotnie proporcjonalna do długości jej trwania. Jak wirus zaraziła go i błyskawicznie wywołała nie spotykaną dotąd gorączkę. Ten zarazek nazywał
się Fryderyka Pasławska.

Do pierwszego spotkania z Popielskim traktował uczennicę dość
chłodno, gdyż ta nie okazywała podziwu dla jego sztuki krasomów-
czej ani nie wzdychała jak jej koleżanki do męskich wdzięków młodego profesora. Owszem, podobała mu się, ale z wielu powodów,

wśród których bynajmniej nie było żadnych względów etycznych, nie zamierzał jej uwodzić. Po pierwsze, taki skandal przekreśliłby jego pedagogiczną karierę, po drugie, interesowały go kobiety jednocześnie bezpruderyjne i inteligentne, a młodziutkiej i cnotliwej – jak mniemał – dziewczyny nie zaliczał zwłaszcza do tej pierwszej grupy.

Aż kilka tygodni wcześniej Popielski powiedział mu, że siostra Pasławskiej jest morfinistką i że Fryderyka dla zdobycia narkotyków wykonuje jakąś tajemniczą pracę, o której wie tylko on. I wtedy pojawił się ów wirus – w umyśle Murawskiego zakiełkowała wszeteczna myśl, która jak iskra rozpaliła jego pożądanie. Pomyślał wtedy, że dziewczyna za pieniądze zrobi wszystko. A on miał dużo pieniędzy. Jego matka była osobą bardzo zapobiegliwą. Pod podłogą jej zakładu modniarskiego w Falenicy, dokąd się wyprowadziła na początku wojny, mieszkało przez trzy lata, aż do wyzwolenia, troje warszawskich Żydów. I nie była to biedota z Nalewek.

Zastukano do drzwi. Profesor przerwał czytanie wypracowania Najdorfa. Uśmiechnął się, poprawił krawat i bonżurkę. W końcu do niego przyszła.

Otworzył. Fryderyka Pasławska stała w drzwiach – zarumieniona i zadyszana. Spod beretu wymykały się pasma prawie białych włosów. Na ramieniu trzymała koniec paska, którym obwiązane były zeszyty jej koleżanek i kolegów.

– Dzień dobry, panie profesorze. – Dziewczyna dygnęła. – Wyznaczył mnie pan na dyżurną, przyniosłam zeszyty...

– Dzień dobry, wejdź, proszę. – Otworzył drzwi, zostawiając Pasławskiej niewiele miejsca. – Zaraz skończę sprawdzanie wypracowań czwartej c... Zostało mi tylko jedno, Olka. Usiądź w salonie i poczekaj...

Przecisnęła się koło niego. Kiedy zdjęła paltot i beret, poczuł wątły zapach mydła i rozgrzanego biegiem młodego ciała. Zakręciło mu się w głowie.

– A właściwie to chodź do gabinetu. – Zdawał sobie sprawę, że plącze się w ekscytacji. – Długo to nie potrwa, Olek świetnie pisze... Zaraz skończę...

Urwał, bo zdał sobie sprawę, że powinien pochwalić przybyłą. Niestety, nie miał żadnego powodu, a komplementów odnoszących się do jej urody nie chciał na razie prawić. Zaproponował jej herbatę z malinami, zgodziła się chętnie.

Po chwili siedzieli w gabinecie, on nad filiżanką kawy, ona nad szklanką parującej herbaty. Wyciągnął w jej stronę papierośnicę. Pokręciła przecząco głową. Z ciekawością rozglądała się po zadbanym i wykwintnie urządzonym gabinecie.

– Jak tam zajęcia z profesorem Stefanusem? – zapytał obojętnie, z przyjemnością rejestrując jej podziw dla pięknych obrazów Michaela Willmanna.

– Bardzo ciekawe. – Dziewczyna się ożywiła. – Na pewno słyszał pan profesor o jego patodycei...

Murawski złożył smukłe dłonie i palcami dotknął swoich ust. Znamionowało to głęboki namysł.

– Jak wiesz, Fredziu – powiedział zatroskanym głosem – w kwestii cierpienia różnimy się znacznie z profesorem Stefanusem... Ja uważam, że jest absurdem jak całe nasze życie, tym tylko różni się od życia, że nie jest, jak ono, smaczne. Profesor zaś uważa, podobnie jak święty Augustyn, że okrzyk bólu pojedynczej istoty nie jest słyszalny w pięknej harmonii całego świata, jest jak fałsz pojedynczych skrzypiec w cudownej symfonii granej przez całą ludzkość w historii... Problem jednak polega na tym, że dla wprawnego ucha fałsz jest fałszem: tak jak jęk bólu słyszy człowiek wrażliwy, filozof...

– Nieprawda, pan kłamie! – krzyknęła uczennica.

– Gdzie skłamałem? – Murawski się zdumiał i uśmiechnął dobrotliwie. Chętnie by przełożył przez kolano tę krnąbrną pannicę.

– Profesor Stefanus nie idzie za Augustynem! – Wzburzenie wciąż dźwięczało w jej głosie. – On ma argumenty swoje, przez siebie wypracowane... historyczne. Za ewolucją ku dobru, za patodyceą... Ma też naukowe: chemiczne, fizyczne, matematyczne... On nie uprawia czczej gadaniny i literatury, on uprawia naukę! I niedługo cały świat go doceni!

Murawski zacisnął zęby tak mocno, że aż poczuł skurcz mięśni żuchwy. Wizyta Pasławskiej groziła konsekwencjami, których nie przewidział. Wczoraj wyznaczył ją na dyżurną, planując zupełnie inny przebieg ich rozmowy. Miał zamiar olśnić ją swą zamożnością i zaproponować pomoc dla siostry morfinistki. W zamian nie oczekiwałby żadnej podzięki. A kiedy po kilku tygodniach, może miesiącach, zmonopolizowałby dostawy morfiny dla siostry, zażądałby specjalnych dowodów wdzięczności. Tutaj zaś wszystko poszło nie w tę stronę co trzeba. Owszem, był przygotowany na to, że Pasławska okaże się zauroczona Stefanusem. Nie sądził jednak, że będzie go bronić jak lwica. Murawski chciał kupić dziwkę, a natrafił na kamienny opór zagorzałej wyznawczyni, niemalże zelotki. Wiedział, że nie może teraz w swym uwodzeniu pójść „drogą morfiny". „Sam rozpętałeś głupią dyskusję, idioto – pomyślał – to teraz nie możesz się wycofać. Na szczęście masz plan awaryjny".

– Wiesz, Fredziu – dalej uśmiechał się przymilnie – Platon w ludzkiej duszy wyróżnia część rozumną, pożądliwą i gniewliwą. Stoicy słusznie zredukowali ten nadmierny podział i dwie ostatnie części nazwali biologiczną naturą człowieka, a psychiczny komponent rozumny nazwali po prostu naturą ludzką. Stoicy mówili też, że mędrzec nigdy się nie wyprze swej ludzkiej natury, zgranej jak u Stefanusa z rytmem całego dobrego wszechświata. Co to znaczy? To znaczy, że nigdy nie odrzuci swych poglądów! Nic go do tego nie zmusi! Żaden nacisk, żaden ból, żadne cierpienie... Czy myślisz, że jest to możliwe? Znam dobrze profesora...

– W wypadku profesora Stefanusa – policzki studentki płonęły z emocyj – to nie tylko możliwe! To pewne! On się nie wyprze swoich idej! Nigdy!

Murawski spojrzał z zatroskaniem na dziewczynę i odwrócił się do biurka.

– Tego nie dowiemy się nigdy przed chwilą próby. – Znów umoczył stalówkę w czerwonym atramencie, chociaż wiedział, że wypracowanie Olka Najdorfa nie da mu najmniejszych powodów do użycia pióra. – No dobrze, skończmy tę rozmowę.

Zaczął czytać. Kątem oka dojrzał, jak uczennica wyciąga swoje papierosy. Nie podał jej ognia. Zagłębił się w logiczny wywód ucznia.

– Niech pan mi powie, proszę – przerwała mu Pasławska – czy profesor Stefanus wyparłby się swoich poglądów w chwili próby?

– Wiesz, co to jest *experimentum crucis*? – Odwrócił się do niej gwałtownie.

– Eksperyment krzyża – powiedziała Fryderyka po namyśle.

– Nie pytam cię, jak przetłumaczyć tę frazę na polski – skarcił ją dość opryskliwie – ale co to jest!

– Nie wiem. – Uczennica spuściła oczy, jakby była pod tablicą.

– To jest chwila próby! – odparł. – Ostateczna i rozstrzygająca! I mój kochany kolega Mietek miał swoje *experimentum crucis* w obozie... I nie wyszedł z tej próby zwycięsko... Tyle niech ci wystarczy!

– Jak to było?! Błagam, niech pan powie! – Dziewczyna aż łykała dym z papierosa.

– Myślisz, że chcę mówić o słabościach swojego przyjaciela?! To by było niegodne!

– W imię nauki – szepnęła – panie profesorze, w imię nauki!

– Tu nie chodzi o żadną naukę. – Murawski był bardzo poważny. – Ty po prostu chcesz wiedzieć, czy można mu ufać, prawda?

– Tak. – Zgasiła papierosa tak energicznie, że wysypała z popielniczki trochę popiołu.

– Nie powiem! – rzekł zdecydowanie. – Natomiast w imię nauki możemy przeprowadzić sami taki eksperyment! *Experimentum crucis*! Chcesz tego? Chcesz poznać jego wiarygodność?

– Tak, chcę. – Jej piękna, delikatna dłoń zacisnęła się w pięść. – Zrobię wszystko, by poznać, czy on zaświadczy o prawdzie! Proszę powiedzieć, co to ma być!

Murawski poczuł, jak wraz z jej słowami: „zrobię wszystko!", wypływa mu na twarz rumieniec, który mógłby zdradzić jego żądzę. Kiwnął na dziewczynę i zakrył palcem usta, jakby miał jej zamiar wyjawić największą tajemnicę wszechświata. Przysunęła się do niego bliżej.

– Musisz spełnić trzy warunki – powiedział nauczyciel. – Bez tego nie dojdzie do *experimentum crucis*... Pierwszy to taki, że nie odejdziesz od profesora, kiedy on nie sprosta próbie... że zrozumiesz jego słabość...

– Nie odejdę – obiecała z mocą. – W powstaniu widziałam ludzi w chwili słabości i nigdy nimi nie wzgardziłam...

– Dobrze. – Profesor potarł palcem czoło. – A teraz drugi warunek... Nie powiesz mu nic o eksperymencie...

– Tak jest, nie powiem.

– A teraz trzeci. Ty osobiście weźmiesz udział w doświadczeniu... Będziesz wręcz jego bohaterką...

– A co mam robić?

Murawski wstał, pochylił się nad nią i wyszeptał jej wszystko do ucha, z trudem się hamując, by jej nie pogłaskać po anielskich włosach.

– Dobrze – zgodziła się bez wahania.

Szybko poprawił wypracowanie Najdorfa. Kiedy po pięciu minutach Fryderyka wychodziła, zamknął za nią drzwi. Potem oparł się o nie i ciężko oddychał.

– Tak czy siak, będę cię miał – wychrypiał. – W imię nauki.

———————————

Następne dni były nudne i przewidywalne. Oprócz odwiedzania Leokadii w szpitalu całkowicie się poświęciłem inwigilacji Henryka Murawskiego. Było to zadanie trudne z jednego najważniejszego powodu – profesor mnie znał i nie mogłem zachować *incognito*, podstawowego warunku skutecznego śledzenia.

Intensywna obserwacja z bliskiej odległości w ogóle zatem nie wchodziła w grę. Jedyne, co mogłem zrobić, to wypatrywać go przez wiele godzin gdzieś z ukrycia. Tymi kryjówkami nie mogły być – z powodu mrozu, który srogo ścisnął miasto w pierwszej połowie grudnia – ani bramy, ani podwórka, ani załomy murów. Czaiłem się zatem w prywatnych mieszkaniach, lokalach i pracowniach rzemieślniczych. Ludziom, którzy tam przebywali, słono płaciłem za tymczasowe schronienie i niestety, byłem skazany na ich towarzystwo. Ciekawskim wmawiałem, że ścigam kochanka swojej młodej żony. Narażało mnie to na szyderstwa i bynajmniej nie chroniło ani od wygórowanych żądań finansowych, ani od ewentualnej nielojalności wynajmujących, którzy mogli donieść milicji o podejrzanym starym rogaczu. Krótko mówiąc – przez prawie tydzień siedziałem w różnych dziurach, brudnych warsztatach oraz zapuszczonych łazienkach i spiżarkach. Gapiłem się tępo w jakąś bramę, gdzie zniknął Murawski, spodziewając się co chwila milicjantów. Kiedy śledzony w końcu skądś wychodził, i ja opuszczałem swój punkt obserwacyjny i z bezpiecznej odległości śledziłem nauczyciela, aż ten dochodził do kamienicy na Ukrytej. Ta mała uliczka, jakby paradoksalnie względem swej nazwy, nie oferowała mi żadnych kryjówek oprócz całych gór gruzów, gdzie trwać przy kilkunastostopniowym mrozie było niemożebne. Stało na niej tak niewiele kamienic, że nie sposób było ujść uwagi ciekawskich i podejrzliwych mieszkańców, którzy w każdym widzieli złodzieja. Profesor był tam ponadto znaną i szanowaną personą, a zatem moja charakterystyczna postać i bajeczki o zdradzie młodej żony mogły szybko się rozpowszechnić po okolicy i dojść także do podejrzanego. Kiedy znikał u siebie, porzucałem śledzenie i wracałem zziębnięty do domu, gdzie przy cienkiej herbacie dokonywałem podsumowań mizernych rezultatów mych działań.

Codziennie śledziłem profesora po lekcjach. Ze szkoły wychodził zwykle około drugiej po południu. Szedł przez Ostrów Tumski do znanej mi jadłodajni Caritas u zbiegu Kuźniczej i Urszulanek. Po obiedzie wracał do domu piechotą lub tramwajem, odwiedzając kogoś po drodze. Bywał w czterech różnych miejscach – trzy z nich grupowały się wokół ulicy Stalina, jedno było na Ogrodowej. We wszystkich tych lokalizacjach spisałem listy lokatorów, a dwa razy nawet dowiedziałem się od przekupnych dozorców, kogo to mianowicie odwiedza Murawski. Otóż w oficynie na Ogrodowej 44 składał wizyty mieszkającemu tam od niedawna w pokoiku na poddaszu muzykowi Lejzorowi Fajertagowi. Dowiedziałem się o nim, że często wychodzi z domu z futerałem na skrzypce albo z szachownicą pod pachą. „Nie dalej jak wczoraj – donosił dozorca – pan Fajertag poszedł na szachy". Nie wzbudziło to moich większych podejrzeń. Widziałem szachownicę w mieszkaniu Murawskiego. Cóż więc było dziwnego w tym, że jeden szachista kontaktuje się z innym szachistą?

Większe moje podejrzenia wzbudził kolejny jego znajomy, drugi po Fajertagu, którego personalia zidentyfikowałem. Był to niejaki Andrzej Walczak, mieszkający na Krętej 25, tuż obok zajezdni tramwajowej. Jak poinformowały mnie dwa wyrośnięte łobuziaki, którym za to postawiłem ciastka i lody w pobliskiej cukierni, jest to młody, nigdzie nie pracujący człowiek: często w nocy opuszcza on swoje nędzne, brudne lokum i wraca doń nad ranem. Miał opinię nieprzyjemnego, natarczywego podrywacza i pijaka skłonnego do bójki.

Znajomość szanowanego profesora liceum z ulicznym cwaniakiem i agresywnym opojem wydała mi się nadzwyczaj podejrzana. Natychmiast wziąłem owego Walczaka na celownik.

Do białego rana siedziałem w ślusarni zajezdni tramwajowej, opłaciwszy wcześniej dyżurnego ćwiartką spirytusu, i gapiłem się w okna mieszkania owego podejrzanego typa. Niestety – jak były one ciemne po południu, tak i pozostały ciemne do świtu. O ósmej rano, zdrętwiały i skonany ze zmęczenia, powlokłem się do domu.

Po drodze w owocarni pana Aleksego Kransa na Szczytnickiej kupiłem za grubą sumę cytryny i jedną pomarańczę. Musiałem się umyć, ogolić, przebrać. Pokazywanie się Leokadii w takim stanie byłoby niegodne.

W mieszkaniu doktora Scholza czekał na mnie Stefanus. Ucieszyłem się na jego widok, bo od kilku dni zamierzałem przesłuchać go i dowiedzieć się czegoś więcej o Murawskim. Nie sądziłem, że moja radość jest przedwczesna, choć pojawienie się profesora zawsze zwiastowało nowe kłopoty.

– URZĄD BEZPIECZEŃSTWA depcze mi po piętach, panie komisarzu – powiedział spokojnie Stefanus, kiedy już usiedli przy stole.

W mieszkaniu było ciepło. Pod nieobecność gospodarza napalił w piecu sam doktor Scholz, aby „nie zawilgotniało", jak to uzasadnił dobry i przezorny sąsiad. Mimo że w ostatnim grudniowym transporcie miał on opuścić swoje miasto i wyjechać nad Jezioro Bodeńskie, wciąż się łudził, że kiedyś powróci do swej kamienicy i obejmie ją znów w posiadanie.

Z parujących filiżanek rozchodziła się przyjemna woń kawy, a z dobrych, amerykańskich papierosów Stefanusa unosił się jasny dym.

– Niech pan mówi *ab ovo*. – Popielski potarł palcami powieki i poczuł pod nimi piasek niewyspania.

– Był u mnie dziś rano mój sąsiad zajmujący większą część willi...

– Blauenfeld, nieprawdaż? – wszedł mu w słowo detektyw.

– Prawie dobrze... – Nauczyciel się uśmiechnął. – Seweryn Korenfeld... Muzyk z filharmonii... Wielkiej zacności człowiek... Otóż pan Korenfeld poinformował mnie, że wczoraj wieczorem przyjechali po niego i zabrali go na Łąkową... Tam go zastraszono... Zgodził się im zatelefonować, kiedy wyjdę na dłużej z domu... Podejrzewam, że UB chce zrobić u mnie rewizję... To tyle. Co pan radzi? Co mi teraz robić?

– Ufa pan temu Korenfeldowi? – zapytał Popielski.

– Tak mocno jak panu – odparł profesor bez wahania. – Dlaczego pan w ogóle o to pyta? To chyba oczywiste, że mu ufam.

– Zanim panu odpowiem, zapytam jeszcze o jedno: co ma zamiar zrobić Korenfeld w związku z żądaniem UB?

– Zaproponował mi wyjście typu „i wilk syty, i owca cała". Usunę wszystko, co mnie kompromituje, i opuszczę mieszkanie na kilka godzin, a wtedy on im powie... To właściwie żaden kłopot, bo ja nie mam niczego kompromitującego.

– Dobre wyjście z sytuacji... – Detektyw się zasępił. – A teraz panu powiem, profesorze, dlaczego zapytałem o pańskie zaufanie do sąsiada. Owszem, mógłbym powiedzieć, że w moim długim życiu widziałem wielu ludzi zacnych, którzy niekiedy zapominali o swej cnocie, ale nie chcę takimi truizmami podważać pańskiej dobrej opinii o Korenfeldzie... Tylko dziwne mi się wydaje, że ubecy chcą zrobić rewizję pod pańską nieobecność... Właściwe dla nich byłoby inne działanie... Przyjazd nad ranem, pięścią w twarz i rewizja przy panu... Chyba że...

– Chyba że co? – zaniepokoił się Stefanus.

– Wspomniał pan w dyskusji z Murawskim o swoim dziele, które pan ukończył... Mówił pan, że wyda je we Francji i że władze komunistyczne uznają je zapewne za dzieło burżuazyjne... Dobrze pamiętam?

– Tak.

– Czy mówił pan o tym dziele wcześniej swoim uczniom, czy po raz pierwszy w czasie debaty?

– Wcześniej. Wielokrotnie.

Popielski milczał przez chwilę.

– Wydaje mi się, że widzę powód ich ewentualnej cichej rewizji... Chcą panu skonfiskować to dzieło, o którym najpewniej wiedzą już od dawna...

– Zniszczyć dzieło mojego życia?! – Stefanus szarpnął się na krześle, jakby przeniknął go nagły dreszcz. – To tak, jakby mnie zabić...

– No właśnie... Ale stawiam inną hipotezę. Jeśli chcą zabrać panu książkę, to pewnie po to by uczynić z pana swojego agenta... Będą panu powtarzać – Popielski zaczął mówić przymilnym głosem, objawiając przy tym niewielki talent aktorski – „Oddamy panu pańskie dzieło, profesorku, i wyda jej pan tam, gdzie pan chce... We Francji albo w Ameryce... Ale najpierw musi pan być grzeczny i coś dla nas zrobić... Musi pan nam powiedzieć o tym i o owym znajomym z pańskiego środowiska... Nas bardzo interesują ludzie nauki i kultury”... I tak mogą z pana uczynić swego konfidenta... Dlatego czym prędzej musimy pańskie dzieło zabezpieczyć.

– Dobrze, tak zrobię! Ale jak? Schować je gdzieś?

– O tym za chwilę. Bo teraz o jeszcze jednym hipotetycznym powodzie tej cichej rewizji... Może chcą pana obserwować i dotrzeć przez pana do kogoś innego... Ale tu zresztą też – przeciągnął się ze zmęczenia – zadziałaliby inaczej. Wzięliby pana na tortury, zamiast inwigilować... Z jakichś względów chcą pana rozpracować po cichu... Tylko dlaczego po cichu? Może sądzą, że pan, były więzień Oświęcimia, tak łatwo nie da się złamać w śledztwie? A może znają z raportów swojego agenta w Gymnasium Subterraneum pańskie stoickie poglądy i wiedzą, że niczego się pan nie ulęknie? Nic tu nie rozumiem...

Zapadła cisza. Stefanus zachowywał się nienaturalnie. Czerwienił się, wyginał palce, aż trzeszczały w stawach, a wzroku nie odrywał od intarsjowanej na blacie stołu muszli świętego Jakuba. Popielski przypatrywał mu się uważnie i cierpliwie czekał. Doskonale znał ten moment ostatecznego napięcia – kiedy to przesłuchiwany jest o krok od trudnego, przełomowego wyznania. Nieliczni potrafili przeczekać tę dramatyczną chwilę. Profesor należał jednak do większości.

– Czy ja wyglądam na niezłomnego Mucjusza Scewolę? – zapytał cicho. – Owszem, niedaleki jestem od poglądów stoickich, ale gdzie mi tam do Chryzypa, który mówił, że się jest albo niezniszczalnym mędrcem, albo słabym głupcem! *Tertium non datur*. Bliższy mi jest raczej pogląd Panecjusza, że mędrzec jest ideałem, światłem, do którego trzeba dążyć... Już samo to dążenie jest dobre... I ja uważam siebie właśnie za pielgrzyma na tej drodze... A pielgrzym do mądrości jest tylko człowiekiem i nieraz się załamuje... Ja tego doświadczyłem szczególnie boleśnie w Oświęcimiu... Co gorsza, UB na pewno wie o moim załamaniu... Dlatego pański argument o mojej rzekomej niezłomności, wiadomej ubekom, jest nietrafny... O tak, moja historia była dobrze znana wśród więźniów...

Umilkł i jeszcze przez chwilę się wahał. Ale trwało to bardzo krótko.

– Wie pan, komisarzu – rozpoczął – kiedy byłem siedemnastoletnim młodzieńcem, uwierzyłem w matematyczny ład świata. Jako zadanie domowe rozwiązywałem kiedyś układ równań liniowych i nagle się okazało, że muszę pod pierwiastkiem postawić liczbę ujemną... Miałem znaleźć wynik pierwiastkowania minus pięciu! To był dla mnie wstrząs! Poczułem się tak, jakbym ujrzał jakąś makabrę, jakbym odkrył absolutne zło... Oto w uporządkowany świat matematyki wdarł się chaos, wśród liczb ujrzałem oblicze diabła. Nie mogłem jeść, nie mogłem spać, rozwiązywałem ten układ równań przez całą noc na wszelkie możliwe sposoby i wciąż dochodziłem do pierwiastkowania liczby minusowej! Następnego dnia pobiegłem do profesora Spulnickiego, mojego nieodżałowanego nauczyciela matematyki, i pokazałem mu ten układ równań... Myślał przez chwilę i okazało się, że popełniłem głupi błąd przy przepisywaniu tych równań z tablicy do zeszytu. Dostałem od profesora prawdziwy paternoster i na tym cała sprawa by się skończyła, gdyby nie to, że Spulnicki w złości powiedział mi, iż takie działanie jest możliwe w świecie liczb zespolonych... Wybłagałem go o indywidualne lekcje z tych zagadnień. Po tygodniu odkryłem realność metafizyki. Piorunujące wrażenie zrobiło na mnie zwłaszcza równanie Eulera... Nabrałem całkowitej pewności, że diabeł nie ma wstępu do świata matematyki, głosiłem wszem wobec, jak Leibniz, że historia świata jest najdoskonalszym równaniem, napisanym przez Boga. Odkrycie liczb zespolonych było dla mnie jak rezurekcja, jak zwycięstwo nad złem, śmiercią i szatanem. Zrozumiałem wtedy, że matematyka napełnia dobrem wszelkie przestrzenie wartości! – Umilkł i napił się kawy. Ogniste rumieńce odpłynęły z jego twarzy, ręce przestały drżeć, oderwał wzrok od stołu i spojrzał na Popielskiego jasnym wzrokiem. – Wierzyłem w to długo – mówił dobitnym, nauczycielskim głosem. – Aż do pewnego upalnego dnia 1943 roku. Do naszego bloku przyszedł wtedy zastępca szefa paczkarni, osławiony i okrutny *SS-Sturmbannführer* Adolf Lindemann. Był to pasjonat zagadek logicznych i reńskiego wina. Wiedząc, że jestem matematykiem, kazał mi przyjść do siebie. W biurze paczkarni siedziało kilka jego faworyt, starannie wybranych spośród więźniarek. Jedna z nich, Żydówka z Antwerpii, pokazała Lindemannowi, jak rysunkowo udowodnić twierdzenie Pitagorasa. Esesman w swym alkoholowym zamroczeniu nie mógł zrozumieć tego dowodu. Myślał, że faworyta go oszukuje, i mnie kazał go przeprowadzić. Jak najdokładniej i jak najwolniej. Zrobiłem to identycznie jak ta kobieta. To zresztą prosty dowód, na pewno pan go zna! – Spojrzał na Popielskiego, a ten skinął głową. – Lindemann zrozumiał, że nikt go nie okłamuje, i starannie złożył kartki. Śmiał się wesoło, dał mi gotowanych ziemniaków i dodatkową porcję chleba. Kiedy jadłem, poklepywał mnie przyjaźnie po ramieniu. Byłem szczęśliwy i wdzięczny matematyce, która swą racjonalną siłą potrafiła zamienić złego człowieka we współczującego, miłego pana... – Stefanus przerwał opowieść i przymknął oczy. Po blacie stołu kreślił palcem regularne figury, jakby przypominał sobie rysunkowy dowód twierdzenia Pitagorasa. – Nagle Lindemann wyjął pistolet i wystrzelił. Placki mózgu jego faworyty osiadły mi na pasiaku i twarzy. Kawałki kości czaszki zachrzęściły po mojej misce. I wie pan, co było najgorsze? Otarłem twarz z mózgu i nie przestałem jeść... Wydłubywałem kawałki kości z ziemniaków i dalej jadłem...

Popielski patrzył na niego ze współczuciem.

– Szatan znów wpełzł w matematykę – powiedział. – Utraciła ona swoją moc czynienia dobra...

– Na chwilę tylko, panie Popielski! – krzyknął Stefanus. – Tylko na chwilę! Już więcej do mojego życia diabeł nie wpełznie! Nigdy mu więcej nie uległem w piekle Oświęcimia, nie ulegnę i teraz! I być może o tym wiedzą ubecy, o moim niezłomnym i strasznym postanowieniu...

Umilkł. Mijały minuty

– A jakież to postanowienie? – nie wytrzymał detektyw.

– Postąpię tak, jak zalecali niektórzy stoicy. – Nauczyciel zaczął się gubić. – Czyli... w chwili kiedy... już nie będę mógł... jak Seneka...

– Kiedy cnota nie będzie możliwa – pomógł mu Popielski – dobrowolnie opuści pan ten najlepszy z możliwych światów...

– Właśnie tak. – Stefanus spojrzał na swego rozmówcę ze spokojną pewnością.

– Starożytni stoicy mogliby być dumni z takiego ucznia jak pan – powiedział wolno Popielski.

– Dlaczego? Każdy może dojść do światła mądrości zgodnie z własnymi dyspozycjami. Ja podążam drogą nauki, co wcale nie znaczy, że jestem lepszy od prostego chłopa, który modli się pod krzyżem na rozstajach...

– Mogliby być z pana dumni – uparł się detektyw. – Bo wcale pan nie usprawiedliwił niczym swego oświęcimskiego postępku... Mógł pan skomleć, przepraszać, oskarżać zwierzęcy głód, a pan nawet nie mówił, że był pan głodny...

Opowieść nauczyciela była wstrząsająca, a jego szczerość głęboko mnie poruszyła. Jednak były to tylko słowa – znaki, które ani nie śmierdziały, ani nie lepiły się do skóry. Były czymś tak nierealnym, że ja, który dobrze poznałem metaliczny smak krwi, woń opuchłych ciał i ciepły dotyk śmierci, bez najmniejszego wysiłku odpędziłem te fantomy od mojego umysłu. Było to konieczne, bo wciąż nie udzieliłem profesorowi odpowiedzi na jego dramatyczne pytanie: „Co mi teraz robić?".

Po kilku minutach namysłu, upewniwszy się, że swoje dzieło pisał na maszynie przez kalkę i ma dwa jego egzemplarze, podjąłem się przechowania ich obu. A następnie przedstawiłem mu skomplikowany plan ochrony książki przed ubekami, który w pełni zaakceptował. Potem przyszła kolej na moje sprawy.

Najpierw wymusiłem na Stefanusie obietnicę, że o naszej rozmowie nie powie nikomu ani słowa, nawet osobom, o których będzie mowa. Potem przedstawiłem mu moje podejrzenia co do Murawskiego. „Mógł on być pośrednikiem w stręczycielskim procederze – mówiłem. – Świadczą o tym, po pierwsze, jego zamożność i kontakty z sutenerem Pasierbiakiem, a po drugie, to, że wszystkie dziewczęta były z Gymnasium Subterraneum".

Jak przewidziałem, nauczyciel zdecydowanie, choć bardzo spokojnie, zaprotestował przeciwko, jak to nazwał, „oczernianiu" swego przyjaciela. Twierdził, że majątek odziedziczył po matce. Sam miał do Murawskiego najwyższe zaufanie. Nic tak ludzi nie wiąże jak obozowe doświadczenia i profesor prędzej spodziewałby się takiej podłości jak stręczenie dziewic po samym sobie niż po Murawskim. Wydobyłem od niego jedynie informację o „Henrykowej słabości do cór Koryntu", nad którą to namiętnością Stefanus szczerze ubolewał. Jednocześnie energicznie podważał wiarygodność sprzedajnych kobiet. Nie przekonała go bowiem opowieść Jeanette ani o odgrywaniu przez nią erotycznych scenek w przebraniu uczennicy, ani o zwracaniu się do prostytutki per „Fredzia". Zdecydowanie zakwestionował też możliwość fascynacji erotycznej, jakiej według mnie miał ulec Murawski. Potem już na wszystkie moje wątpliwości Stefanus reagował z wzorcową stoicką obojętnością i niezwykłą dla siebie małomównością.

Kiedy w trakcie dalszej dyskusji dowiedziałem się, że Murawski poprosił go o wygłoszenie wykładu dla swoich uczniów w najbliższą niedzielę, i to w jakimś podejrzanym miejscu, poczułem, że wszystkie wątki zaczynają się wiązać. Niesiony tą myślą, przystąpiłem do przebijania skorupy filozoficznej apatii.

Uznałem za nadzwyczaj podejrzane to, że Murawski chce – tak bowiem uzasadniał swoją prośbę – zaprezentować swym studentom poglądy diametralnie różne od własnych, by ci mieli pełnię filozoficznego obrazu. *Expressis verbis* wyjawiłem Stefanusowi moje podejrzenia: „On chce pana zwyciężyć w debacie, aby odebrać jedyną pańską studentkę, która go podnieca, co do której roi wszeteczne plany! On chce ją mieć dla siebie! Chce ją zmanipulować i uwieść!". Profesor odpowiedział mi zdecydowanie: „Nawet jeśli ma pan rację i propozycja Murawskiego jest tak naprawdę grą o uczennicę, to on nie jest w stanie tej debaty wygrać. Moje argumenty są po prostu nie do zbicia!".

Niespecjalnie podzielałem jego pewność siebie. Była ona jednak niezłomna. Nie pozostawało mi zatem nic innego, jak tylko wyprosić u niego obietnicę, że nie pozwoli na to, by debata odbyła się beze mnie.

POPIELSKI PO WYJŚCIU PROFESORA Stefanusa nie mógł opanować senności. Patrzył na cytryny i pomarańczę, pocierał palcem o zarośnięty policzek i nie mógł się zdecydować na to, co powinien właściwie teraz zrobić: odespać noc czy umyć się, ogolić i odwiedzić Leokadię?

Nagle zrozumiał, że musi zrobić coś zupełnie innego. Powinien przypomnieć sobie wyraźną wskazówkę, która w trakcie rozmowy zabłysła w jego umyśle i natychmiast zgasła. Nie była to jednak błyskawica, która zrodziła się w jakimś bliżej nieokreślonym obszarze nieba. Wiedział, co wywołało tę myśl, i tym śladem musiał pójść przez historię swych niedawnych intuicyj. Tym tropem był pan Korenfeld, zacny pan Korenfeld. Żydowski muzyk z filharmonii. Sąsiad Stefanusa.

Popielski, kiedy ścigał swe przeczucia, nigdy nie wpadał w desperację. Powtarzał jak mantrę elementy myślowej układanki i czekał, aż umysł odpowie mu analogią – nagłym skojarzeniem.

– Korenfeld, Korenfeld – powtarzał. – Kto się nazywa podobnie?

– Nikt – odpowiedział sam sobie.

– Zacny pan, zacny pan, kto kogo tak ostatnio nazwał?

Nie przypominał sobie.

– Żydowski muzyk, żydowski muzyk – mówił głośno, aż się echo odbijało w pustym pokoju.

– Żydowski muzyk z Ogrodowej, szachista, znajomy Murawskiego – odezwała się intuicja.

Popielski uderzył się czoło i chciał zakrzyknąć: *Heureka!*, ale natychmiast zganił sam siebie. Było za wcześnie na okrzyk triumfu. Wiedział już, czego dotyczyła wskazówka, ale to wciąż było za mało. Musiał sobie odpowiedzieć na pytania: Jaka to była wskazówka? Co było nie tak z tym muzykiem z Ogrodowej? Dlaczego o nim pomyślał, kiedy Stefanus wspomniał o „zacnym panu Korenfeldzie”? Na te pytania nie znalazł odpowiedzi. Siedział przy stole, naciskał skronie i masował sobie głowę. Wszystko na nic.

Postanowił zastosować inną metodę przypominania – spojrzeć w to samo miejsce, gdzie zatrzymał wzrok, gdy przyszła wskazówka o Korenfeldzie. Niestety, nie pamiętał, gdzie wtedy patrzył.

Wstał i powtarzając głośno „żydowski muzyk-szachista”, rozglądał się powoli po pokoju. Asocjacja nie nastąpiła – nie podpowiedziały mu ani piec, ani stół, ani krzesła, ani oprawiona rycina Lwowa, wejście do nyży i skromny kredens. Innych szczegółów już w mieszkaniu nie było. Fiasko.

Postanowił się zdrzemnąć. Wszedł do nyży i położył się na tapczanie, którego od momentu opuszczenia domu przez Leokadię nigdy nie zaściełał. W myślach brzęczało mu wciąż „żydowski muzyk-szachista”. Skupił się przez chwilę na tej frazie. Czegoś było tu za dużo. Nadmiernie dużo.

Popielski zerwał się gwałtownie i usiadł na tapczanie. „Nadmiar”. To była ta wskazówka. Muzyk z Ogrodowej wychodził z domu z szachownicą. Po co? Bo szedł grać w szachy na przykład z Murawskim. Ale dlaczego szedł z szachownicą? Przecież Murawski ma swoją! A może szedł z szachownicą do parku, nad fosę, gdzie spotykają się szachiści?

– To niemożliwe – odpowiedział tym razem głośno. – Teraz, w zimie, nad fosę!?

„Jeśli ktoś chce się ukryć przed prześladowcą – pomyślał – przybiera fałszywą tożsamość. Jeśli prześladowców jest więcej, to opresja większa i tożsamości musi być więcej. Kiedy mnie ścigały UB i NKWD, początkowo udawałem niemieckiego księdza. Dwie różne tożsamości. Niemiec i ksiądz. Czemu zatem czarnowłosy i śniady Gruzin ma nie udawać żydowskiego muzyka i szachisty jednocześnie?"

Rzucił się do pokoju. Nie jadł, nie mył się, nie golił. Ubrał się ciepło w walonki, stary dziurawy kożuch, a na głowę zamiast kapelusza nacisnął czapkę uszankę. Na nos nałożył ciemne okulary. Nie mógł ryzykować ataku epilepsji wywołanego widokiem skrzącego się śniegu. Do kieszeni schował pół ćwiartki spirytusu i browninga. We Lwowie taki strój przysporzyłby mu miana „łachabundy", tutaj nazwano by go po prostu „dziadem". Nie dbał o to. Musiał być gotów na wielogodzinne śledzenie na mrozie i czekanie nawet w ruinach.

Wyszedł z mieszkania.

Owoce dla Leokadii pozostały na stole.

Trzy kwadranse później przeskoczyłem w skos plac Kościuszki i przez zrujnowane budynki na Świdnickiej przedostałem się na podwórko na Ogrodowej. Było ono gęsto zadrzewione i zabudowane małymi warsztatami, które Niemcy dumnie zwali *„Fabriken"*. Teraz urzędowali w nich jacyś mechanicy, ślusarze i inne „złote rączki". Z moich poprzednich tu eksploracyj znałem dobrze topografię tego podwórka i wiedziałem, że możność zamaskowanej obserwacji jest tu odpowiednia. Uznałem, że najlepiej będzie ustawić się z tyłu Domu Sanitarnego, gdzie właśnie znajdowała się oficyna zamieszkana między innymi przez muzyka Lejzora Fajertaga. W określone dni tygodnia – za ostatniej bytności dowiedziałem się w jakie – gromadziły się tam sieroty wojenne, ludzie kalecy i chorzy, a wśród nich nierzadko podejrzane kreatury i pijacy. Wszyscy oni czekali, aż do Domu Sanitarnego podjedzie wóz z kolejną partią bandaży, opatrunków, protez i instrumentów chirurgicznych. Kiedy w końcu przybywała dostawa, ochoczo rzucali się do pomocy przy rozładunku, a właścicielka zakładu pani Teresa Izdebska płaciła im za usługę częścią swego towaru. Niektórzy z nich rzeczywiście używali później tych opatrunków, ale większość sprzedawała je z zyskiem – niewielkim, lecz wystarczającym na machorkę i bimber.

Byli to w większości oberwańcy i szumowiny, a ja swym dzisiejszym wyglądem bardzo dobrze pasowałem do owego towarzystwa i nie wzbudzałem niczyich podejrzeń.

POPIELSKI ODDALIŁ SIĘ na chwilę od grupki inwalidów i cicho wszedł na trzecie piętro oficyny. Zatrzymał się pod drzwiami Fajertaga i przez chwilę nasłuchiwał. Wewnątrz jakiś mężczyzna miał najwyraźniej dobry humor, bo chodząc tam i z powrotem szybkim krokiem, gwizdał wesoło melodię podobną do *Marsylianki*. „Chyba się dokądś wybiera" – pomyślał detektyw.

Obawiając się zdemaskowania, zszedł szybko na dół i uważnie obserwował bramę. Trochę go niepokoiło to, że nie wypytał dokładniej stróża o wygląd i o obyczaje muzyka, przez co był teraz skazany na niepewność. Jeśli bowiem z oficyny wyjdzie jakiś mężczyzna bez skrzypiec i bez szachownicy, czyli bez wyraźnych znaków identyfikacyjnych, Popielskiemu pozostanie wybór losowy – śledzić go czy nie śledzić? Czy to Fajertag, czy inny lokator?

Tak się też niestety stało – po chwili z bramy wyszedł smagły brodacz koło trzydziestki i nie miał przy sobie żadnych akcesoriów. Jednak nie było powodów do desperacji i Popielski nie musiał wyciągać monety i losować. Uznał, że wychodzący to Fajertag. Po pierwsze, odznaczał się on orientalną urodą, po drugie zaś – wciąż pogwizdywał. Detektyw, któremu, jak sam twierdził, słoń nadepnął na ucho, nie postawiłby ani grosza na swoją umiejętność rozpoznawania melodii i nie wiedział teraz, czy mężczyzna gwiżdże akurat *Marsyliankę*, ufał jednak mocno swoim zdolnościom logicznego wiązania przesłanek.

Te zaś były jasne – jeśli mężczyzna pogwizduje i energicznie chodzi po przedpokoju, to prawdopodobnie ubiera się i szykuje do wyjścia; jeśli po pięciu minutach jakiś pogwizdujący mężczyzna wychodzi z bramy, to wiele wskazuje, że tamten w mieszkaniu i ten wychodzący teraz na podwórze to jeden i ten sam człowiek.

Popielski zdjął z nosa ciemne okulary i ruszył za nim.

Fajertag najpierw poszedł do Domu Sanitarnego Izdebskiej, skąd po chwili wyniósł jakiś worek. Szedł szybko, a ładunek podskakiwał mu na plecach. Najwidoczniej nie był zbyt ciężki.

Śledzony skręcił w lewo w ulicę Zapolskiej, a potem w prawo – w Bogusławskiego. Tam sunął wolniej wzdłuż nasypu kolejowego, co chwila oglądając się na boki i do tyłu.

Mimo tych środków ostrożności nie był trudnym celem do śledzenia. W ceglastoczerwonym nasypie kolejowym co kilkanaście metrów były bowiem a to łukowate przejścia, a to jakieś zdemolowane i oszabrowane magazyny i warsztaty. I jedne, i drugie były wygodnymi niszami, do których Popielski uskakiwał, kiedy Fajertag obracał się do tyłu.

Tak doszli do ulicy Zielińskiego. Tutaj, w bliskości hali targowej, było już sporo ludzi i oni stanowili jeszcze wygodniejszą zasłonę dla śledzącego.

Fajertag podszedł do częściowo zrujnowanego budynku hali i stanął w samym wejściu, tuż pod reliefem przedstawiającym handlarkę i tragarzy owiniętych łodygami i liśćmi. Z worka wyjął powiązane w pary drewniane protezy rąk i nóg. Przewiesił je sobie przez ramiona i wpatrywał się uważnie w gęsto wypełnione ludźmi wnętrze.

Popielski, ukryty za wozem, z którego sprzedawano cegły i cement, przyglądał się uważnie sprzedawcy protez. Już wiedział, że jest na właściwym tropie i muzyk jest kimś, kto obawia się inwigilacji. Któż bowiem, mając czyste sumienie, zamiast iść do hali targowej prosto ulicą Ogrodową, wybiera okrężną drogę, a w czasie marszu trwożliwie rozgląda się wokół siebie?

Jego przeczucia się sprawdziły, gdy Fajertag nagle, w ułamku sekundy, obrócił się na pięcie i zniknął w ciemnym wnętrzu budynku.

Popielski wiedział, że śledzony może w ten sposób sprawdzać, czy ktoś za nim nie idzie. Pewnie teraz ustawi się gdzieś w ciemnym kącie, będzie uważnie obserwował wchodzących i czekał na moment rozpoznania – aż pamięć mu podpowie: „Tego, co wchodzi, to gdzieś już widziałeś! Strzeż się go!".

Detektyw nie miał całkowitej pewności, czy nie zostanie rozpoznany przez Fajertaga po kożuchu. Zrzucił go więc, położył na wozie z cegłami i wręczył woźnicy banknot dziesięciozłotowy z propozycją chwilowego popilnowania wierzchniego okrycia. Furman przyjrzał się najpierw podejrzliwie dziurawemu kożuchowi Popielskiego, a potem banknotowi, po czym kiwnął głową.

Detektyw wszedł do wnętrza zrujnowanego do połowy budynku i drżąc nieco z zimna, przechadzał się pomiędzy straganami zapełnionymi wszelkim dobrem, zwłaszcza deficytowymi towarami z UNRRA. Wypatrując lakierowanych protez Fajertaga, przesuwał wzrokiem po bryłach czekolady i po stosach puszek z tuszonką, z marmoladą i ze sproszkowanym mlekiem.

Szukał muzyka także w dalszej, pozbawionej dachu części hali, nad którą zwieszał się niebezpiecznie urwany pomost, łączący niegdyś dwie boczne galerie. Nie znalazł Fajertaga ani wśród zakrytych brezentowymi daszkami stoisk wypełnionych stosami kartofli i cebuli, ani wśród wydzielających charakterystyczną woń beczek z kiszoną kapustą.

W pierwszej części sali patrzono na niego niechętnie i podejrzliwie. Starszy człowiek bez płaszcza i w pocerowanej nędznej marynarce nie sprawiał wrażenia klienta, który mógłby kupić luksusowe artykuły spożywcze z UNRRA, wykradzione z magazynów.

W drugiej części zaś traktowano go zupełnie inaczej. Wszędzie zachwalano przed nim kapustę i cebulę jako wspaniałe źródła witamin, zewsząd wyciągano ku niemu ręce ze słoikami smalcu i z połciami słoniny. Nagle podeszła do niego otyła kobieta, która chwyciła go za rękę i pociągnęła w stronę straganu. Baba uchyliła ręcznik przykrywający wiklinowy kosz, a potem sięgnęła ręką głębiej i pochwyciła grubą gomółkę sera. Mrugnęła zachęcająco okiem i kiwnęła palcem. Popielski pochylił się nad koszem i ujrzał ukryte pod serem płaty rąbanki. Pociągnął nosem, pokręcił głową przecząco i wtedy kątem oka ujrzał coś błyszczącego z boku.

To były protezy Fajertaga.

Spuścił wzrok ku ziemi, cofnął się o kilka kroków i przyjrzał się ostrożnie całej sytuacji. Lejzor Fajertag wyciągał przed siebie ramiona, na których wisiały drewniane nogi i ręce. Oglądał je jakiś wysoki mężczyzna w cyklistówce, którego twarzy Popielski nie dojrzał.

Detektyw obszedł ostrożnie stragan i stanął blisko obu mężczyzn. Przez chwilę czuł na sobie ich wzrok. Odwrócił się do nich bokiem i przeglądał leżące na ladzie narzędzia i dętki rowerowe. Ich sprzedawca coś zagadnął, ale Popielski zbył go mruknięciem: „Oglądam, może coś kupię!".

Sprzedawca protez i jego klient rozmawiali po rosyjsku ściszonymi głosami. Popielski wciąż nie widział dobrze twarzy tego drugiego. Przerywał co chwila przeglądanie dętek, obcęgów i młotków i strzygł oczami na rozmawiających mężczyzn.

Czas mijał.

Mimo że nie rozróżniał słów, uznał jednak za nadzwyczaj podejrzane to, iż ich konwersacja trwa tak długo. W ciągu tych kilkunastu minut mogliby już omówić wszystkie aspekty militarne bitwy pod Kurskiem, a nie tylko ceny, materiał i zastosowanie protez. Nie rozmawiali jednak na pewno ani o jednym, ani o drugim. W Fajertagu najwyraźniej wzrastała wściekłość. Nagle chwycił swego rozmówcę za klapy i zaczął szeptać mu coś z niewielkiej odległości.

Ponieważ sprzedawca dętek i narzędzi zaczął ponaglać i rozpraszać Popielskiego, ten odszedł bez słowa, odprowadzany pogardliwymi uwagami: „Gdzie ci tam, dziadu, na rower? A do kruchty się modlić o kawałek chleba, łazęgo!".

Nie wzruszony złością i pogardą dętkarza, stanął trochę dalej przy hazardzistach grających „w pieprzyk". Prowizoryczny stolik stanowiły skrzynki po ziemniakach, na których położono szeroką deskę. Przy niej uwijał się młody człowiek w kraciastym kaszkiecie i z wyraźnymi brakami w uzębieniu. Z niezwykłą szybkością przesuwał ziarnko pieprzu spod jednego naparstka pod drugi.

– Gdzie jest pieprzyk?! Obstawiamy! Po stówce, po stówce, panowie! Śmiało, niech stracę! Gdzie jest pieprzyk?! Kto dzisiaj będzie miał szczęście? Może pan, panie rolnik, co? – zwrócił się do Popielskiego. – Jajeczka i kurki pan sprzedałeś, to warto forsę pomnożyć!

Detektyw pokręcił przecząco głową. Nie patrzył ani na niego, ani na banknoty padające na skrzynkę. Pomiędzy ramionami i głowami hazardzistów obserwował, jak Fajertag i jego rzekomy klient odwracają się i opuszczają miejsce kłótni.

Szli w kierunku graczy „w pieprzyk". Detektyw dobrze ich widział w świetle padającym przez wyrwę w dachu hali targowej. Kiedy już się zbliżali, mężczyzna w cyklistówce ziewnął na całą szerokość swej ogromnej szczęki.

I wtedy Popielski go poznał. Widział go niedawno podczas parady, na której pędzono gwałcicieli i szabrowników „przebranych – jak głosiła oficjalna propaganda – w mundury Armii Czerwonej". Ów mężczyzna, który wraz z Fajertagiem przeciskał się teraz między graczami, miał wtedy na sobie mundur pułkownika Armii Czerwonej i stał na trybunie honorowej tuż obok kapitana Czernikowa.

Jego charakterystycznej twarzy o potężnej szczęce i zakrzywionym nieco ku górze podbródku nie zapomni nikt, kto ją ujrzał choć raz. Musiałem się tą informacją z kimś podzielić. Zaniedbałem wizytę w szpitalu u Lodzi i godzinę później byłem pod sowieckimi koszarami. Zdziwionemu i niezbyt lotnemu wartownikowi powtarzałem nazwisko Rylejew, które miał przekazać kapitanowi Czernikowowi.

CZERNIKOW BYŁ pod wieżą ciśnień na Karłowicach dziesięć minut później. Podjechał willysem i otworzył zapraszająco drzwi auta. Przywitał się z Popielskim i ruszył. Pojechali ulicą Boya-Żeleńskiego pod wiaduktem i skręcili w prawo – w ulicę Długosza. Zatrzymali się pod fabryką wodomierzy.

– Chodźmy podziwiać zimowy krajobraz nad rzeką! – Czernikow wyszedł z auta. – Zapalimy, pogadamy...

Stanęli przy barierce i patrzyli na dzieci ślizgające się na łyżwach. Czernikow wyjął swoje biełomorkanały i poczęstował Popielskiego.

– Coś dziwnie jest pan ubrany – zauważył. – Zwykle elegancki, a teraz w uszance, w walonkach... Jak nie pan...

– Nie szedłem na bal – przerwał mu Popielski – tylko śledziłem pewnego człowieka... Muszę o tym panu powiedzieć...

– Jeśli pan nie ma nic lepszego do roboty... – Czernikow uśmiechnął się krzywo.

– Nie rozumiem – Popielski wypluł ledwo zapalonego biełomora na chodnik. – Moje śledztwo jest panu obojętne?

– Jest mi już wszystko obojętne – odparł ponuro Rosjanin. – Podczas parady, na której też pana widziałem, poznałem kapitana Jewgienija Striżeniuka. To zaufany pułkownika Dawydowa. Wie pan, kim jest Dawydow?

– Nie wiem.

– To jeden z bogów NKWD. – Czernikow zaciągnął się ostatni raz papierosem. – Tfu, to bóg wszechmocny, a jego prawą ręką jest ów Striżeniuk. Otóż Striżeniuk dał mi czas do wtorku na dostarczenie mu dwóch pozostałych morderców. Dzisiaj jest sobota... Przez trzy dni tego nie zrobię... A NKWD traktuje tę sprawę honorowo. Wie pan, co to znaczy?

– Co to jest? Zgadywanka w radiu? Może więcej pytań i zagadek?

– To znaczy, że we wtorek jacyś dwaj Bogu ducha winni krasnoarmiejcy – Rosjanin patrzył zamyślony na dwóch chłopców ścigających się pod mostem Katowickim – jakiś Azjata i jakiś – zabrakło mu niemieckiego słowa i powiedział po rosyjsku: – *Kawkazczik.* Tak, *Kawkazczik...* – przeszedł znów na niemiecki – zostaną przepędzeni ulicami Wrocławia w kajdanach z drutu kolczastego...

„Nie pierwsi i nie ostatni" – chciał powiedzieć Popielski, ale szybko się powstrzymał od tego komentarza. Nie znał dobrze Czernikowa i nie spodziewał się po nim poczucia sprawiedliwości. W detektywie zrodziła się teraz nieufność. Przez chwilę wahał się, czy zdradzić kapitanowi swoje najnowsze odkrycie.

– No to trochę pocierpią – rzekł zamiast tego. – Może wyjadą na Sybir... A pan i ja znajdziemy właściwych morderców. I wtedy te biedne kozły ofiarne zostaną zwolnione... Bez szumu, bez żadnych przeprosin wrócą do swych jednostek, a może nawet do domu... No trudno! Gdzie drwa rąbią, tam wióry lecą...

– Nie rozumie pan, Popielski. – Rosjanin z impetem uderzył pięścią w barierkę. – Striżeniuk postawił komentantowi Bogdyłowowi ultimatum. Jeśli nie dostarczymy NKWD prawdziwych morderców, to NKWD znajdzie morderców fałszywych i wyciągnie konsekwencje wobec komendantury garnizonu. Komendantowi Bogdyłowowi niewiele zrobią, no może poza chwilowym wysłaniem go gdzieś do Niemiec Wschodnich, gdzie dalej będzie gromadził wojenne łupy. Ale ja jestem za słaby na Striżeniuka. Zniknę stąd na zawsze... Nie, nie wyjadę na Sybir, na katorgę, co to, to nie... Dostanę po prostu dożywotni przydział na Daleki Wschód... Czyli wrócę do domu... I wtedy pan, Popielski, zostanie tu sam... A sam nie da pan rady znaleźć morderców... Zresztą wtedy już ich tu dawno może nie być...

– Myli się pan, kapitanie – odparł Polak. – Ja dziś miałem podejrzanego na widelcu, a on z tego widelca uciekł...

Czernikow wpatrywał się w Popielskiego, masując obolałą dłoń.

– Dalej, niech pan mówi – powiedział.

– Śledziłem dziś pewnego człowieka. Kiedy zacząłem, podejrzewałem go jedynie o kontakty z innym podejrzanym. Kiedy kończyłem inwigilację, uznałem, że może to być ów poszukiwany przez nas Władymir Borofiejew... – Detektyw zapalił swojego papierosa. – Nazywa się Lejzor Fajertag – ciągnął. – Jest to chyba fałszywe nazwisko, dzięki któremu ten człowiek podszywa się dla niepoznaki pod Żyda. Udaje też muzyka. Jest śniady, przystojny, koło trzydziestki i ma kruczoczarne włosy. Równie dobrze mógłby to być Borofiejew...

– No i co dalej? – Rosjanin był poruszony.

– No i ten Fajertag poszedł dziś do hali targowej, udając sprzedawcę protez. I tam spotkał się z człowiekiem o podłużnej mordzie i wielkiej szczęce... Rozmawiali ze sobą po rosyjsku. Nic nie zrozumiałem z powodu hałasu i oddalenia, ale wiem jedno: i jeden, i drugi mówił w pańskim ojczystym języku nadzwyczaj biegle... Jak rodowici Rosjanie. Ten Fajertag był bardzo poruszony... Jakby robił wyrzuty temu z krzywą mordą... Chciał go chyba nawet uderzyć!

– Podłużna morda, wielka szczęka? – Czernikow zesztywniał.

– Tak wyglądał. – Detektyw nabrał powietrza w płuca. – Podobny do krokodyla... Brzydki, wyłupiaste oczy, fioletowy ryj... Stał obok pana na paradzie, na trybunie honorowej...

– Bogdyłow – przerwał mu Czernikow. – Pułkownik Nikołaj Bogdyłow...

– Po chwili uspokoili się, wyszli z hali targowej, wsiedli do limuzyny, w której czekał na nich szofer. – Popielski rozłożył ręce i wydał syk jak z pękniętej opony. – Ulotnili się, odjechali w siną dal... Gdyby nie Bogdyłow, to tego Fajertaga zapakowalibyśmy dzisiaj do pańskiego wozu i po prostu naszymi metodami sprawdzilibyśmy, kim on właściwie jest!

Umilkli na dłużej.

Zapadał zmierzch. Dzieci odpinały łyżwy od butów i wchodziły po schodach na nadodrzański brzeg. W oknach kamienic na ulicy Galla Anonima rozbłyskiwały światła. Kominy dymiły obficiej niż zwykle. Pewnie grzano wodę w piecach łazienkowych. Ludzie cieszyli się na kolację, na sobotnią kąpiel, na przyjęcie u sąsiada albo na koncert życzeń w radiu. Przez most Katowicki przejechał autobus. Był to ten sam autobus na gaz, którym Popielski jechał, śledząc Janinę Maksymońko. Wtedy nie zdołał zapobiec jej porwaniu i śmierci, dzisiaj być może pozwolił uciec jej mordercy.

– Nie dałbym rady temu młodemu człowiekowi – mówił głośno zamyślony Popielski, choć Czernikow o nic go nie pytał ani niczego mu nie zarzucał. – Napaść go tak na ulicy, ogłuszyć i dokądś wywieźć to zadanie ponad moje siły. Mogłem go jedynie śledzić i zastanawiać się, jaką pułapkę na niego zastawić. Tylko tyle...

– Ja o nic was nie oskarżam, pan Popielski – powiedział po polsku kapitan, po czym przeszedł na niemiecki. – Ale jedno muszę wiedzieć. Skąd ma pan podejrzenia, że ten Żyd muzyk to Borofiejew morderca? To, że mówi biegle po rosyjsku, to trochę za mało, nie sądzi pan? Kontakty z Bogdyłowem też o niczym nie świadczą! Mój szef to kanalia, uwielbia łupy wojenne... To wszystko prawda... I utrzymuje stosunki z podobnymi do siebie... Ten pański autentyczny czy też fałszywy Żyd może miał do niego jakieś pretensje handlowe i dlatego go szarpał... Może Bogdyłow go oszwabił? – Czernikow zaczął powoli i groźnie cedzić słowa. – Muszę wiedzieć, jakie pan ma podstawy, by uważać Fajertaga za Borofiejewa. Jeśli to jeden i ten sam człowiek, to zaryzykuję i postawię na szali całą moją karierę, a może nawet życie... I zaatakuję Bogdyłowa, i z gardła mu wyrwę, gdzie jest Borofiejew...

Popielski milczał przez chwilę. Wciąż nie był pewien, czy może zaufać Czernikowowi. Miał do wyboru albo nabrać wody w usta i zamydlić mu oczy swym rzekomo nieomylnym policyjnym przeczuciem, albo szczerze powiedzieć Rosjaninowi o Murawskim, który jest chyba spoiwem całej tej historii. Jeśli przyjmie pierwsze rozwiązanie, to Czernikow – jego jedyny i przymusowy sojusznik – nie ujmie do wtorku morderców i zniknie na zawsze z Wrocławia. Jeśli on, Popielski, pójdzie drugą drogą, to zniszczy Gymnasium Subterraneum. Ale było też wyjście pośrednie: powiedzieć o Murawskim, nie wspominając słowem o tajnych kompletach. Wybrał to właśnie rozwiązanie.

– Niech mnie pan posłucha, kapitanie – mówił cicho. – Szanowany profesor liceum ma dwie uczennice. Obie zostają zgwałcone, a jedna z nich jest bestialsko zamordowana. Z racji swego zawodu ów nauczyciel zna oczywiście adresy wielu innych młodych i niewinnych dziewcząt. To pewne. Tenże profesor dostaje grube pieniądze od pasera, typa spod ciemnej gwiazdy. To też pewne. Za co? To nie jest wiadome. Oto moja hipoteza: ów paser jest poniekąd alfonsem i daje adresy dziewic czerwonoarmijnym dezerterom. Pan ustalił, że ci, obawiając się syfilisu, pragną młodych, zdrowych dziewic. Gdzie takie najlepiej znaleźć? Wśród nastolatek. Kto zna najlepiej adresy nastolatek? Ich nauczyciel. Wystarczy, że spisze je z dziennika. I taki być może powstaje krąg zbrodni: Pasierbiak płaci profesorowi za adresy, które następnie odsprzedaje dezerterom. To, co mówiłem, nie jest pewne, to tylko prawdopodobne... Co jeszcze chciałby pan wiedzieć o mojej hipotezie?

– Nazwisko tego profesora. – Czernikow patrzył w napięciu na Popielskiego.

– Cierpliwości – uciął Polak. – Jeśli nie ma pan innych pytań do hipotezy, to przejdźmy do faktów. W ostatnich dniach śledziłem owego profesora i dotarłem do jego znajomego muzyka, niejakiego Lejzora Fajertaga. Wydał mi się on podejrzany. Dlaczego? Dowiedziałem się bowiem, że Fajertag jest zapalonym szachistą. Często wychodzi z domu z szachownicą i udaje się z nią na szachy, być może do wspomnianego profesora, który również jest amatorem szachów. Zapytałem sam siebie: po co Fajertagowi szachownica? Przecież gra się na jednej planszy. Jeśli szachista *A* idzie do szachisty *B*, aby pograć, to nie bierze ze sobą szachownicy, bo szachista *B* już ją u siebie ma! Każdy szachista ma szachownicę! Nawet w naszych trudnych czasach może ją sam zrobić, a figury wystrugać i pomalować. Zgadza się pan ze mną?

– Tak – odpowiedział Czernikow. – Ale skąd pomysł, że Fajertag to Borofiejew?

– Już mówię. – Popielski wyjął z kieszeni spirytus. – Ale najpierw napijmy się, bo już stoimy jakiś czas na tym mrozie i zimno... – Wypili na wydechu po solidnym łyku, chuchnęli i zapalili jeszcze po jednym. – Uznałem Fajertaga za podejrzanego – ciągnął Popielski. – Doszedłem do wniosku, że on tak bardzo chce być uznany za szachistę, że aż nosi ze sobą szachownicę i epatuje wprost wszystkich swoją namiętnością do szachów. To było pierwotne podejrzenie. A kiedy go zobaczyłem dzisiaj, spostrzegłem, że jego uroda nie jest wcale typowo semicka... To typ południowca i równie dobrze może być uznany za Żyda, Araba, Włocha, Turka, Węgra jak za... Gruzina. Po kwadransie usłyszałem, jak ten południowiec mówi biegle po rosyjsku... Jak Rosjanin. A kogo my szukamy, do cholery? Borofiejewa, przystojnego Rosjanina o urodzie Gruzina... Stąd moje podejrzenie... Przekonuje to pana?

– Nie. Jest pewna słabość w pańskim rozumowaniu. – Czernikow zapatrzył się w długi pociąg, który dudnił przeraźliwie na pobliskim moście kolejowym. – Borofiejew ukrywał się pod nazwiskiem Fajertag dopiero od kilku dni, bo przecież całkiem niedawno Kołdaszow zdradził nam adres meliny gwałcicieli. To raz. Profesor nie znał osobiście

Fajertaga, bo pośrednikiem między nimi zawsze był Pasierbiak! To dwa. Biorąc jedno i drugie, pytam: skąd ów profesor znał nowy adres Borofiejewa-Fajertaga?

– To prawidłowe rozumowanie – odparł po namyśle Popielski. – Niestety, nie wiem, jak odpowiedzieć na pańskie pytanie... Ale wkrótce, nawet być może jutro, dowiem się wszystkiego od profesora... Mam na niego mocne imadło... On pasjami korzysta z wdzięków płatnych kobiet, a nie sądzę, by władze oświatowe aprobowały takie namiętności u wychowawcy młodzieży... Wszystko mi wyśpiewa...

– Jak on się nazywa? – zapytał zniecierpliwiony Rosjanin.

– Nie powiem panu, kapitanie – odparł Polak. – Chciał pan, abym pana przekonał, że Fajertag to Borofiejew. Uczyniłem, co mogłem... Nazwisko profesora nie ma nic do rzeczy, nie jest żadnym argumentem za tym, że żydowski muzyk tak naprawdę jest rosyjskim gwałcicielem i mordercą...

Znów umilkli na kilka minut. Na twarzy Czernikowa widać było gwałtowną wewnętrzną walkę.

– Ma pan rację – powiedział w końcu rosyjski kapitan.

– No i co? – ucieszył się detektyw. – Zaatakuje pan Bogdyłowa? Już dzisiaj?

Kapitan podszedł do Popielskiego i spojrzał mu w oczy.

– Zna pan przysłowie rosyjskie „*Tierpieliwyj dważdy odno dieło diełajet*"?

– To chyba znaczy „Cierpliwy dwa razy robi to samo".

– No widzi pan? Po co my rozmawiamy w języku faszystów, kiedy tak się dobrze rozumiemy – Czernikow się uśmiechnął. – Ale do rzeczy... Niech się pan nie boi... Jeśli, po pierwsze, Fajertag to Borofiejew, a po drugie, cieszy się on przy tym protekcją Bogdyłowa... jeśli te dwa warunki są spełnione, to mamy pewność, że ten ptaszek stąd nie wyfrunie... No bo gdzie będzie latał? Kogo szukał dla ochrony? I po co? Tutaj jest bezpieczny pod protekcją Krokodyla... Może siedzi w naszych koszarach? Ja tam znam każdą dziurę... I ja go tam poszukam... A potem się nim zajmę... Tak jak jego kolegą... Czule i troskliwie... Chyba tak samo jak pan tym profesorem, co?

Kiwnąłem mu głową i podsunąłem butelkę ze spirytusem. Wypiliśmy do końca i rozstaliśmy się. Wróciłem do domu na piechotę przez ulice Świętego Wojciecha i Sienkiewicza. Nie zamierzałem iść na skróty przez Polną. Nie było tam bezpiecznie, a jeden guz, którego mi nabito w Dąbrowiance, zupełnie mi wystarczał.

W domu byłem po trzech kwadransach. Ogoliłem się, przebrałem w garnitur, a potem usiadłem przy stole. „Zjem obiad w Caritasie albo U Fonsia – myślałem – a potem kupię kwiaty i już do Leokadii!"

Oparłem głowę na dłoniach.

Nie poszedłem tego dnia ani do restauracji, ani do szpitala. Obudziłem się zdrętwiały i zmarznięty przy stole. Zegarek wskazywał dziewiątą wieczór.

Garnitur starannie powiesiłem w szafie. Potem położyłem się na tapczanie i zakopałem w pościeli, na którą narzuciłem jeszcze kożuch. Chyba miałem wysoką temperaturę. Targały mną drgawki.

I tak trwałem bezsennie do rana. Myślałem o zimnym pokoju, o chorej, samotnej Leokadii i kolejnej debacie Stefanusa i Murawskiego, która miała się odbyć za kilka godzin.

– CZEGO CHCE ANASTAZJA za swoją robotę? – Pułkownik Placyd Brzozowski zionął na swojego zastępcę wonią zbyt obficie naczosnkowanej kiełbasy.

– Najwyższej możliwej nagrody – odpowiedział kapitan Bazyli Jakowlew. – I rękopisu Stefanusa...

– Dobrze – mruknął ubek. – Dostanie to, czego chce. A tak dla ciekawości: jak Anastazja nazwała tę debatę? „Eksperiment" jaki?

Akcentował ten wyraz na ostatnią sylabę tak zdecydowanie, że podwładny przez chwilę chciał mu na to zwrócić uwagę. Powstrzymał się jednak i postanowił odgrywać rolę grzecznego i dobrze przygotowanego do lekcji ucznia.

– *Experimentum crucis* – odparł, odsuwając się nieco od swojego szefa. – To znaczy doświadczenie krzyża... Jest to eksperyment rozstrzygający ostatecznie prawdziwość jakiejś teorii...

– A skąd ten krzyż – zapytał Brzozowski. – Co to niby za krzyż?

– To odwołanie do chrześcijańskich zabobonów – prychnął pogardliwie Jakowlew. – Niejaki Chrystus, nie poświadczony przez historię, i późniejsi tak zwani męczennicy byli krzyżowani... W tym swoim cierpieniu nie wyparli się niby własnych poglądów... Kto na krzyżu się nie wyprze, ten zaświadcza, że jego poglądy są wartościowe, albo nawet prawdziwe... No cóż, *experimentum crucis* to stara nazwa, pokutująca jeszcze w nauce jak wiele innych burżuazyjnych reliktów...

– To my u siebie na Łąkowej – roześmiał się Brzozowski – ciągle robimy takie eksperymenty...

Jakowlew mu nie zawtórował.

Obaj ubecy – w cywilnych ubraniach – siedzieli w czarnym citroenie przy Dworcu Świebodzkim. Szofer stał obok jakichś obszarpańców przy wejściu na dworzec, opierał się o kolumnę i palił papierosa. W ten niedzielny poranek prószył lekki śnieg i mocno ściskał mróz. Pod gmach dworca zajeżdżały auta i furmanki i zaraz odjeżdżały, przeganiane przez umundurowanego milicjanta. Zdawało się, że tylko jedna ciężarówka, stojąca tuż na podjeździe, nie przyciąga najmniejszej uwagi stróża prawa.

– Ilu tam jest ludzi? – Brzozowski wskazał palcem tę ciężarówkę.

– Dwudziestu mundurowych – odparł Jakowlew. – Na dwóch gwałcicieli-dezerterów wystarczy. A potem oddamy ich z pompą radzieckim przyjaciołom.

– I scementujemy naszą przyjaźń. – Pułkownik rozparł się wygodnie na kanapie auta.

Jeszcze raz uważnie przeczytał raport Anastazji, a potem wbił się świdrującym wzrokiem w twarz podwładnego.

– Była dobrym agentem – powiedział, nie spuszczając z niego wzroku. – Ale teraz jest już bezużyteczna. Na zbyt wiele sobie zresztą pozwala... Żąda, rozumiesz, ż ą d a w tym raporcie – podniósł głos i uderzył w jedną z kartek wierzchem dłoni – abyśmy oprócz tych złoczyńców, hańbiących mundur Armii Czerwonej, również Stefanusa aresztowali i wrobili w te gwałty... Ale my utemperujemy dziś Anastazję, chyba że... Chyba że ty, Bazylku, masz z nią coś wspólnego... Nie znam jej, to twoja agentka... Ładna ona?

– Zrobię to, co rozkażecie, towarzyszu pułkowniku! – zapewnił szybko Jakowlew. – Nie mam nic wspólnego z tym agentem. Każecie aresztować dezerterów? Aresztuję! Każecie utemperować Anastazję? Utemperuję!

– Tak właśnie zrobicie. – Brzozowski pomyślał o srebrach Bogdyłowa. – Oddamy dezerterów radzieckim towarzyszom, a oni będą mieli wobec nas dług wdzięczności...

Zapadło milczenie. Ubecy siedzieli nieruchomo, wpatrując się przez chwilę w płatki śniegu osiadające na szybie.

– Gdzie to będzie? – zapytał pułkownik.

– W zrujnowanym budynku administracji kolejowej na samym początku Braniborskiej – odparł kapitan i pokazał palcem na mapie. – O tam, na lewo, ten wpółzrujnowany gmach. Miało być na Ukrytej, ale będzie tam... Anastazja w raporcie podała nam godzinę. Oni spotykają się o dziewiątej... My tam wchodzimy i wyłapujemy obu dezerterów równo o wpół do.

– Czyli za chwilę. – Pułkownik spojrzał na złoty zegarek. – Wszystko to dobrze zorganizowałeś, Bazylku... Ale nie do końca jestem z ciebie zadowolony...

Od czasu ostatniej „audiencji", kiedy Brzozowskim szarpały ataki podagry, szef sobie pozwalał na więcej wobec swojego zastępcy. Wyczuwszy jego kompleksy, grał na nich bardzo umiejętnie, jak na instrumencie. Bardzo podobała mu się ta metafora „grać koncert skrzypcowy na nerwach wroga". Użył jej kiedyś Arturek Wajchendler, jego dawny podwładny, aby przypodobać się swemu szefowi. „Tak jak kompozytorzy piszą swe utwory na konkretne instrumenty – mówił wtedy Wajchendler – tak i pan precyzyjnie projektuje określone sytuacje pod słabości ludzkie". Miał rację nieodżałowany Arturek, który dostał kopniaka w górę i wylądował jako szef bezpieki w Żaganiu. Właśnie teraz on, Brzozowski, odgrywał koncert dedykowany Jakowlewowi.

– Obiecałeś mi, obiecałeś, Bazylku – syknął, czując lekki ból w podagrycznej stopie. – A ja jak głupia panna czekałem na dotrzymanie obietnicy...

– O co chodzi, towarzyszu pułkowniku? – Rosjanin był zaniepokojony.

– Jak to – o co chodzi?! – ryknął nagle Brzozowski. – Jak to o co, kurwa, chodzi?! O wiekopomne dzieło niejakiego doktora Mieczysława Stefanusa! Miało być u mnie na biurku?! Miało! A gdzie jest?! Gdzie jest, ja się, kurwa, was pytam!

– Zrobiliśmy dokładną rewizję u Stefanusa, towarzyszu pułkowniku – zmieszał się Jakowlew. – I znaleźliśmy tylko jakieś brudnopisy, notatki, obliczenia... Rękopisu nie było żadnego...

– Nie było żadnego! Nie było żadnego! – przedrzeźniał go pułkownik, naśladując rosyjski akcent swojego zastępcy. – No pewnie, że nie było, bo go, kurwa, zaczęliście za późno szukać! I nie wiedzieliście, gdzie go szukać!

Tym razem w woni czosnkowej kiełbasy wydzielanej przez zwierzchnika Jakowlew wyczuł jakiś alkoholowy zgniły dodatek. Przełknął ślinę i z trudem się powstrzymał, żeby nie otworzyć okna albo żeby w nagłym odruchu nie ścisnąć palcami nosa.

– A ja wiedziałem, oj, wiedziałem, gdzie jest – powiedział Brzozowski z łagodnym uśmiechem. – I wcale nie u profesorka szukałem tego dzieła... – Zza pleców wyjął elegancką bordową teczkę z delikatnej krokodylej skóry. Wyjął z niej gruby plik kartek. – Wiesz co, Bazylku? – Pułkownik poklepał swego podwładnego po policzku. – Jeszcze wiele się musisz nauczyć... Ale młody jesteś, to jeszcze zdążysz... – Nagle gwałtownie się wyprostował i wysyczał: – Nie śledziłeś Stefanusa... I to był twój błąd... Ale ja go śledziłem... Poszedł do pewnego starego reakcjonisty, niejakiego Edwarda Popielskiego, i u niego zostawił to oto. – Kwadratowym paznokciem postukał w obwiązany tasiemką stos kartek. – A ten Popielski poprosił swego sąsiada Niemca o przechowanie... Niemiec, owszem, przechował, a potem natychmiast pobiegł z tym wprost na komisariat na Piastowską... Stamtąd zatelefonowali do mnie... Nie do ciebie, ale do mnie... – Brzozowski rozwiązał tasiemkę i przekartkował plik. Jakowlew na widok wzorów matematycznych i wykresów nie mógł powstrzymać zainteresowania. – Tak, Bazylku... – Pułkownik uśmiechnął się szeroko. – Ja jeszcze coś znaczę w tym mieście, czy tego chcesz, czy nie... Do mnie dzwonią, nie do ciebie... A teraz dobrze, już dobrze... Pędź ty, kochaniutki, z chłopakami na ten eksperyment. – Wciąż akcentował ostatnią sylabę.

– Mogę wziąć ten rękopis? – Jakowlew wyciągnął rękę. – Powiedzieliście, towarzyszu pułkowniku, że przejrzycie to dzieło, a potem mi oddacie...

– W nagrodę – Brzozowski tym razem się skrzywił od bólu w stopie – dostaniesz to w nagrodę, jak mi tu do auta – spojrzał na zegarek – za dziesięć minut przyprowadzisz dwóch skutych kajdankami ruskich gwałcicieli... Rozumiemy się?

– Tak jest, towarzyszu pułkowniku! – wrzasnął Jakowlew i z głębokim oddechem opuścił citroena.

Jeden był szczęśliwy, że już nie musi wąchać trawiennych woni szefa, drugi – że odegrał swój koncert z wirtuozerską brawurą. Od chwilowego triumfu pułkownikowi przestała nawet dokuczać podagra.

Z samego rana usnąłem i obudziłem się po godzinie. Zegarek wskazywał wpół do siódmej. Było przeraźliwie zimno. Pękała mi głowa. Czułem się, jakbym wczoraj wychylił cysternę gorzały, choć wypiłem przez cały dzień – odliczywszy część spożytą przez Czernikowa – tylko pół kwarty spirytusu. „Starość, niewyspanie, napięcie" – jednym tchem wyrzuciłem z siebie diagnozę mojego samopoczucia.

Zwlokłem się z łóżka, wszedłem do pokoju i zapaliłem światło. Zza drzwi do doktora Scholza dochodziło donośne chrapanie o dwóch liniach melodycznych różnej wysokości. On i jego połowica spali smacznym snem.

Było za wcześnie na walki o dostęp do łazienki. Liczna rodzina maszynisty Kulika wydawała teraz, co słyszałem wyraźnie, podobne dźwięki jak Scholzowie. Nie niepokojony przez nikogo, zgoliłem w ekspresowym tempie mój twardy siwy trzydniowy zarost oraz umyłem się pod pachami. Drżąc z zimna, włożyłem wczorajsze ubranie, w którym miałem odwiedzić Leokadię, ale zasnąłem przy stole. Do białej, nieco wygniecionej koszuli i czarnego garnituru dopasowałem jasnobrązowy krawat w beżowe kropki. Potem do starej sfatygowanej teczki włożyłem kilka cytryn i coś do czytania dla Lodzi. Kieszeń spodni obciążyłem browningiem.

Wyszedłem z domu o siódmej. Trzy kwadranse na ósmą byłem u Leokadii. Przywitała mnie z wielką serdecznością, czym się jej niestety nie odwdzięczyłem. Wrzuciłem teczkę do szuflady jej stolika i pobiegłem czym prędzej do wyjścia. Śpieszyłem się. Miałem godzinę na dojście do Braniborskiej, a nie chciałem polegać na tramwaju ani biec po oblodzonych chodnikach. Pod Dworzec Świebodzki doszedłem trzy kwadranse na dziewiątą. Tam odpocząłem trochę w barze, gdzie z apetytem pochłonąłem gorącą kaszankę. Punktualnie o dziewiątej byłem na ulicy Braniborskiej w zrujnowanym budynku z napisem *„Rechte-Oderufer-Eisenbahn-Gesellschaft”*.

EDWARD POPIELSKI WSZEDŁ po wyszczerbionych schodach do wnętrza gmachu. Stanął przy dawnej portierni, z której pozostały już tylko dwie żelazne jońskie kolumny. „Chyba tylko dlatego jeszcze ich dotąd nie ukradziono – pomyślał, kopiąc lekko jedną z nich – że są wpuszczone w podłoże i bez dźwigu ich nie wyrwiesz".

Dawny hall spółki kolejowej przedstawiał obraz nędzy i rozpaczy. Dziury w dachu wybite przez bomby, popękane ściany grożące zawaleniem i zamarznięta woda, z której wystawały kawałki cegieł i zgruchotanych marmurowych płyt. Ujemna temperatura tu panująca miała jedną zaletę – zmroziła bowiem walające się wszędzie ludzkie ekskrementy, pozbawiając je częściowo smrodu.

Popielski poczuł ukłucie niepokoju. Zawsze mu się zdawało, że w takich brudnych, opuszczonych miejscach czuje przenikliwą woń potu, wymiocin i ludzkiej krzywdy. Dotknął kieszeni i z ulgą poczuł obły kształt niezawodnego przyjaciela – browninga.

Nie wiedział, gdzie jest sala posiedzeń, w której miał się odbyć wykład profesora Stefanusa. Szybko upływający czas ostatnich dni nie pozwolił mu był wcześniej przyjechać tu i sprawdzić rozkład budynku. Zaufał jednak swojemu wyczuciu i ruszył po szerokich schodach na pierwszą kondygnację.

Zanim wszedł na ich trawertynowe, potłuczone górne stopnie, usłyszał dziwny jęk. Dochodził on z lewej strony – z zewnętrznego korytarza. Mogły to być pisk szczura, skrzypienie drzwi pchniętych przeciągiem albo kwilenie noworodka. „W takim miejscu można się spodziewać wszystkiego" – pomyślał.

Nasłuchiwał przez chwilę, po czym zeskoczył ze schodów i ruszył, by sprawdzić źródło owego odgłosu. Poszedł w lewo – szerokim zewnętrznym korytarzem obejmującym budynek od wschodu. Po jednej stronie ciągnął się rząd pustych okiennych ram, szarpanych wiatrem, a po drugiej – ciąg pootwieranych i nierzadko pozbawionych swych skrzydeł drzwi, prowadzących do dawnych biur. Przystawał, patrzył i nasłuchiwał. Pusto. Cicho. Wiatr.

Nagle dobiegł go szmer – stamtąd, skąd właśnie przyszedł. Zawrócił. Szmer zamienił się w wyraźną i rytmiczną falę głosową.

Detektyw znów znalazł się w hallu. Teraz już dobrze słyszał donośny, miarowy męski głos dochodzący z góry. Spojrzał na zegarek. Było pięć po dziewiątej. Najwidoczniej wykład Stefanusa już się rozpoczął.

Wszedł na pierwsze piętro. Naprzeciwko schodów były ogromne i lekko uchylone drzwi, skąd – nie miał już teraz najmniejszych wątpliwości – dochodził głos profesora Stefanusa.

Podszedł do nich tak blisko, że poczuł na policzku chłodne dotknięcie dużych metalowych guzów, którymi obite były odrzwia i framugi.

W jednej chwili doznał dziwnej konfuzji zmysłowej. Wydawało mu się bowiem, że przed chwilą poczuł chłód na jednym policzku, podczas gdy teraz czuł go na obu.

Nie mylił się. Śmierdząca smarem i prochem lufa wrzynała mu się boleśnie w zagłębienie między szczęką a uchem. Kątem oka dojrzał brudną dłoń o obgryzionych paznokciach, a kiedy przekręcił lekko głowę – parę skośnych czarnych oczu, wokół których rozpinały się małe mongolskie fałdy.

– Nu *proszu*, pan *gieroj* – usłyszał szept z drugiej strony i poczuł, że jego ucho jest miażdżone przez żelazo. – *Nu, ruki, ruki, ruki...*

Ktoś mocno ścisnął mu nadgarstki w pętli szorstkiego sznura, ktoś inny szarpnął nim tak mocno, że Popielski okręcił się na pięcie i już by runął na ziemię, gdyby go nie powstrzymali obaj napastnicy – Azjata i brunet o długiej, gęstej brodzie, w którym detektyw rozpoznał rzekomego żydowskiego muzyka Fajertaga. Otworzył usta, by krzyknąć, ale błyskawicznie znalazł się w nich mokry, śmierdzący knebel. Poczuł, że ktoś grzebie mu w kieszeniach i wyciąga browninga, a potem – na widok złotej rękojeści pistoletu – wsysa powietrze z podziwem.

Wzięli go pod pachy i zaciągnęli gdzieś szybko po schodach, na drugie piętro. Skrzypnęły lekko drzwi i wylądował na cuchnącym barłogu, na który składały się materac i tapicerowane pozostałości po kanapie. Irracjonalnie gratulował sobie w myślach, że nie ściągnęli mu paltotu, dzięki czemu jego najlepszy garnitur pozostał niezabrudzony.

Rozejrzał się. Leżał najprawdopodobniej w gabinecie, którego okno wychodziło na galerię nad salą, gdzie niegdyś zbierali się udziałowcy wrocławskiej prawobrzeżnej kolei żelaznej. Przez chwilę, dopóki nie zamknięto okna, wyraźnie słyszał donośny głos Stefanusa, który objaśniał pojęcie genu i przypadkowych zmian genetycznych. Wygiął ramiona i spojrzał na włochaty powróz krępujący mu dłonie. Był zawiązany na pętlę, z którą – gdyby go nie pilnowano – dałby sobie radę w ciągu minuty.

Obaj napastnicy, kiedy już pomlaskali z zachwytem nad browningiem, podeszli znów do Popielskiego. Azjata chwycił go wpół i ciężko sapiąc, uniósł tak wysoko, jak tylko mógł. Rosjanin przyszedł kompanowi w sukurs i chwycił więźnia z drugiej strony. Ten skrzywił się, czując ostry zwierzęcy smród bijący od Kazacha. Sowieci unosili go przez chwilę kilka centymetrów ponad ziemią, aż w końcu ze stęknięciem i jakby na komendę unieśli jeszcze wyżej – i puścili. Ostry ból nadgarstków i uczucie bezwładu własnego ciała oznaczały, że Popielski na czymś zawisł.

– *On tiażołyj, no kriuk kriepkij! Choroszaja giermanskaja robota!* – usłyszał szept. – *A tepier smotri, pticzka, czeriez okno, czto my diełajem!*

Popielski po dłuższej chwili przypomniał sobie, że rosyjski wyraz „*kriuk*" nie ma nic wspólnego z polskim „krukiem", lecz oznacza „hak".

Napastnicy na materacu ułożyli pierzyny, a potem, chwyciwszy go za rogi jak prowizoryczne nosidło, cicho wyszli.

OSTRY BÓL wykręcał mu przedramiona. Czubki jego butów dotykały ziemi, lecz pięty opierały się już o ścianę. Rozejrzał się raz jeszcze. Był w gabinecie, którego zamknięte okno wychodziło na salę posiedzeń, z kilku stron okoloną galeryjkami i wewnętrznymi oknami. Dobrze widział Murawskiego, Stefanusa i ich pięcioro studentów. Fryderyka Pasławska stała obok swego mentora i z wielką uwagą wpatrywała się w jego usta, jakby chciała wchłonąć całą mądrość. Czterech adherentów Murawskiego otaczało kołem swojego mistrza. Upodobnili się do niego, co już wcześniej Popielski zauważył, jednym charakterystycznym szczegółem swej garderoby – ich pozbawione krawatów kołnierzyki mimo mrozu były rozpięte pod szyją.

———————

Wykręciłem głowę do tyłu, jak najmocniej tylko mogłem, i zrozumiałem, że Moskale powiesili mnie na haku po urwanym kinkiecie. Podobnie jak oni byłem dobrego zdania o solidności niemieckich majstrów budowlanych, którzy owe haki przytwierdzili do ścian, ale z drugiej strony wiedziałem, że inżynierowie w swych wyliczeniach wytrzymałościowych nie przewidzieli wstrząsów, jakim był pod wpływem bombardowania półtora roku temu poddany cały budynek. Miałem nadzieję, że kilka bomb, które weń trafiły, i kilkanaście, które spadły całkiem niedaleko, naruszyło trochę solidną gęstość konstrukcyjną ścian. Szarpnąłem się na haku i z radością poczułem, że za kołnierz sypią mi się maleńkie grudki gruzu i tynku.

– PRZYPADKOWE ZMIANY w genach, czyli mutacje, mogą być korzystne lub niekorzystne – perorował Stefanus. – Korzystnej zmianie została poddana na przykład pewna ćma angielska, która, pierwotnie biała, przypadkiem – powtarzam: pod wpływem przypadkowej mutacji – zmieniła się w czarną. Przed tą zmianą ćma siedziała zwykle na brzozie, a jej biała barwa czyniła ją niewidoczną dla naturalnych wrogów – ptaków. Jednak pod wpływem oparów i pyłów z fabryk Manchesteru brzozy stały się ciemne. I nagle okazało się, że nieliczne czarne ćmy, swoisty wybryk natury, produkt przypadkowej mutacji genowej, przeżyły w większej liczbie niż ich białe kuzynki, które były łatwo wydziobywane przez ptaki na czarnych brzozach. Tu już nie ma przypadku, moi drodzy! To wielki sens natury: preferować i wybierać zdolne do przetrwania osobniki i pozwalać im dalej się rozmnażać. Dzisiaj w okolicach Manchesteru nie uświadczycie ani jednego białego krępaka – bo tak się nazywa ta ćma. Wszystkie są czarne! Podsumuję teraz krótko. Zmiany w genach są przypadkowe i mogą być dobre lub złe. Te złe stopniowo zanikają, te dobre są wzmacniane przez dobór naturalny, a więc przez potężną siłę ewolucji, która z ciemnych drzew białe ćmy usuwa, a czarne na nich hołubi! I tak samo jest w ewolucji człowieka ku dobru. Stopniowo zło jest wymazywane ze świata i z historii! Oczywiście, ono wciąż istnieje, tak jak istnieje może gdzieś jeszcze w Anglii, poza Manchesterem, wynaturzony biały egzemplarz krępaka! Ale nad tym okazem rozlega się, by tak rzec, łabędzi śpiew natury! Podobnie jak białego krępaka usuwa ewolucja przyrodnicza, tak i zbrodniarzy powoli, powtarzam: powoli i stopniowo, całkiem wymaże ewolucja moralna... Niedługo, choć, niestety, jeszcze nie za życia najbliższych pokoleń, zbrodniarze zostaną, jak biały krępak nabrzozak, jakimiś dziwolągami kryjącymi się wstydliwie przed normalnymi ludźmi!

———————

Poruszałem się regularnie w przód i w tył, powtarzając sobie w myślach starą maksymę: *Gutta cavat lapidem, non vi, sed saepe cadendo.* Niestety – żadna grudka już nie chciała się wyłupać ze ściany.

– MYLI SIĘ PAN – zadudnił Murawski. – Może pan takie teorie snuć teraz, kiedy pan zdrów i syty! Ale cierpienie natychmiast zmienia perspektywę. Gdyby był pan ojcem dziecka, które jest bestialsko mordowane na pańskich oczach, to co wtedy? Też by pan machnął ręką na zbrodniarzy jako na ewolucyjne dziwolągi? Nie, mój panie! Pan by cierpiał tak strasznie, że zapomniałby pan o genach i mutacjach! Jesteśmy ludźmi, a zatem składamy się z intelektu i z popędów. W zależności od wykształcenia i wrodzonej kultury w różnych proporcjach mieszają się w nas te komponenty, ale zawsze mamy je w sobie – i rozum, i emocje! Kiedy dominuje ślepy i nieopanowany popęd, taki jak żal, ból, cierpienie, rozpacz, wtedy z intelektu nawet ślad nie pozostaje. W jednej strasyliwej chwili cierpienia człowiek jest tylko – że odwołam się do pańskiej ulubionej biologii – kłębowiskiem nagich, nieosłoniętych nerwów... Popędy i intelekt są jak Słońce i Księżyc: jedno wtedy tylko widzimy, kiedy drugie znika!

Rozległy się brawa i wiwaty.

Usłyszałem je aż tutaj, ale nie zastanawiałem się nad ich znaczeniem. Nie miałem zbyt wiele czasu, by ujść Moskalom.

Pod parapetem zauważyłem rury po grzejniku. Nie ukradziono ich pewnie z tych samych powodów, dla jakich ocalały jońskie kolumny przy portierni. Rury były zakrzywione, a odległość do nich niezbyt duża. Z trudem, bo używając samych tylko stóp, zzułem buty i skarpetki. Potem odbiłem się od ściany – tak mocno, jak tylko zdołałem. Palcami stóp zahaczyłem o rurę kaloryfera i szarpnąłem ciałem. Ręce, wygięte i omdłałe od ciężaru, przeszył mi ostry ból. Upadłem z powrotem na ścianę. Kilka grudek tynku posypało się jednak za mój kołnierz. Nie traciłem nadziei i czekałem, aż uspokoi mi się tętno.

– TO PAN SIĘ WŁAŚNIE MYLI. – Stefanus nie ustępował mimo braw, jakimi nagrodzono jego adwersarza. – Człowiek po wielu ćwiczeniach umysłowych i duchowych może zapanować nad cierpieniem psychicznym, może popaść w cudowną stoicką *apatheia*! To kwestia modlitwy, medytacji, samorozwoju, czego tylko pan chce! To po prostu kwestia ćwiczeń!

– Pan to potrafi? – zapytał nagle Olek Najdorf. – Zachować stoicką obojętność, gdy cierpi fizycznie ktoś panu bliski? Czy pan ma w ogóle jakąś rodzinę?

– Tak, umiem to – odparł spokojnie Stefanus, nie odpowiadając na drugie pytanie.

– No to sprawdźmy! – zawołał Murawski. – Przeprowadźmy prawdziwe doświadczenie krzyża! Czas na *experimentum crucis*, moi państwo! Zobaczmy, czy naprawdę zachowa pan spokój, gdy będzie teraz cierpiał ktoś panu bardzo bliski! Ktoś, w kim pan pokłada nadzieję!

– Tak! – odparł zdecydowanie Stefanus. – Zobaczmy!

Odbiłem się znów od ściany i machnąłem nogą jak – nie przymierzając – Józef Garbień, znakomity napastnik Pogoni Lwów. Znów, jak małpa, przytrzymałem się nogami rury i szarpnąłem z całej siły. Z tyłu usłyszałem charakterystyczny szept sypiącego się pyłu.

– ALE JAK SPRAWDZIMY pański spokój? – pytał Murawski. – Skąd będziemy wiedzieć, że jest pan spokojny? Ja wiem! Będzie pan dalej ewolucyjnie usprawiedliwiał cierpienie! Spokojnym głosem, używając wszystkich swoich sztuczek retorycznych! Będzie pan dalej wykładał swoją słynną patodyceę! A tymczasem... – zawiesił głos i spojrzał na uczennicę – a tymczasem na pańskich oczach dwaj zbrodniarze zgwałcą Fryderykę! Może się pan jeszcze nie zgodzić! Ale wtedy nikt już więcej panu nie uwierzy w usprawiedliwianie zła!

– Dobrze, będę dalej wykładał – powiedział Stefanus po minucie pewnym, mocnym głosem. – Rób to *experimentum crucis*!

– Nie boisz się wcale – zawołał Murawski – bo myślisz, że zabraknie mi determinacji, co?!

– Nikogo nie obchodzi, jak bardzo jesteś zdeterminowany! – spokojnie mówił Stefanus. – Ale wszystkich nas obchodzi, jak sądzę, usprawiedliwienie ludzkiego cierpienia! A zatem powtarzam wam wszystkim: zachowam spokój i będę dalej głosił patodyceę!

– *Nu, rebiata, dawajtie!* – wrzasnął Murawski.

Trzasnęły wielkie odrzwia. Po sali rozległ się szmer, kiedy przesuwano po podłodze ciężki, gruby materac. Potem załomotały buciory.

– *Tolko nie ubieżaj, krasawica!* – rozległ się charkotliwy śmiech Kazacha. – *Szutit' nie priszli!*

Ze swej tymczasowej szubienicy widziałem dokładnie całą scenę. Na środku sali leży materac, a na nim stos brudnych i odartych z poszew pierzyn. Obok niego stoi Borofiejew i trzyma za włosy szarpiącą się u jego stóp Fryderykę. Nagle pochyla się i z całej siły wali dziewczynę w twarz. Potem ją kopie – raz i drugi. Pasławska zwija się i trzyma za żebra. Jej koledzy chcą się rzucić na Borofiejewa. Kałmuk powstrzymuje ich swą pepeszą. Borofiejew zdziera z dziewczyny płaszczyk, klęka nad nią, podciąga jej spódnicę i rozpina swoje spodnie. Dziewczyna rzuca się na boki na barłogu. Stefanus dalej wykłada, Murawski chce podejść do Borofiejewa, ale mu się nie udaje. Azjata brutalnie go odpycha. Z kieszeni wyciąga długi kindżał.

Wciąż stałem na palcach albo, jak kto woli, na wpół wisiałem. Podskoczyłem, jak mogłem, i gwałtownie podkurczyłem nogi. Jęknąłem. Ból był tak przejmujący, że zdało mi się, że moje ramiona wyskakują ze stawów. A potem usłyszałem upragniony dźwięk kruszących się cegieł.

– TY SKURWYSYNU! – wydarł się student Czesław na Murawskiego. – Kałmuki to twoi kompani! Gwałciciele i mordercy naszych koleżanek!

– Nie miało tak być! – Przerażony Murawski wskazywał palcem na Borofiejewa, który runął na dziewczynę, ale nie mógł się dobrze usadowić pomiędzy jej nogami. – Nie taka była umowa, Wołodia! Miałeś ją tylko postraszyć! Zostaw ją, ty gadzie!

Ruszył na niego, ale Kekilbajew powstrzymał go jednym ruchem pistoletu i błyskiem kindżału.

– Najnowsze badania biologiczne pokazują – mówił spokojnie Stefanus – że bakterie, którymi byliśmy przed miliardami lat, kierowały się na samym początku swego bytowania w jakiejś ciepłej ziemskiej kałuży zasadą: „Przetrwaj, by się rozmnażać, i daj się rozmnażać innym". Przetrwanie nie opiera się jednak na intuicyjnym poczuciu sprawiedliwości. Nie wszystkie bakterie miały jednakowy dostęp do pożywienia, przez co pojawiły się nierówność i uprzywilejowanie. Jedna bakteria prędzej przetrwa niż inna, gdy ma lepszy dostęp do pożywienia. Szybko się zatem okazało, że najbardziej prawdopodobne jest przetrwanie kosztem innych. „Przetrwam, kiedy zabiję mojego konkurenta do przetrwania". To hasło rozprzestrzeniło się w ciepłym stawie, a potem jak wirus zainfekowało umysły wszystkich zwierząt, które z tych bakteryj wyewoluowały. I tak narodziło się zło. Ono w naszej świadomości przyjmuje różne postaci; często staje się zasadą: „Najlepszą obroną jest atak". Przed miliardami lat puszczone zostało po raz pierwszy wahadło przemocy, która stała się nieodzowna, aby można było przetrwać. I to wahadło, które tykało w naszych bakteryjnych i zwierzęcych przodkach, jest także w nas samych. Wystarczy spojrzeć – głos mu lekko zadrżał – co teraz robi tej niewinnej dziewczynie Moskal, któremu jest bliżej do zwierząt niż nam samym!

Borofiejew wsadził w końcu pięść między kolana Fryderyki. Leżał teraz na niej, a jej szczupłe nogi rozrzucone były na boki. Gwałciciel ciężko dyszał. Łokciem jednej ręki naciskał jej grdykę, a drugą sięgnął w rozporek. Czarna broda sklejona była gęstą śliną.

Leżałem na podłodze dyrektorskiego gabinetu i – wyrwawszy sobie z ust zwój spleśniałej tkaniny – plułem i ciężko oddychałem. Moje dłonie były opuchnięte i purpurowe. Nie byłem w stanie ruszać palcami, więc przez chwilę nie mogłem marzyć o rozwiązaniu pętli. W rękach, w ramionach, w całym tułowiu nie czułem nic oprócz bolesnego kłucia, które przemieszczało się od brzucha do szyi. Czekałem, aż krew zacznie normalnie krążyć. Po chwili poczułem jej pulsowanie.

Podniosłem się i po dłuższej chwili zdrętwiałymi palcami rozplątałem więzy. Stąpając cicho bosymi stopami, zbliżyłem się do okna. Najpierw ujrzałem Kałmuka.

BACHTIJAR KEKILBAJEW stał na lekko ugiętych nogach jak przyczajone zwierzę. W jednej dłoni trzymał browninga Popielskiego, w drugiej – kindżał. Na jego szyi tańczyła na sznurku pepesza. Czterej uczniowie skradali się do niego i okrążali go. Najbliżej był Czesław.

Nagle rozległ się świst noża. Policzek Czesława rozpadł się na dwie luźnie fałdy skóry. Dolna wywinęła się i odsłoniła zęby i dziąsła. Uczeń ukląkł i irracjonalnie przykładał jedną fałdę do drugiej, jakby chciał je skleić. Spomiędzy nich w regularnych wypływach wylewała się krew.

Chłopak w drucianych okrągłych okularach wybiegł z sali. Olek Najdorf płakał. Czwarty, chudy dryblas, stał odrętwiały i jakby znieczulony. Stefanus nie przestawał wykładać.

– I to wahadło przemocy sprawia, że jesteśmy rozdarci i tkwimy pomiędzy Bogiem a bestią. – Profesor podniósł głos. – Bo przecież nie tylko się rozmnażamy, ulegając najgroźniejszemu popędowi jak ta bolszewicka kanalia. – Znów wskazał na Borofiejewa. – Oprócz zasady: „Najlepszą obroną jest atak", ewolucja wytworzyła zasadę pokojowej prewencji: „Chroń samego siebie, nie atakując innych". Dowody tej prewencji są różnorodne: od warowni ludzkich, poprzez kopce termitów, aż do tuneli dżdżownic i przenośnych domków, jakie na dnie rzek budują larwy pewnych owadów, zwanych chruścikami... I tak narodziła się współpraca! I tak narodziło się dobro!

BOROFIEJEW, wciąż opierając się na łokciu, który dławił Fryderykę, już miał wejść w głąb jej ciała, kiedy dziewczyna nagle gwałtownie poruszyła głową. Rosjanin stracił równowagę. Ześlizgnął się nieznacznie ze swej ofiary, co uniemożliwiło mu dokonanie upragnionego aktu. Jego twarz znalazła się tuż nad twarzą dziewczyny. Fryderyka ostatkiem sił mięśni szyi podniosła głowę i zacisnęła zęby na czubku nosa napastnika.

Borofiejew zawył i odskoczył od dziewczyny, która natychmiast zwinęła się w pozycję embrionalną. Z rozgryzionego nosa napastnika buchała krew.

– Dawaj kindżał! – krzyknął do Kekilbajewa.

Kazach rzucił mu nóż. Gwałciciel przycisnął kolanem szyję Fryderyki, a potem wsunął do jej ucha ostrze.

Otworzyłem okno i skoczyłem z wysokości czterech metrów. Nie wiedziałem, czy kontakt z ziemią, choćby złagodzony pierzyną i materacem, wytrzymają moje stare kości i naruszone mocno stawy. Nie wiedziałem nawet, czy uda mi się dolecieć do barłogu.

Udało mi się. Doleciałem. Czułem, że kolanem trafiam w obojczyk Borofiejewa. Poczułem ból w kolanie i usłyszałem trzask łamanej kości. Dziewczyna wrzasnęła. Runąłem w skłębiony barłóg i poczułem pod sobą szczupłe, kościste ciało Pasławskiej. Fryderyka pisnęła, huknął strzał, krew ochlapała mi twarz i najlepszy garnitur. Uklęknąłem. Kolana były całe i na swych miejscach. Nie połamałem się.

Otarłem krew z oczu i ujrzałem Borofiejewa pełznącego w stronę ściany. Rosjanin trzymał się za ramię. Kiedy dotarł do ściany, obrócił się i oparł o nią. Lewą dłonią przycisnął do siebie prawą rękę, a potem głowę przechylił całkiem na bok. Policzkiem dotykał ramienia, a mięśnie jego szyi napinały się jak postronki.

Czesław siedział na plecach Kałmuka. Z wiszącego policzka ucznia lała się krew. Nie zważał na to. W swym zapamiętaniu walił twarzą Azjaty o kamienną podłogę.

Odgłos, jaki przy tym dochodził, przeniósł mnie na chwilę do rodzinnego Stanisławowa. Taki właśnie dźwięk wydawały ślimaki rozgniatane bezlitośnie i bezmyślnie przeze mnie i moich gimnazjalnych kolegów nad brzegami Bystrzycy Sołotwińskiej.

Nie zamierzałem poskramiać chłopaka w jego wściekłości.

Byłem obolały i poobijany. Nie było już żadnego niebezpieczeństwa. Borofiejew zemdlał z bólu, Azjata pewnie już stawał przed Allahem, a muzułmańscy aniołowie kończyli pisać jego plugawą Księgę Czynów.

Oprócz Czesława nie było już żadnego ucznia Gymnasium Subterraneum. Tajna szkoła przestała istnieć. Murawski siedział bez ruchu daleko przy drzwiach, a Stefanus, przez nikogo nie słuchany, cichym głosem rozwijał wciąż swoją teorię.

Fryderyka Pasławska leżała nieprzytomna na boku i wydawała z siebie dziwne pochrząkiwania. Zbliżyłem się do niej i poczułem się tym razem jak przed kilku laty na Bazarze Stryjskim we Lwowie, gdy wybierałem jabłka dla mojego wnuczka Jerzyka i spod jednego z owoców wyleciał szerszeń. Tak jak wtedy się dusiłem, ukąszony w miękkie ciało między brodą a grdyką, tak i teraz dławiłem się na widok kindżału, który wystawał z ucha dziewczyny.

RÓWNO O WPÓŁ DO DZIESIĄTEJ kapitan Bazyli Jakowlew wyskoczył z szoferki ciężarówki zaparkowanej pod wytwórnią pierników na ulicy Braniborskiej 23. Wyjął pistolet z kabury i ruszył w lewo w stronę zrujnowanego wielkiego gmachu biurowego – niegdysiejszej siedziby spółki kolejowej. Za nim pobiegli truchtem żołnierze z granatowymi otokami Korpusu Bezpieczeństwa Wewnętrznego. Kiedy wpadli do potężnego budynku, natrafili na grupę chłopców zbiegających po schodach. Żołnierze wycelowali w nich karabiny i spojrzeli na swego dowódcę. Jakowlew uczynił ruch ręką, który oznaczał „puścić wolno!".

Po chwili otworzył ze zgrzytem drzwi na pierwszym piętrze i wpadł do ogromnej sali. Na jej środku leżał duży materac ze skołtunioną brudną pościelą bez poszwy.

Na barłogu siedziała młoda dziewczyna – posiniaczona i opuchnięta. Jej szczupła dłoń przyciskała lewe ucho. Spomiędzy smukłych palców wypływała krew i sklejała jasne włosy. Na widok żołnierzy zasłoniła swe uda rozdartą sukienką. Obok niej siedział młody mężczyzna o zakrwawionej twarzy. Miał całkiem rozpłatany policzek – od kącika ust prawie aż do ucha. Przytrzymywał opadającą fałdę skóry i patrzył bez wyrazu na Jakowlewa i jego ludzi.

Pod ścianą leżeli dwaj następni. Jeden z nich był nieprzytomny. Jego twarz przypominała tatara z polędwicy, oblanego krwawymi i granatowymi wylewami. Drugi mężczyzna, brunet z gęstą brodą, był w pełni przytomny. Zagryzał zęby z bólu. Jedno jego ramię było jakby przesunięte. Brodacz wpatrywał się z nienawiścią w łysego, potężnego i niemłodego już mężczyznę, który oparłszy bosą stopę na gzymsie biegnącym wzdłuż ściany, popluwał na dłoń i czyścił nogawki spodni.

W sali było jeszcze dwóch ludzi. Jeden z nich patrzył na wszystko niewidzącym wzrokiem i szeptał coś o biologii i filozofii. Na drugiego Jakowlew spojrzał pytającym wzrokiem.

– Zgwałcili ją? – mruknął.

– Nie zdążyli – odparł Murawski. – Załatwiłem ich. Jednemu złamałem rękę, drugiemu trochę twarz naruszyłem…

– A ten to kto? – zapytał Jakowlew, wskazując na łysego. – Ten prywatny detektyw, o którym pisałeś?

– Tak – odparł Murawski. – To Edward Popielski!

Jakowlew podszedł do detektywa, który tym razem pracowicie otrząsał pył z rękawów marynarki.

– Nie wiem, dlaczego mój szef ma do ciebie słabość, reakcyjna świnio – wysyczał kapitan. – Ale ja nie mam. I przyjdę kiedyś po ciebie… A teraz przebieraj nóżkami! No, już cię tu nie widzę!

– O to, dlaczego twój szef mnie dotąd nie zabił, zapytaj jego córkę Lucynkę* – odpowiedział Popielski i w tym momencie poczuł piekący ból na policzku. Zachwiał się. Jakowlew miał mocny cios.

– Stul pysk, sanacyjna gnido! – rzekł cicho ubek. – I poszukaj butów, bo się przeziębisz…

Popielski poczłapał w stronę wyjścia, a żołnierze na znak Jakowlewa ustąpili mu drogi. Kapitan podszedł do swoich ludzi i podparł się pod boki.

---

* Czytelnika zainteresowanego tą historią odsyłam do mojej powieści *Rzeki Hadesu* – przyp. aut.

– Tych dwóch gwałcicieli – wskazał na połamanego i zmasakrowanego – brać i na budę!

– Zaraz, zaraz! – krzyknął Murawski i podbiegł do ubeka. – To ja ich złapałem, nie pan! Poza tym nie taka była nasza umowa! Rosjan miał pan puścić wolno. Tego żądałem! A tego głupka – wskazał na mężczyznę, który coś mówił o atawizmach – zabrać! Poza tym miałem dostać jego rękopis! Tak pan dotrzymuje słowa?!

Jakowlew machnął po raz drugi ręką i Murawski upadł na barłóg. Ubek podszedł do niego i przycisnął go butem do brudnego wyra.

– Panowie to byli za sanacji. – Uśmiechnął się. – Do mnie się mówi „obywatelu kapitanie"! A jak do ciebie? „Anastazjo" czy „Anastazy"?

Murawski leżał i spoglądał na Jakowlewa z nienawiścią. Żołnierze nie zbliżali się jeszcze do Borofiejewa i Kekilbajewa, bo wiedzieli, że ich dowódca nie skończył wydawania rozkazów.

– Gwałcicieli na budę i czekać na mnie. Pojedziemy z nimi do towarzysza pułkownika Bogdyłowa. – Władczy ton Jakowlewa odbijał się echem w wielkiej sali. – Dziewczyną i tym z rozciętą twarzą zajmiecie się wy, Kasprzyk. – Wskazał na jednego z żołnierzy. – Razem z Nitą i Śpiewakiem zabierzecie ich do szpitala! Jak najszybciej!

Kapitan podszedł do Stefanusa i przyglądał mu się długo i uważnie, dopóki jego żołnierze nie wykonali wszystkich poleceń. Profesor wciąż mamrotał – tym razem o niedoskonałościach ewolucyjnych człowieka.

– A ten wariat – powiedział Jakowlew do gramolącego się z barłogu Murawskiego – niech idzie wolno!

– To on miał być gwałcicielem – nie ustępował Murawski, już jednak znacznie łagodniejszym tonem.

– Po co, Anastazy? – Jakowlew podał mu dłoń i pomógł wstać. – Po co nam fałszywy gwałciciel, kiedy mamy już prawdziwych? A ty się o nic nie martw! Dostaniesz rękopis Stefanusa i zrobisz wielką karierę naukową... Takich pięknotek jak ta pobita będziesz miał na pęczki! Stefanus w niczym ci już nie zaszkodzi! Przecież nie powie nikomu, że ukradłeś mu rękopis... On dobry, święty, to nie w jego stylu! Zresztą widzisz sam, że biedak zwariował...

Profesor Stefanus wciąż mówił i gestykulował. Po chwili usiadł na podłodze i zaczął się drapać po głowie, a potem po całym ciele. Zerwał krawat, rozpiął koszulę i rozdrapał jakiś strup na piersi.

Nagle wybuchnął śmiechem. Upadł na plecy i rękami zaczął uderzać o podłoże. Dziki charkot rozrywał mu krtań.

Zgrzytnęły drzwi. Edward Popielski, już obuty, podszedł do profesora, wsunął mu ręce pod pachy i z grymasem bólu dźwignął go na nogi. Na barki narzucił mu własny płaszcz. Stefanus spojrzał na niego i uśmiechnął się szeroko.

– Chcesz posłuchać, Czesławie, o zegarach chemicznych? To najlepszy przykład na *ordo ex chao*!

– Chcę – mruknął Popielski.

Jakowlew spojrzał pytająco na Murawskiego.

– A ty jedziesz ze mną czy chcesz tu ewoluować ku dobru?

Ubek i jego agent wyszli z sali.

Objąłem profesora i poprowadziłem w dół po schodach. Nie przestawał wykładać. O dziwo, słuchałem uważnie jego wywodów. Czyniłem to z jednego podstawowego powodu – było to postępowanie w mojej sytuacji racjonalne, ponieważ przekonanie o wyższym porządku naturalnym uspokajało moją furię.

Alternatywą był ślepy gniew i bunt. Owszem – zamiast słuchać o ewolucji dobra – mogłem teraz przeklinać Boga, historię, rzeczywistość, mogłem ryczeć w niebo słowa wściekłości i odrzucać niesprawiedliwość, której byłem świadkiem. A jaka to niesprawiedliwość? Oczywiście uniknięcie przez Borofiejewa i Kałmuka należnej im kary.

Co z tego, że zostali aresztowani? Za chwilę, jak słyszałem, spotkają się ze swoim kompanem Bogdyłowem... I co on im zrobi złego? Spotka ich ustna nagana, wyrzut, że dali się złapać! A jutro pewnie pomaszerują ulicami Wrocławia jakieś inne, zupełnie niewinne sołdaty, które czymś podpadły Bogdyłowowi. I jaka kara spotka Murawskiego, że dwie swoje uczennice wydał na pohańbienie i na śmierć? Przed chwilą usłyszałem, że z poparciem bezpieki zrobi wielką karierę naukową!

Musiałem otrząsnąć się z tych myśli, musiałem porzucić bunt przeciwko temu, na co nie mam wpływu. Cóż mogło lepiej wyprzeć tę gryzącą złość niż łagodne rozważania o zwycięstwie człowieczeństwa nad zezwierzęceniem?!

– Posłuchaj, Czesławie, historii o chemicznych zegarach – mówił Stefanus, opierając się na moim ramieniu. – Wyobraź sobie, że pewne cząsteczki popadają w ruch chaotyczny. Dobry jest tu przykład podgrzewania wody. Bąble wrzątku to prawdziwy chaos! Wyobraź sobie abstrakcyjny układ chaotyczny pewnych substancyj... Niech to będzie na przykład ruszająca się przypadkowo mieszanina cząsteczek czerwonych i niebieskich w szklanym naczyniu. Oczekiwalibyśmy, że w jednej chwili będzie więcej cząsteczek w prawej części naczynia, później więcej będzie ich w lewej *et cetera*. A jak jest naprawdę? Otóż naprawdę dzieją się w tym chaosie rzeczy niezwykłe. Raz wszystkie cząsteczki są niebieskie, raz wszystkie czerwone i, dodajmy to z całą mocą, one się takie stają w regularnych odstępach czasu! Tworzą swoisty zegar, i to bardzo dokładny!

Wyszliśmy z budynku. Wokół nas było pusto. Mroźne powietrze niosło od strony Dworca Świebodzkiego gwizdy kolejarzy i sapanie parowozów.

– Zło jest chaosem, Czesławie – Stefanus kończył zdecydowanym akordem. – Ale ze zła powstaje dobro, jak z chaosu porządek! Historia to chaos, zło i przemoc, jednakże historia to również ewolucja, której nie rozumiemy, ale której musimy powiedzieć, jak by to ujął Nietzsche, nasze święte i ufne „tak"!

Szedłem obok profesora i usiłowałem zrozumieć jego wywody. Zamiast się buntować przeciwko światu, musiałem ten świat zaakceptować. To by jednak oznaczało apatię, bierność – czyli coś, co przez całe życie odrzucałem. Ale czy Stefanus, głosiciel stoickiej *apatheia*, był bezczynny? Nie, on z uporem brnął drogą nauczania, na której końcu były beznadzieja i zdławienie przez reżym. Powtarzał jakieś święte słowa i zaklęcia i ze spokojem patrzył, jak jego ukochani uczniowie opuszczają go i wybierają drogi łatwe, bo irracjonalne.

– Panie Popielski – usłyszałem – przez chwilę byłem szalony. Po prostu patrzyłem w otchłań. Ale w otchłań nie można patrzeć bezkarnie. Kiedy wpatrujesz się w piekło, ono swe przekrwione ślepia wbija w ciebie.

Stefanus ukłąkł na środku ulicy, niedaleko dworca. A potem runął twarzą w twardy, zbity śnieg. Od tego czasu już się nigdy nie odezwał. Do śmierci, którą zresztą zadał sobie własną ręką w szpitalu psychiatrycznym.

Natomiast ja do końca życia będę pamiętać o otchłani filozofów.

WIENIEDIKT KRYŻAWCEW oficjalnie był adiutantem i szoferem Czernikowa, nieoficjalnie zaś – jego prawą ręką do specjalnych poruczeń. Na ogół Czernikow był zadowolony z jego służby i rzadko kiedy wyrażał dezaprobatę. Jeśli jednak już to się zdarzyło, Kryżawcew długo pamiętał o irytacji swojego szefa, ponieważ wtedy reakcje Czernikowa były po prostu nieprzewidywalne. Kiedy kapitana ogarniał zwykły atak złości, rzucał wokół grubym słowem, czerwieniał na twarzy, pocił się obficie i natychmiast wysyłał Kryżawcewa do stu diabłów. Adiutant takie rozwiązania przyjmował z wielką ulgą. Szybko schodził z oczu swemu szefowi, by po kilku, no, góra kilkunastu godzinach znów cieszyć się jego poparciem i zaufaniem. Kiedy jednak irytacja Czernikowa osiągała krytyczne wyżyny, adiutant wpadał w popłoch, bo wówczas mogło się zdarzyć wszystko – od wymierzenia palących policzków do krótkotrwałego zesłania do karnego plutonu – co tylko raz się zresztą stało. Kryżawcew nie wspominał dobrze siódmych potów, jakie z siebie wówczas wyciskał, biegając, okopując się z pieśnią na ustach i walcząc bagnetem z niewidzialnym wrogiem. Zdarzało się wszakże, czego bardzo się obawiał, również lodowate i długotrwałe milczenie Czernikowa, które mogło się kończyć wymierzeniem jakiejś bardziej wyrafinowanej kary albo wręcz przeciwnie – ułaskawieniem.

Takie milczenie zapadło kilka dni wcześniej, gdy oznajmił szefowi, że stracił z oczu Edwarda Popielskiego.

Od dłuższego czasu codziennie go śledził, bo taki otrzymał rozkaz – aż do odwołania. Z radością przyjął swe zadanie. Był pewien, że mu sprosta. Ten były mistrz kolarski i złodziej kierował się w swej pracy wrodzonym sprytem i intuicją, pozwalającymi mu na niezauważalne wręcz siedzenie na plecach człowiekowi, o którym wiedział przecież, że niegdyś był policjantem, a zatem typem uwrażliwionym na inwigilację. Popielski jednak w ostatnich dniach sam kogoś śledził i kiedy już się skoncentrował na swym obiekcie, nigdy nie oglądał się za siebie.

Adiutant Czernikowa działał zatem sprawnie i efektywnie. Codziennie wieczorem pocił się nad ortografią raportów i opisywał, gdzież to jego obiekt ostatnio się chował i kogo mianowicie śledził.

To wszystko dobrze się układało aż do minionego dnia, kiedy to Popielski wyszedł z domu ubrany jak żebrak, podczas gdy on, Kryżawcew, stał po drugiej stronie ulicy i wypatrywał eleganckiego starszego pana. I stał tak jeszcze kilka godzin w bramie po przeciwnej stronie ulicy Grunwaldzkiej, aż w końcu nie wytrzymał i zajrzał przez okno do mieszkania Popielskiego. Spłoszył go dozorca, który ostrym głosem oznajmił, że pan Popielski wyszedł już dawno.

Wrócił tedy do koszar z silnym poczuciem winy i niepokoju na myśl o tym, jakaż go spotka kara za żenująco nieudolne wykonanie rozkazu. Przeanalizował rok swojej służby u Czernikowa i doszedł do wniosku, że za to zaniedbanie może zostać najwyżej obsobaczony. Niestety, kapitan na wieść o niepowodzeniu podwładnego zadumał się i popadł w zimne milczenie. Po kwadransie, który Kryżawcewowi dłużył się w nieskończoność, Czernikow wyszeptał:

– Jeśli raz jeszcze zgubisz Popielskiego, to wrócisz tam, skąd cię ściągnąłem! A za tobą pójdzie opinia, żeś „*pietuch*"!

Była to najgorsza możliwa kara. Chociaż służba w sztrafbatalionie Armii Czerwonej nie równała się już śmierci, jak to było w czasie wojny, sama wizja powrotu do tego świata kryminalistów podsuwała Kryżawcewowi straszliwe obrazy sadyzmu, znęcania się i upokarzania, na jakie on, jako młody mężczyzna o delikatnej kobiecej urodzie i o oszczerczej etykietce homoseksualisty, byłby tam narażony.

Zresztą i wcześniej nie ominęło go to piekło. Pewnie dzisiaj nie chodziłby już po matce ziemi, gdyby go kiedyś Czernikow, wówczas zastępca dowódcy batalionu karnego, przypadkiem nie zauważył wśród skazańców i nie uznał, że mogą mu się przydać jego sportowe i złodziejskie umiejętności.

Adiutant zacisnął zatem zęby ze strachu i obiecał szefowi, również szeptem, że odtąd będzie jak cień Popielskiego.

Tej niedzieli stał się rzeczywiście cieniem Polaka. Poruszał się za nim cicho i niepostrzeżenie jak kot, o ile koty umiałyby jeździć na rowerze. Kryżawcew potrafił, i to dobrze. Nie tracił równowagi na oblodzonych ulicach, a szybkością przewyższał wszystkie tramwaje, autobusy i niejeden samochód. Tak było i tego dnia. Za tramwajem, a potem za maszerującym Popielskim trzymał się w bezpiecznej odległości, nie tracąc go ani na chwilę z oczu. Na Braniborskiej związał swój rower łańcuchem i udał się za Polakiem do zrujnowanego budynku biurowego. Tam, bojąc się zdemaskowania, zostawił Popielskiego samemu sobie i poszedł na pierwsze piętro. Stamtąd przepłoszyli go dwaj mówiący po rosyjsku ludzie, którzy wymierzyli w niego lufy karabinów. Wysportowany Kryżawcew uciekł im łatwo i schował się w jakimś zdemolowanym pomieszczeniu, które – sądząc po woni – służyło głównie za ubikację. Stamtąd dobrze widział, jak ci dwaj ludzie łapią Popielskiego i wloką go gdzieś na górę. Zakradł się cicho za nimi i schował za filarem. Po chwili dwaj napastnicy wywlekli materac z pościelą i znieśli go na dół. Kryżawcew przez szparę w drzwiach widział zmagania Popielskiego z więzami i z hakiem, na którym wisiał. Potem ujrzał, jak Polak otwiera okno, przysłuchuje się czemuś i skacze.

Rosjanin schował się w pokoju obok, skąd wszystko widział i słyszał.

Kiedy polscy żołnierze wyprowadzili gwałcicieli, których tak zapamiętale ścigał jego szef, Kryżawcew uznał, że tym samym jest zwolniony z obowiązku dalszego śledzenia Popielskiego.

Uciekł chyłkiem z budynku, wskoczył na rower i przypomniał sobie stare dobre czasy, kiedy to zajął pierwsze miejsce w wyścigu kolarskim Mińsk–Witebsk w roku 1937.

Czernikow był zachwycony, kiedy zmęczony, lecz szczęśliwy adiutant zrelacjonował mu wszystko, co widział. Szef sięgnął po słuchawkę i kazał się połączyć z kapitanem Striżeniukiem.

– Dotrzymałem wtorkowego terminu, towarzyszu kapitanie – powiedział wolno.

Zaciągnąłem profesora Stefanusa aż na stację benzynową na Tęczowej. Nie dałbym pewnie rady, gdyby nie życzliwość pewnego żołnierza na przepustce. Nic nie jest tak trudne do niesienia jak bezwładny człowiek. Żołnierz ów, nie całkiem trzeźwy zresztą, w poczuciu solidarności z pijanym, jak mniemał, Stefanusem pomógł mi nieść profesora, nieustannie przy tym żartując i zwracając się do mnie per „dziadku". Kiedy indziej być może ostro bym go potraktował, ale dzisiaj było mi wszystko jedno – ogarniała mnie chyba stoicka *apatheia*.

Biegałem co chwila między stacją benzynową a jezdnią i machałem ręką na wszystkie przejeżdżające pojazdy. Po pięciu minutach zatrzymałem furmankę z węglem. Wraz z woźnicą, sympatycznym młodzieńcem, który mówił z silnym warszawskim akcentem, zawieźliśmy Stefanusa do nieodległego szpitala elżbietanek na Grabiszyńskiej.

Do dworca wróciłem piechotą przez Lubuską i Skwierzyńską, a z dworca – jak zwykle – pojechałem dwójką.

Po przyjściu do mieszkania natychmiast poszedłem do doktora Scholza i poprosiłem go o rękopis „Patodycei". Mój sąsiad rozpłakał się, a potem wyszlochał mi historię o szantażu ze strony UB, który to szantaż można streścić tak oto – współpraca i donoszenie na mnie w zamian za szybką zgodę na wyjazd nad Jezioro Bodeńskie. Doktór Scholz przepraszał mnie i ściskał za rękę, błagając o wyrozumiałość. Bez słowa zamknąłem mu drzwi przed nosem. Chyba złagodniałem pod wpływem nauk Stefanusa. Kiedyś to ja bym szpicla udającego przyjaciela przynajmniej dobrze wyrżnął w ryj. I pewnie zwielokrotniłbym tę czynność. Teraz – zamykając drzwi – nawet na niego nie spojrzałem.

Wieczorem zawitał do mnie młody posłaniec od Czernikowa. Kapitan listownie zapraszał mnie na „paradę sprawiedliwości", na trybunę honorową. Odesłałem adiutanta z odpowiedzią negatywną.

Poczułem głód. Jednego ze starszych chłopaków Kulika wysłałem z dużym garnkiem na Piastowską do restauracji Barczyka, by kupił tam dla mnie pierogi.

Potem usiadłem przy stole, a towarzyszyły mi ruskie pierogi, garść papierosów, ćwiartka spirytusu i melodie egzotyczne sączące się z nowego radia marki Aga.

Kiedy znów, jak prawie co wieczór, odcięto prąd, radio zamilkło.

Ustawiłem szachy i rozegrałem z pamięci pewną partię Steinitza. Wciąż nie mogłem zrozumieć, dlaczego jego przeciwnik nie mógł się obronić, mimo że Steinitz zapowiedział: „Teraz dam panu mata w dziewięciu ruchach".

Około dziewiątej wieczór wywietrzyłem pokój, opróżniłem popielniczkę, posprzątałem ze stołu naczynia i niedopitą butelkę, przebrałem się w piżamę i położyłem do łóżka.

Ból nadgarstków i kolana nie dawał mi usnąć. Leżałem w półśnie, w mrocznej jakiejś malignie, która zwodziła mój umysł złudnymi obrazami. Wytwarzała całe szeregi postaci, które maszerowały dokoła pokoju i zaglądały co chwila do mej nyży. Wśród nich byli moja zamordowana przez bandytów matka i ojciec, który w skroń sobie wypalił, nie zniósłszy hańby, jaka spotkała jego żonę z ich ręki. Szedł mój dawny przyjaciel, niemiecki policjant Eberhard Mock, który wznosił oczy ku niebu i zachwycał się urodą Polek. Potem parskał gniewnie i ironicznie medyk sądowy ze Lwowa, drażliwy i genialny doktór Iwan Pidhirny. Za nim zaglądał do mnie mój łacinnik ze stanisławowskiego gimnazjum profesor Chodaczek, który podniesionym palcem i surowym tonem żądał ode mnie natychmiastowego przełożenia sentencji: „*Sic transit gloria mundi*". Najgorsze było to, że ja – doktór filologii klasycznej – nie potrafiłem przetłumaczyć tego zdania, z którym dałby sobie radę gimnazjalista z klasy pierwszej.

Około piątej nad ranem zerwałem się z łóżka i wydukałem profesorowi: „Tak przemija chwała świata". Widma znikły, a ja zasnąłem.

PUŁKOWNIK NIKOŁAJ BOGDYŁOW po telefonie od Placyda Brzozowskiego kazał adiutantowi przygotować wódkę i zakąski. Sam pojechał do swej kwatery na odległe Sołtysowice i z sejfu zabrał komplet sreber wynegocjowanych w Monopolu przez szefa wrocławskiego UB. Musiał być *fair* wobec Polaka. Dzięki złapaniu przez niego gwałcicieli zachował w końcu swe wysokie stanowisko. Ta chytra kanalia Striżeniuk tylko czekał, by on, Bogdyłow, się pośliznął. Co to za żigolak jakiś! Prochu na wojnie nie wąchał, a tu się będzie szarogęsił!

Bogdyłow w czasie drogi powrotnej z Sołtysowic obmyślał dalszy plan działania. Jeśli Placyd przyprowadzi mu rzeczywiście Borofiejewa i Kekilbajewa, to trudno! Czort z nimi! Jak są tacy głupi, że dali się złapać, muszą za to zapłacić! To dobre chłopaki i trochę na nich zarobił, ale kto myśli chwostem, ten głupi! W nocy do nich przyjdzie do szpitala, a potem ich gdzieś cichcem wywiezie i wyrzuci. A dalej – radźcie sobie sami, ptaszynki! I tak, darowaniem życia, spłaci swój dług za ostatnią dostawę złota i za jeszcze inną ważną przysługę. Nagrodzi ich życiem... A tam w piwnicy śmieje się teraz i śpiewa ten pomylony Kazach i jest też Wardgies, Ormiaszka. Podobni do morderców? Podobni! Popędzi ich jutro Ogrodową? Popędzi, a sam z trybuny honorowej zobaczy swe dzieło! I tak będzie! I tak ma być, *job twoju mat'*!

Bogdyłow, zadowolony ze swojego planu, poklepał walizkę, w której miał augsburski serwis dla Brzozowskiego, wysiadł z czarnego horcha i ruszył do swego biura, zajmującego siedem pomieszczeń w budynku dyrekcji kolei. Ten ocalały z walk o Festung Breslau wspaniały neobarokowy pałac najpierw zarekwirowała Armia Czerwona, a później oddała zarządowi dolnośląskiej kolei, zostawiając sobie jednakże reprezentacyjne biuro, będące siedzibą dowództwa garnizonu.

Bogdyłow odepchnął ze złością wartownika usłużnie chwytającego go za rękę, by uwolnić szefa od ciężaru, a potem zamaszyście otworzył drzwi. Jego adiutant Nikita wyprostował się jak struna, zasalutował, a potem wskazał oczami otwarte drzwi gabinetu.

– A co to? Wybieracie się na wczasy do Soczi, towarzyszu pułkowniku? – rozległ się donośny głos kapitana Striżeniuka. – No, wchodźcie, wchodźcie! Czujcie się jak u siebie w domu!

Bogdyłowa zalała wściekłość, kiedy wpadł do gabinetu i ujrzał Striżeniuka za swoim biurkiem. Uspokoił się natychmiast, gdy spod okna odwrócił się do niego Czernikow. Komendant garnizonu wiedział, że los podwładnego jest nierozerwalnie związany z jego własnym, toteż wesołe spojrzenie Czernikowa pomogło mu opanować nerwy. Jeśli on szczerzy zęby, to nic się złego nie stało!

– A co to macie w tej walizce? – Striżeniuk wstał i podszedł do niego.

Bogdyłow położył walizkę na biurku. Ta krótka chwila pozwoliła mu znaleźć odpowiedź.

– Co to za maniery, towarzyszu kapitanie! – wrzasnął. – Najpierw siadacie na moim miejscu, a potem się dopytujecie o coś tonem przesłuchania! Przypominam wam, że ja jestem wyższy rangą!

– Przepraszam. – Striżeniuk się uśmiechnął. – To tylko taki żart! Dla wesołości! Bo mamy się z czego cieszyć! Bo mamy w końcu tych zwyrodnialców, tych dezerterów! Zaraz nam tu ich dostarczą polscy towarzysze! To taki żart, Nikołaju Iwanyczu...

Bogdyłow rozparł się na swoim fotelu i wielką dłonią wskazał Striżeniukowi krzesło. Postanowił zagrać „na szczerość".

– To jest prezent dla polskich przyjaciół i sojuszników. – Otworzył walizkę i gabinet został na chwilę jakby rozświetlony błyskiem starannie wyczyszczonych sreber. – Taką wyznaczyłem nagrodę dla tego, kto ujmie morderców!

Kapitan Striżeniuk wyjął papierośnicę i poczęstował Bogdyłowa i Czernikowa. Adiutant tego pierwszego podskoczył i podał im ogień. Zaciągnęli się mocno i wypuścili pod sufit kłęby dymu.

W tym momencie w biurze rozległ się stukot bucierów i wesołe pokrzykiwania.

– O, i wódeczkę tu mamy – wołał donośny głos z silnym polskim akcentem. – No to będziemy świętować, towarzysze!

Adiutant nie zdążył zameldować Brzozowskiego i Jakowlewa, kiedy ci już byli w gabinecie Bogdyłowa. Ich czerwone twarze tryskały rumieńcami i dobrym humorem.

– O, dzień dobry! – Na widok Striżeniuka Brzozowski natychmiast zmienił ton.

Po przedstawieniu Jakowlewa wszystkim obecnym mężczyznom zapadła krępująca cisza.

– A jakie to święto, towarzyszu pułkowniku? – przerwał ją Striżeniuk, napatrzywszy się już na gości.

Brzozowski spojrzał na Bogdyłowa, a ten niepostrzeżenie zamrugał powiekami. Nie uszło to jednak uwadze Striżeniuka.

– No jak to jakie święto!? – wykrzyknął szef wrocławskiego UB. – Ujęliśmy gwałcicieli i morderców polskich kobiet i oddajemy ich naszym radzieckim przyjaciołom!

– Siadajcie, siadajcie, towarzysze! – zachęcał Bogdyłow. – Nikita! Dawaj tu poczęstunek!

Adiutant naznosił brakujących krzeseł i po chwili wszyscy już zasiadali dokoła dużego okrągłego stołu. Nikita sprawnie wykonywał obowiązki kelnera i przed każdym z mężczyzn postawił kieliszek. Po minucie na stole pojawiły się koszyki z chlebem i salaterki z ogórkami, cebulą i solidnymi kawałkami amerykańskiej tuszonki. W porcelanowych miseczkach podano kawior i musztardę z grubo mielonej gorczycy. Adiutant sprawnie rozlał wódkę.

– Za przyjaźń polsko-radziecką. – Bogdyłow uniósł kieliszek.

Wypili i znów zapadła cisza. Bogdyłow i Brzozowski wąchali chleb, Jakowlew nakładał sobie kawioru, tylko Czernikow i Striżeniuk nie zakąsili i patrzyli na wszystkich uważnie.

– Nie musicie się krępować, Płakidzie Filipowiczu – enkawudzista zwrócił się do ubeka. – Słusznie wam się należy nagroda za złapanie morderców...

Brzozowski nie odpowiedział. Wskazał palcem na pusty kieliszek.

– Nikita! – krzyknął Bogdyłow.

Po chwili znów chuchali i zakąsili – tym razem wszyscy.

– Gdzieżbym śmiał brać zapłatę od radzieckich towarzyszy! – powiedział powoli Brzozowski i spojrzał wymownie na Bogdyłowa. – Jestem polskim patriotą i internacjonalistą... Wiem zatem, ile zawdzięczamy zwycięskiej Armii Czerwonej! No, na zdrowie, towarzysze!

Wypili, a adiutant momentalnie napełnił kieliszki.

– No to pokażcie nam, nasi drodzy polscy przyjaciele, tych bandytów – zawołał rozochocony Striżeniuk. – Niech się im przyjrzymy, zanim jutro w drutach kolczastych pójdą Ogrodową!

Brzozowski powiedział coś po polsku do Jakowlewa. Ten wyszedł i po chwili powietrze w gabinecie komendanta garnizonu wyraźnie uległo zepsuciu.

Kazach wydzielał zwierzęcą woń. Trzymany przez polskich żołnierzy za kołnierz, chwiał się na nogach. Miał złamany nos, a oczodoły i policzki opuchnięte i sine. Drugi bandyta posykiwał z bólu, trzymając się za złamany obojczyk. Do niego to właśnie podszedł Striżeniuk i chuchnął mu w twarz wonią alkoholu.

– Nazwisko i stopień?! – zapytał ostrym tonem.

– Starszyna Władymir Borofiejew!

– Znacie obecnego tu pułkownika Bogdyłowa? – warknął nieoczekiwanie Striżeniuk.

– Znam – wyszeptał Borofiejew. – Nie, nie znam...

Polacy wstali jak na komendę.

– Musimy już iść, towarzysze. – Brzozowski uśmiechnął się krzywo, żegnając się w myślach ze srebrnym czajniczkiem, imbrykiem, cukiernicą i tacą, o których tak marzyła jego ukochana żona. – Wasze sprawy wam zostawiamy! Pewnie jutro „parada sprawiedliwości" na Ogrodowej, co, towarzysze? To tam się spotkamy... No do widzenia, do widzenia!

Brzozowski i Jakowlew pożegnali się z Rosjanami i wyszli z gabinetu. Dwaj gwałciciele, pozostawieni przez polskich żołnierzy samym sobie, opierali się bez ruchu o ścianę.

STRIŻENIUK PODSZEDŁ DO DRZWI i zamknął je na klucz. Potem zbliżył się do Bogdyłowa i z całej siły go spoliczkował. Dowódca garnizonu rozwarł szczękę tak szeroko, że aż pokazał migdałki. Potem odchylił się na fotelu. Stracił równowagę. Solidny niemiecki mebel nie wytrzymał i trzasnął przeraźliwie pod jego ciężarem. Pułkownik runął na podłogę.

Striżeniuk nalał wódki Czernikowowi i sobie. Wypili. Na zakąskę enkawudzista zjadł dwie łyżki kawioru, kapitan ograniczył się do powąchania chleba.

– Posłuchaj teraz, zakało – powiedział spokojnie Striżeniuk do Bogdyłowa – co ten bydlak nam powie... A nie powie on nic dobrego o tobie... Już raz ci ubliżał w jakiejś hali targowej... No, Czernikow, do dzieła!

Bogdyłow stał przy połamanym fotelu i patrzył bezradnie na Czernikowa. Ten wyjął z kieszeni brzytwę i zamachał nią sprawnie w powietrzu. Komendant mógłby przysiąc, że widzi szaleństwo w czarnych oczach podwładnego. Obłęd przejmował go zabobonnym lękiem od dziecka. Uciekał z krzykiem na widok przeraźliwie chudych, broczących krwią ascetów modlących się w krainie jego dzieciństwa – nad jeziorem Seliger przy Pustelni Niłowo-Stołobieńskiej. Z szaleństwem ten doświadczony frontowszczyk i zajadły szabrownik nie potrafił walczyć. Obłędu nie dało się ani zniszczyć, ani sprzedać, ani kupić. W związku z tym rozsadzał on intelektualny horyzont Bogdyłowa. A Czernikow, o czym komendant dobrze wiedział, stał się szaleńcem na Dalekim Wschodzie, gdy ujrzał, co Japończycy zrobili z jego gołąbeczką!

Czernikow podszedł do Borofiejewa i zaświecił mu brzytwą w oczy.

– Co masz wspólnego z pułkownikiem Bogdyłowem? – zapytał kapitan.

Borofiejew milczał, wpatrując się w podłogę. Czernikow jedną ręką chwycił go za kark i jednocześnie kopnął tak umiejętnie, że podciął mu nogi. Borofiejew runął na ziemię i zaczął przenikliwie jęczeć. Jego ramię było teraz wygięte pod nienaturalnym kątem.

– Wiesz co, Wołodia? – Czernikow ukląkł nad nim i mówił cicho, lecz wyraźnie. – Ja nienawidzę tych, co hańbią i zniewalają kobiety... I nic mnie nie powstrzyma przed wykręceniem ci łapy! Chyba że ty sam mnie zahamujesz! Powiedz, czy znasz obecnego tu pułkownika Bogdyłowa. – Mijały minuty. Czernikow nadepnął nagle na zgruchotany obojczyk Borofiejewa. Ten najpierw wył, potem jęczał, aż w końcu tylko wsysał gwałtownie powietrze. Po dwóch mniej więcej minutach zacisnął zęby i niewyraźnie coś wysyczał. – Jeszcze raz, Wołodia. – Czernikow wstał. – Powiedz to głośno!

– Poznaliśmy go u pasera – powiedział morderca i szybko oddychał. – Pasierbiak Felek... Paser... A potem on... pułkownik... kazał nam... kazał... zaciukać pasera... Do dziś nie zapłacił za to... Ani za złoto... Ani kopiejki...

– Dobrze, Wołodia – pochwalił go Czernikow. – A teraz pomyśl przez chwilę... Czy możesz to jakoś udowodnić? Powiedz nam, jak wygląda to złoto, a my go już poszukamy w domu komendanta...

Borofiejew milczał. Czernikow długo czekał, aż w końcu się zniecierpliwił. Chwycił mordercę za dłoń, jakby się z nim witał.

– On nie wie – z krwawego mięsa na twarzy Kekilbajewa dobiegł bełkotliwy głos. – On nie wie... Ja wiem... Wyrwijcie deski z podłogi w kuchni... Tam zeszyt... Kiedyś podejrzałem, jak Pasierbiak... jak zapisuje, kto co mu winien... Tam był ten Polak, Murawski... Tam wszystkie transakcje... Tam będzie pułkownik...

Striżeniuk wyszedł do sekretariatu biura. Kazał adiutantowi wezwać żołnierzy i zamknąć obu morderców w więzieniu.

Oczekiwanie na sołdatów trwało dłuższy czas. Borofiejew cicho jęczał, a Kekilbajew otwierał co chwila usta, jakby chłodził ich wnętrze. W surowym befsztyku, z którym kojarzyło się jego spuchnięte oblicze, błyskały białe zęby. Czernikow bawił się brzytwą, a Bogdyłow myślał o łososiach z jeziora Seliger.

W końcu przyszło sześciu żołnierzy, którzy wyprowadzili skazańców i odjechali z nimi do koszar na Karłowice.

Striżeniuk otworzył okno. Papierosowy dym i ludzki odór zostały wchłonięte przez ponure, wilgotne południe. Z pobliskiego dworca dochodziło posapywanie lokomotyw.

Enkawudzista podszedł do Bogdyłowa i spojrzał mu prosto w oczy.

– Oj, nieładnie, nieładnie, Nikołaju Iwanyczu – powiedział łagodnie. – Plamicie mundur Armii Czerwonej kontaktami z wyrzutkami i dezerterami! Zlecacie mordowanie polskich obywateli... Wy, wysoki oficer! Bohater i frontowszczyk! A tu z wami tacy degeneraci! Wstyd, wstyd! I zła, bardzo zła wiadomość dla wszystkich! – Pospacerował przez kilkanaście sekund pomiędzy stołem a oknem. Jego buty wybijały regularny rytm. – Nikt z nas nie potrzebuje takiej złej wiadomości... Ani pułkownik Dawydow, ani prosty krasnoarmiejec, dla którego wy jesteście wzorem do naśladowania... Nikt z naszych dzielnych żołnierzy nie chce słyszeć, że pułkownik Nikołaj Bogdyłow, dowódca wrocławskiego garnizonu, został zdegradowany i zesłany na Sybir! A wy tego chcecie, towarzyszu pułkowniku? Chcecie, by waszego małego synka Pietię, którego podobieństwo do was jest uderzające... Otóż, aby waszego małego synka inni popychali, bili, pokazywali palcami? Wszak zdjęcie waszej charakterystycznej twarzy będzie w każdej gazecie!

– Nie chcę! – powiedział spokojnie Bogdyłow.

Striżeniuk wyjął mu z kabury pistolet i położył go na biurku.

– Chodźmy, Michaile Pietrowiczu. – Objął kapitana za ramię. – Pozwólmy towarzyszowi pułkownikowi podjąć męską decyzję...

Wychodząc, Striżeniuk zamknął walizkę ze srebrami, podniósł, po czym starannie zamknął drzwi.

– Co się tak patrzycie, kapitanie? – zapytał enkawudzista zaczepnie, kiedy już znaleźli się na ogromnych schodach. – Nie podoba się wam, że przejąłem te srebra? One przechodzą na własność garnizonu... Kto ma je zinwentaryzować? Na pewno nie wy! Wy pojutrze wyjeżdżacie na Daleki Wschód, do domu! A ja? No cóż, po tym, co zrobiłem dla tego garnizonu, przyjmę z pokorą nominację na jego komendanta!

Z gabinetu Bogdyłowa doszedł huk wystrzału.

Obudziłem się późno, grubo po południu. Napaliłem w piecu i zjadłem kilka ostatnich pierogów z wczorajszej kolacji. A potem z papierosem w ustach zasiadłem nad szachami i się zadumałem. Znów rozegrałem z pamięci wczorajszą brawurową partię Steinitz *contra* Bardeleben. I wciąż nie mogłem zrozumieć klęski niemieckiego grafa, któremu przeciwnik oznajmił, że pokona go w dziewięciu ruchach.

Wtedy ktoś zastukał gwałtownie w drzwi.

Otworzyłem.

– Nie wystarczy listownie? – zapytał Czernikow. – Trzeba pana osobiście zapraszać?

Spojrzałem na zegarek.

– Przecież już dawno po paradzie! – zdziwiłem się, czując jakiś niepokój.

– A kto tu mówi o paradzie?

Czernikow podszedł do szachownicy i przyglądał się przez dłuższą chwilę kombinacji figur.

– Dobrze widzę? – zapytał Rosjanin. – To jest moment, kiedy Steinitz powiedział do Curta von Bardelebena: „Mat w dziewięciu posunięciach"?

– Tak – odparłem zdumiony, jakbym nie wiedział, że szachy to narodowa rosyjska gra. – To jest właśnie ta chwila. Rozgrywam tę partię od dawna i wciąż nie mogę zrozumieć, jak von Bardeleben mógł się nie obronić...

– Niepotrzebnie połakomił się na pion czternaście, o ile pamiętam, posunięć wcześniej – odparł Czernikow. – Steinitz poświęcił pion... Tak jak wczoraj Armia Czerwona poświęciła Bogdyłowa, a mnie odsunęła na daleką pozycję... I dzięki temu zawsze będzie zwyciężać... Bo potrafi poświęcać swoje ciężkie figury, takie jak Tuchaczewski, jak Bogdyłow, i swoje lekkie figury, takie jak ja... Mogę panu opowiedzieć o tych gambitach w drodze na cmentarz...

W POŁOWIE GRUDNIA do Wrocławia przyszła chwilowa odwilż. Roztopiła potężne zwały śniegu na obrzeżach ulic i odebrała dzieciom ich ulubioną rozrywkę – saneczkowanie i ślizganie się na łyżwach. Zbocza wrocławskich pagórków spłynęły wodą i psim łajnem, a ślizgawki popękały, grożąc śmiałkom lodowatą kąpielą w najlepszym razie lub utopieniem – w najgorszym.

Na ulicy Grunwaldzkiej resztki roztopionego śniegu lepiły się do kół limuzyny marki Horch. Na cmentarzu na ulicy Bujwida kleista breja przywierała do błyszczących oficerek Czernikowa i wciąż porządnych, choć nieco podniszczonych czarnych oksfordów Popielskiego.

Nad grobem Janiny Maksymońko stał jej ojciec Władysław. Był zupełnie trzeźwy.

Otaczała go falująca masa ludzi, którzy cisnęli się, tratując niemieckie groby i oszczędzając polskie. Bezpośredniego dostępu do grobu dziewczyny bronił pierścień polskich i sowieckich żołnierzy.

Na widok Czernikowa i Popielskiego powstała w nim wyrwa, przez którą przedostali się, by stanąć obok nieszczęsnego ojca.

Popielski najpierw miał opory, czy stać przy Czernikowie i narażać się w ten sposób na przypięcie łatki sowieckiego pachołka. Odrzucił jednak zdecydowanie te wątpliwości. Odsunięcie się od Czernikowa byłoby niegodne, małostkowe i po prostu tchórzliwe. A poza tym on nie dbał nigdy o dobrą opinię.

– Z wyroku trójki NKWD Władymir Borofiejew i Bachtijar Kekilbajew zostają skazani na śmierć! – grzmiał Czernikow, a jego tłumaczone przez Maksymońkę słowa rozchodziły się w tłum. – Obiecałem ci, dziewczyno, że trupy twych ciemiężycieli rzucę na twój grób! I mam ich teraz! Złapałem! Dokonałem tego, bo byli wokół mnie ludzie, którzy chcą, tak jak ja, by ten świat był dobry! A świat dobry będzie wtedy, gdy jak najmniej takich zwierząt będzie kalało świętą Bożą ziemię!

Wśród ludzi rozległ się szmer. Popielski pomyślał, że słowa o Bogu nie ułatwią Czernikowowi życia i pofruną za nim do Mandżurii. Szmer wzrastał, a tłum się rozstępował. Czterej krasnoarmiejcy szli wolno, niosąc na ramionach potężny drewniany drąg, do którego przywiązane były pętle. Zaciskały się one na szyjach Borofiejewa i Kekilbajewa. Skazańcy z zawiązanymi na plecach rękami ledwo szli. Powłóczyli nogami i potykali się co chwila. Ich bose stopy oblepiał piach zmieszany z błotem i śniegiem. Na spodniach wokół genitaliów rozlewały się plamy krwi. Lud zawył na ten widok.

Popielski dobrze rozumiał tę chęć odwetu i zemsty. Jeszcze do niedawna nie tylko ją usprawiedliwiał, ale wręcz w swym mniemaniu uświęcał i uszlachetniał. Ale to było przed kursem patodycei, jaki przeszedł u profesora Stefanusa. Dziś, słuchając nienawistnego wycia tłumu, przypominał sobie słowa filozofa o rodzinnych piknikach pod szubienicami.

„Jeśli świat i historia są napędzane ku dobru jakimś wewnętrznym motorem – myślał, nie słuchając aktu oskarżenia, jaki wygłaszał Władysław Maksymońko – to ta egzekucja nie ma najmniejszego znaczenia. Świat pójdzie i tak swoją drogą – przypomniały mu się słowa Asnyka – obojętny wobec śmierci tych łajdaków. Pomaszeruje ku dobru, depcząc albo omijając padlinę tych i innych złoczyńców. Czy mamy być zatem bezczynni?" – poczuł kłującą wątpliwość.

I wtedy do jego umysłu dotarły słowa wypowiedziane przed chwilą przez Czernikowa: „A świat dobry będzie wtedy, gdy jak najmniej takich zwierząt będzie kalało świętą Bożą ziemię!". „Dobro zatem można wyświadczać dwojako – myślał gorączkowo – aktywnie i zapobiegawczo. Ja i Czernikow jesteśmy w tym drugim nurcie ewolucyjnym".

Było to dla Popielskiego tak wielkie filozoficzne objawienie, że pierwszy wydał ryk triumfu, kiedy na prowizorycznej szubienicy zawiśli wykastrowani mordercy i pierwsze paroksyzmy szarpnęły ich ciałami.

Czernikow dogonił mnie, kiedy już opuszczałem cmentarz.

– Niech pan poczeka! – krzyczał. – Chcę się z panem pożegnać!

Zatrzymałem się. Dobiegł do mnie, oparł dłonie na kolanach i ciężko dyszał. Ludzie wracający z cmentarza poklepywali go po ramieniu i wznosili wiwaty. Nie zwracał na to najmniejszej uwagi. Ująłem go pod ramię i poprowadziłem w boczną, ciemną alejkę.

– Jutro wyjeżdżam – sapał Czernikow. – I tyle chciałem jeszcze panu powiedzieć... Ale cóż... Wszystkiego zapomniałem... Może biełomor rozjaśni mi umysł?

Wyjął papierośnicę. Wziąłem papierosa, zgryzłem tytkę i przyjąłem od Rosjanina ogień. Ten rozżarzył następnie czubek swojego biełomora.

– Uże znam, pan Popielski – powiedział w polsko-rosyjskim wolapiku. – Ja przypomniał siebie, co ja chciał... Życzyć panowi, by czuł pan siebia dobrze w tym nowym polskim mieście. Ono budie piękne, bardzo piękne... A pan pust w nim budzie szczęśliw! Tego życzu! Z całego serca!

Rozłożył ręce, aby mnie objąć. Odsunąłem się szybko.

– To nie jest moje miasto, kapitanie Czernikow – powiedziałem po niemiecku. – Moje miasto wy wyrwaliście Polsce w 1939 roku... To miasto nazywa się Lwów...

– Zna pan dowcip o Żydzie, któremu na targu powiedziano, że nikt niczego nie kupi od niego ani od jego rodaków? – Czernikow zdjął czapkę i przeczesał dłonią gęste szpakowate włosy.

– Chyba nie znam – odparłem.

– Otóż tak właśnie mu powiedziano, a on zapytał: „Dlaczego?". Wtedy jakiś stary chłop mu wyjaśnił: „Bo Żydzi zabili Chrystusa!". Mądry Żyd tak zareagował: „Zgadzam się z tobą, ojczulku, że Żydzi zabili Chrystusa, ale coś ci powiem w zaufaniu: zabili go Żydzi z sąsiedniej wioski, nie my!".

Uśmiechnąłem się lekko.

– A jaki to ma związek ze Lwowem? – zapytałem.

– To nie ja zabrałem panu Lwów. – Czernikow spojrzał na mnie ze smutkiem. – To tacy ludzie jak Bogdyłow i Striżeniuk!

Wtedy go uściskałem. Chciałem mu powiedzieć: „To był dla mnie zaszczyt pracować z panem, kapitanie Czernikow", ale uznałem, że byłoby to zbyt sentymentalne. Rok później napisałem mu to jednak na kartce z życzeniami świątecznymi przed Bożym Narodzeniem w 1947 roku. Parę miesięcy później dostałem urzędowe pismo ze sztabu Zabajkalsko-Amurskiego Okręgu Wojskowego. „Kapitan Michaił Czernikow zginął tragicznie dnia 20 kwietnia 1947 r. na terenie szpitala w Port Arthur". Domyślałem się, co znaczy „zginął tragicznie". Bohaterska Armia Czerwona nigdy by nie przyznała, że jej oficer popełnił samobójstwo.

LEOKADIA TCHÓRZNICKA BYŁA JUŻ CAŁKIEM ZDROWA i gotowa do wyjścia. Siedziała na łóżku i niecierpliwie wyglądała Edwarda. Jej oczy nabrały blasku, a policzki rumieńców. Mimo ogólnego wyczerpania organizmu, mimo wychudzenia oraz niedbałego stroju na każdym robiły wrażenie jej spokojna pewność siebie i wyraźne dostojeństwo połączone z brakiem jakichkolwiek pretensyj do losu i świata. Mimo zawiązanej na głowie skromnej chustki, mającej przykryć gojące się rany i krótkie włosy, odrastające dopiero po przypalaniu i wyrywaniu podczas śledztwa w UB, wszyscy mieli ją za arystokratkę – sympatyczną i nieco zwariowaną – która potrafi rozśmieszyć najdotkliwiej chore towarzyszki niedoli. Jej mądrą ironię i śladowy egocentryzm doceniali lekarze. Nic dziwnego zatem, że wszyscy cieszyli się z jej wyzdrowienia, a przy tym trochę martwili jej odejściem po ponadtrzytygodniowym pobycie, nie wiedząc, czy zamiast niej nie zjawi się jakaś chora, która wszystkich dokoła zarazi swym cierpieniem.

Ona zaś nie martwiła się ani trochę i czekała na Edwarda niecierpliwie. Miała nadzieję, że jej kuzyn domyśli się i przyniesie jej najlepszą sukienkę i futro, które cudem ocalało z wojennej zawieruchy i licznych przeprowadzek. Z drugiej jednak strony nie postawiłaby zbyt dużej sumy na jego domyślność.

Kiedy wpadł do sali, wiedziała, że jej oczekiwania co do zdolności prognostycznych Edwarda rzeczywiście były daremne.

Wbiegł do sali, pocałował ją w policzek i rzucił się natychmiast do szafki. Przetrząsnął ją i spojrzał na Leokadię przerażony. Nie było tam tego, czego szukał.

Sięgnęła do torby podręcznej i wyjęła z niej stos kartek – rękopis związany aksamitną tasiemką.

– Tego szukasz? – zapytała. – Bardzo ciekawa ta „Patodycea", choć napisana kiepską francuszczyzną...

Popielski objął ją mocno i zadrżał.

– Jaki czuły ten pani mąż – powiedziała jedna z kobiet leżących w sali.

1946

1989

2012

1991

1989

2012

1991

JA, WACŁAW REMUS, tego lipcowego dnia 1989 roku około drugiej po południu skończyłem czytać pamiętnik Edwarda Popielskiego. Pulsowało mi w skroniach i czułem suchość w gardle. Koszula pod pachami była mokra i zimna. Uszy rozsadzał mi cienki pisk. Zacisnąłem zęby na długopisie i usłyszałem trzask plastiku. Tylko mój rozum mógł mnie uratować przed wybuchem. Zacząłem gorączkowo wypisywać znane mi tautologie logiczne.

Po chwili mogłem już zebrać myśli. By to uczynić, musiałem odtworzyć ostatnie zdarzenia. Oto ich sekwencja: miałem sprawdzić jeden przypis, który sporządził Starzec w swoim epokowym dziele. Odwołanie się do bliżej nieznanego Hermiasza Scholastyka miało kluczowe znaczenie w rozważaniach Starca. Tymczasem pod sygnaturą, jaka miała oznaczać dzieło *De providentia* wspomnianego Hermiasza, był pamiętnik Edwarda Popielskiego, opisujący przerażające historie sprzed czterdziestu trzech lat. Takie były fakty. Co do tego miałem pewność. Niepewna była natomiast reakcja Rüdigera Habego z wydawnictwa Fischer. Za grube honorarium i obietnicę stypendium wynajął mnie do sprawdzenia tego przypisu. Czego on oczekuje? Oczywiście passusu dzieła scholastycznego, które potwierdzałoby jakieś ustalenia Starca. Tymczasem co otrzyma? Historię kryminalną sprzed prawie półwiecza. Czy uzna to za wykonanie przeze mnie zadania? Czy mi za nie zapłaci?

Spojrzałem na zegarek. Dochodziła czternasta. Za chwilę kończą się wakacyjne godziny urzędowania Biblioteki Kapitulnej. Zastanawiałem się przez chwilę, co mam powiedzieć Habemu.

Wtedy do czytelni wszedł ksiądz bibliotekarz, który mnie obsługiwał.

– Przeczytał już pan? – zapytał.

– Tak – odparłem. – Wiem, że państwo za chwilę kończą... Czy nie dałoby się jakoś trochę dłużej zatrzymać tego rękopisu...

Ksiądz mnie nie słuchał. Wyszedł na zaplecze, a potem wrócił stamtąd z wielką paczką owiniętą w szary papier.

– Nie musi pan niczego przedłużać – powiedział bibliotekarz. – I to, co pan czytał, i to – wskazał na paczkę – jest pańską własnością... Proszę tu pokwitować... To jest protokół odbioru... No, szybciej, mój panie, nie płacą mi tutaj za nadgodziny!

W jakimś oszołomieniu podpisałem i odebrałem paczkę, której właścicielem tak nieoczekiwanie się stałem. Wyszedłem z czytelni i kompletnie zmieszany nagłymi wypadkami tego dnia, usiadłem ciężko pod drzewem na dziedzińcu za tak zwaną Kluskową Bramą. Cień rozłożystego platana oraz papieros marki Carmen pomogły mi zebrać myśli. Spojrzałem na kwit, który przed chwilą podpisałem. „Depozytariusz wydaje na pisemne polecenie depozytenta najbliższej rodzinie, zgodnie z art. 23 par. 2 testamentu dra Edwarda Popielskiego".

Rozerwałem tasiemkę i zacząłem czytać. Pamiętnik Popielskiego nie był ostatnią niespodzianką tego dnia.

Wrocław, 4 kwietnia 1975 r.
Mój ukochany Synu! Drogi Wacławie!

Zgodnie z moją wolą list niniejszy miałeś otrzymać dopiero po przeczytaniu pierwszego tomu mego pamiętnika. Pewnie pytasz teraz sam siebie: „Dlaczego dopiero teraz, po tylu latach? Dlaczego ojciec nie powiedział mi o tym wcześniej, na przykład w czasie tych setek wizyt, jakie mu złożyłem w mieszkaniu na Grunwaldzkiej?". Odpowiedź jest prosta – bo bałem się zemsty Murawskiego-Zinowiewa, jaką on mógł wywrzeć na tobie.

Zaspokoiwszy, jak sądzę, choć chwilowo, Twoją ciekawość, przedstawię Ci teraz krótko epilog tej całej strasznej historii.

Henryk Murawski otrzymał od Brzozowskiego rękopis „Patodycei" Stefanusa. W tekście tym było pewne zabezpieczenie, które zaproponowałem profesorowi przed experimentum crucis – odwołanie się do fikcyjnego Hermiasza Scholastyka. Mechanizm owego zabezpieczenia jest dość prosty:

(a) przypis odsyła do biblioteki, gdzie przechowywany jest dany rękopis z czymś unikalnym – w naszym wypadku z jednym jedynym egzemplarzem wykresów, wzorów i statystycznych danych liczbowych, bez których dzieło Stefanusa jest bezużyteczne;

(b) plagiator idzie do tej biblioteki i dowiaduje się, że musi się wylegity-
mować, by uzyskać dostęp do rękopisu;

(c) bibliotekarz czyta tajny protokół przekazania i wie, że może wydać
książkę wyłącznie mnie samemu;

(d) nie wydaje książki Stefanusa plagiatorowi.

W ten sposób plagiat zostaje uniemożliwiony, chyba że plagiator usunie
cały kluczowy fragment tekstu, do którego Stefanus sporządził ów przypis-
-zabezpieczenie. To działanie w wypadku „Patodycei" okaleczyłoby znacznie
tekst i odebrałoby mu wiarygodność i całą siłę perswazyjną. Stefanus napi-
sał bowiem w przypisie w jednym i drugim egzemplarzu (czyli również w tym,
który miał Zinowiew) tak oto: „wszystkie dane liczbowe i wykresy dostępne
są w materiałach przechowywanych w Bibliotece Kapitulnej we Wrocławiu
wraz z moim przekładem średniowiecznego dzieła Hermiasa Scholasticusa
De providentia, *rkps nr 13 634".*

Wydawało się, że moja zapobiegliwość była przesadna i niepotrzebna.
Murawski nie poszedł drogą naukową Stefanusa. Krótko po serii gwałtów –
korzystając z poparcia tak zwanych czynników politycznych – wyjechał do
Moskwy na studia doktoranckie z zakresu... filozofii marksistowskiej. Chciał,
by naukowe środowisko Wrocławia o nim zapomniało. W 1952 roku wrócił do
Wrocławia jako młody profesor Feliks Zinowiew. Natychmiast został zatrud-
niony w Instytucie Filozofii Uniwersytetu Wrocławskiego.

Mój sędziwy przyjaciel ksiądz Jan Blicharski, wówczas kustosz Biblio-
teki Kapitulnej – gdzie złożyłem pierwszy tom pamiętnika i rękopis „Patody-
cei" wraz ze wszystkimi wzorami, wykresami etc. – co jakiś czas informował
mnie o całkowitym braku zainteresowania materiałami ukrytymi pod syg-
naturą „Hermias Scholasticus, De providentia, *rkps nr 13 634". Nie dziwiło*
mnie to specjalnie. Poglądy Stefanusa były w latach dominacji marksizmu
w Polsce zakazane, a zatem arcymarksista Murawski-Zinowiew nie mógł ich
głosić. Z drugiej jednak strony zdawałem sobie doskonale sprawę z mocy
i wielkości dzieła Stefanusa. Byłem pewien, że jego fałszywy przyjaciel kie-
dyś zechce po nie sięgnąć. Tymczasem lata leciały, umarł nieodżałowany
Jaś Blicharski, a i ja nie młodniałem. Zbliżałem się już do siedemdziesiątki
i lada chwila mogłem wejść w mroki Orku, a po mojej śmierci każdy mógł wy-
pożyczyć to dzieło. Moskiewski profesor Zinowiew rósł w siłę i w razie mojej

śmierci mógł te materiały wydobyć prawie legalnie. Nękała mnie mocno troska o los dzieła.

Wtedy spotkało mnie największe szczęście w życiu – Ty się narodziłeś, dokładnie w moje siedemdziesiąte urodziny, 4 września 1956 roku. Twoje narodziny natchnęły mnie nie tylko nieopisaną radością, ale i nowym, oczywistym zresztą pomysłem. Udałem się do Biblioteki Kapitulnej i zrobiłem w protokole depozytu odpowiedni zapis – po mojej śmierci tylko Ty miałeś się stać właścicielem „Patodycei" Stefanusa wraz z wykresami i wzorami. I tak właśnie się stało, mój drogi Synu! Jeśli czytasz te słowa, to już rzeczywiście masz to dzieło w posiadaniu. Dokonując nowego zapisu, nie wiedziałem oczywiście, ani kim będziesz, ani co zrobisz z kłopotliwym spadkiem. Może po prostu podpalisz w piecu tą „Patodyceą"? Wraz z upływem lat, kiedy rosłeś i wbrew woli Twojej matki przychodziłeś do mnie, wówczas ponadosiemdziesięcioletniego starca, zdawałem sobie sprawę, że „Patodycea" nie pójdzie na zmarnowanie. Byłeś bystrym młodym człowiekiem, humanistą – tak jak ja – ze zdolnościami do nauk ścisłych i wiedziałem, że nawet jeśli sam nie wykorzystasz dzieła Stefanusa, to przynajmniej przekażesz je kiedyś właściwej osobie.

Drogi Wacławie!

Pewnie wciąż nie rozumiesz, dlaczego obawiam się zemsty na Tobie ze strony Murawskiego-Zinowiewa. Otóż kiedy mi wczoraj oznajmiłeś, że po maturze chcesz studiować filozofię, zrozumiałem, że mogą się zejść Wasze drogi. Być może Feliks Zinowiew będzie Twoim nauczycielem, być może jakoś się dowie, że – choć nosisz panieńskie nazwisko swej matki – jesteś moim synem. I co wtedy? I może nadejdzie ta nieszczęsna chwila, że zmusi Cię do wypożyczenia mojego pamiętnika i zdobędzie wykresy, bez których tekst „Patodycei" jest pusty. I kto wie, czy wtedy ten łajdak nie opublikuje wielkiego dzieła Stefanusa pod swoim nazwiskiem, niekoniecznie w Polsce, może gdzieś na Zachodzie, o czym tak marzył śp. profesor Stefanus! Kto wie, czy wtedy nie spali mojego pamiętnika i nikt już się nigdy nie dowie o jego zbrodni. Dzisiaj zatem postanowiłem, że Twój dostęp do tych materiałów będzie możliwy dopiero po ukończeniu przez Ciebie trzydziestego roku życia. Wtedy już ten łajdak być może będzie gryzł ziemię.

Ukochany Mój Synu!

Teraz już wiesz, dlaczego w czasie naszej wczorajszej rozmowy tak Cię gwałtownie ostrzegałem przed Feliksem Zinowiewem. Nie chciałeś mi wierzyć, *żądałeś argumentów. Nie mogłem Ci ich podać. Czynię to teraz, po latach. Otóż wszyscy uczniowie Gymnasium Subterraneum zginęli w tajemniczych wypadkach lub przepadli w niewyjaśnionych okolicznościach, oprócz Aleksandra Najdorfa i Czesława Białobrzega, którzy wyjechali z Polski na stałe – pierwszy do Izraela, drugi do Ameryki. Oszczędzę Ci opowieści o tym, co się stało z innymi uczniami oraz z nieszczęsną Fryderyką Pasławską. Przypadek? Być może, choć ja wątpię w przypadkowość, kiedy giną ludzie mogący zdemaskować byłego ubeckiego agenta i prominentnego naukowca.*

Dziwnie się czuję, Wacławie. Piszę do Ciebie ten list, który będziesz czytał, gdy mnie już nie będzie wśród żywych. Brzmi on zatem jak ostatnie pożegnanie, podczas gdy po napisaniu tych słów jutro będę Cię widzieć, bo obiecałeś, że przyjdziesz do mnie, by mi zaprezentować rozwiązania zadań z geometrii analitycznej i z trygonometrii.

Nie wiem zatem, czy napisać Ci „żegnaj!", czy „pozdrawiam Cię przed jutrzejszym spotkaniem".

Z tej konfuzji wybawia mnie Katullus. Napiszę tak jak on:

AVE ATQUE VALE

Bądź pozdrowiony i żegnaj!

Twój ojciec

Edward Popielski

Włożyłem list ojca do koperty, na której wykaligrafował on „Wacław Remus", dodając kurtuazyjnie nie używany już dzisiaj skrót „ł.o.r.", co znaczy „łaskawie odebrać raczy".

1946

1989   1989

2012   2012

1991   1991

PROFESOR MAŁGORZATA OLSZOWSKA-BIEDZIAK w zamyśleniu wpatrywała się w swojego rozmówcę. Była wstrząśnięta tą historią krwawych gwałtów połączonych z filozoficznymi subtelnościami.

– Podsumujmy, droga pani profesor. – Remus otarł pot z czoła. – Jako przyszły dyrektor tej szkoły proszę panią o przyjęcie stanowiska profesora historii naturalnej w Lycaeum Subterraneum, które będzie edukacyjną kontynuacją dawnego Gymnasium Subterraneum Mieczysława Stefanusa. Proszę o to panią gorąco! Nie znajdziemy w naszym mieście uczonego, który byłby w jednej osobie specjalistą w zakresie biologii teoretycznej, ewolucji, filozofii i matematyki. Pani odmowę przyjmę z bólem, ale i z szacunkiem... Będzie to dla nas lekcja niewiarygodności – sroga, ale kształcąca, bo każde cierpienie kształci... Nauka poprzez cierpienie, jak mówił Ajschylos. *Pathei mathos.*

Olszowska-Biedziak spojrzała na niego z lekkim rozbawieniem.

– Widzę, że albo jest pan profesor pesymistą defensywnym – złożyła piękne smukłe dłonie i spojrzała na niego spod powiek – albo usiłuje mnie pan jeszcze inaczej podejść...

– Wróćmy do pani sprzeciwu wobec monoedukacji – podjął, pozostawiwszy uwagę swojej rozmówczyni bez komentarza. – Nieszczęsna uczennica Pasławska stała się w odczuciu Stefanusa powodem rozbicia tajnych kompletów. Wynika to wyraźnie z pamiętników mojego ojca. W drugim tomie pisze on, że Stefanus mu to mówił i zapewniał, że koedukacja jest złem, bo przyczynia się do rozbudzenia pożądliwości, a więc zła. Nie wiadomo jednak, czy mówił to przed, czy też po *experimentum crucis* – w tej jednej chwili przytomności, gdy mój ojciec transportował go na stację benzynową. Nie wdając się w rozstrzyganie, czy Stefanus miał słuszność, czy też nie, sądzimy, że musimy respektować jego wolę.

Olszowska-Biedziak walczyła przez chwilę w swym sumieniu. Zastanawiała się, czy odwołanie się do autorytetu choćby najszlachetniejszego człowieka ma wartość wobec jawnej dyskryminacji dziewcząt w Lycaeum Subterraneum. I doszła do wniosku, że ta moc autorytetu wobec krzywdy jest znikoma. Z drugiej jednak strony Remus nie ukrywał anachronicznych poglądów patrona szkoły, choć mógł wymyślić sto kłamstw, by uciąć jej wątpliwości – jak choćby to, pierwsze z brzegu, że taka jest wola anonimowych darczyńców szkoły. Uczciwość i prawdomówność na jednej szali, dyskryminacja na drugiej. Olszowska-Biedziak wciąż nie była pewna swej decyzji.

– Co się w końcu stało z „Patodyceą" Stefanusa? – zapytała, by odsunąć ważenie racji na później.

– Ukazała się u Fischera we Frankfurcie nad Menem – odpowiedział Remus. – W roku 1998. W tymże roku pojawił się jej przekład angielski. Była wielkim wydawniczym sukcesem. Przyniosła ogromne pieniądze fundacji „Lycaeum Subterraneum"... Za te pieniądze zakładamy teraz szkołę... A drugie wydanie, poprawione i uzupełnione, wyszło w tym roku w Oksfordzie...

Biolożka się zamyśliła. Nie zwykła szybko podejmować decyzji i nie miała najmniejszego zamiaru teraz odstępować od tej zasady.

– Dam odpowiedź panu profesorowi – rzekła – kiedy przeczytam tę „Patodyceę"...

Remus wyjął z teczki angielski egzemplarz i podał go swej rozmówczyni.

– Widzę, że jest pan dobrze przygotowany na moje kaprysy. – Olszowska-Biedziak zaczęła przeglądać gruby, pięknie wydany tom. – O, ukazał się w Oxford University Press! O! – Wskazała palcem na stronę tytułową, gdzie widniało *„Pathodicy, Statistics and Theoretical Biology by Mieczysław Stefanus, with Philosophical Notes by Wacław Remus"*. – Gratuluję! To również pańskie dzieło! Ale zaraz, zaraz... A co się właściwie stało z Zinowiewem i z jego plagiatem?

– Zinowiew miał niezwykły dar przewidywania kłopotów. Gdzieś w roku 1987 uznał, że zmiany, które nadejdą w Polsce, położą kres jego pomyślności, a on sam, jako ortodoksyjny marksista zamurowany głęboko w partyjnym betonie, utraci wpływy i władzę. Postanowił temu przeciwdziałać i zdobyć wiekopomną sławę, która by nie pozwoliła na osłabienie jego pozycji. Szybko przetłumaczył książkę

Stefanusa z francuskiego na niemiecki, a potem ją uwspółcześnił, dodając nowe fakty i nową bibliografię. Wydawnictwo Fischer było zachwycone. Ale pojawił się jeden drobny szkopuł. Wiele tabel i wykresów statystycznych umieszczono w jakimś dziwnym rękopisie, w tekście jakiegoś nie znanego nikomu Hermiasza Scholastyka. Zinowiew usiłował przekonać redaktora Habego, by zrezygnował z tych materiałów. Ten się nie zgodził. Zinowiew wtedy zniknął, niby wyjechał na wakacje, licząc, że Habe się ugnie i mimo wszystko wyda to wielkie dzieło. Redaktor się nie ugiął, a mnie telefonicznie zlecił sprawdzenie tego przypisu. A ja dotarłem do pamiętnika swojego ojca i do kopii „Patodycei"... Powiadomiłem o wszystkim Habego, a on odmówił Zinowiewowi opublikowania jego plagiatu. Zinowiew po powrocie do Wrocławia na mój widok dostał ataku furii, lecz nic nie mógł mi zrobić... Pamiętnik mojego ojca trzymał go w szachu. Grzecznie podpisał pozwolenie na wyjazd do Getyngi... U wrocławskiego notariusza zdeponowałem „Patodyceę" oraz próbny wydruk książki Zinowiewa, który Habe mi osobiście wręczył w Getyndze... Były one gwarancją mojego spokoju... Aż nadszedł rok 1991 i w Instytucie Filozofii nastąpiła tak zwana lustracja. Zinowiew przeszedłby ją spokojnie i przebranżowił się, wzorem innych marksistów, albo w znawcę estetyki, albo w egzegetę Foucaulta, Lacana, Derridy, Deleuze'a i innych producentów mętnej filozofii literackiej... Ale ja mu w tej przemianie raczej nie pomogłem...

1946

1989   1989

2012   2012

1991

MŁODY FILOZOF DOKTOR WACŁAW REMUS wyszedł pierwszy z zamkniętego posiedzenia Komisji Etycznej na Wydziale Historyczno-Filozoficznym Uniwersytetu Wrocławskiego. Po dwóch godzinach niszczenia Starca zapalił z przyjemnością mocnego marsa. Czekając na innych, przyglądał się wyblakłemu nieco plakatowi zawieszonemu tu przed laty, kiedy siedziba Instytutu Filozofii była jeszcze akademikiem. Z plakatu patrzyła na niego atrakcyjna młoda kobieta w białej sukience bez ramion. Z jej ust, wygiętych w pogardliwym uśmiechu, wychodził dymek z napisem „Z pijanym nie tańczę".

Drzwi sali konferencyjnej otworzyły się na oścież. Wychodziły z nich poważne damy i smutni, zamyśleni panowie o zmarszczonych czołach. Nikt nie gratulował Remusowi, ponieważ młody filozof wszystkich ich *nolens volens* zgniótł. Siłą swego natarcia, szczegółowym zestawieniem akapitów dzieła Stefanusa i plagiatu Zinowiewa nie dał im szans na dyskusję, jego argumenty wyjałowiły całkiem ich umysły, zabrały im najbledsze intuicje obronne. Czuli się mentalnie zgwałceni. Każde z nich wiedziało, że jakakolwiek reakcja polemiczna byłaby kompromitacją, a tej – w swym wysoko rozwiniętym *ego* – bali się jak ognia. Starzec tego dnia nie miał już na uniwersytecie żadnych przyjaciół. Nikt nie pamiętał o jego pozytywnych recenzjach ani o pomocy w uzyskaniu stypendium. Unikali go tak bojaźliwie jak doktora Remusa.

Z sali wyszła sekretarka i kochanka Starca, która do tej pory zapisywała całe litanie o jego triumfach. Teraz miała wystukać na maszynie wniosek Komisji Etycznej o dyscyplinarne zwolnienie profesora Feliksa Zinowiewa z pracy i o powołanie specjalnej grupy antyplagiatowej, która miała zbadać jego doktorat i habilitację. Jej przewodniczącym miałby być doktor Wacław Remus.

Ostatni z sali wyszedł Starzec. Stanął przed swym oskarżycielem i bez zmrużenia powiek patrzył mu prosto w oczy.

– Ja tu jeszcze wrócę – zagroził cicho – i cię zniszczę, ty niewdzięczny skurwysynu!

Remus odsunął się od niego, lecz nie uciekł wzrokiem.

– I co mi pan wtedy zrobi? – Uśmiechnął się szeroko. – Wsadzi mi pan kindżał w ucho?

Zinowiew otworzył szeroko oczy i usta. Po chwili milczenia poszedł w stronę schodów, a potem przyśpieszył, by dogonić swoją kochankę. W końcu jej dopadł i położył się prawie na jej ramieniu.

– Nic straconego, kochanie – szeptał. – Z moim tytułem, z moimi znajomościami... Uczelnie prywatne będą się o mnie biły...

Sekretarka strzepnęła jego rękę ze swego ramienia.

– Z przegranym nie tańczę – powiedziała z uśmiechem.

Tej samej nocy nastąpił nad Murawskim-Zinowiewem drugi sąd. W jego mieszkaniu huczały dwa głosy. Jeden go bronił, drugi oskarżał, jeden atakował, drugi usprawiedliwiał. Jeden był łagodny, drugi szyderczy. Ktoś mógłby pomyśleć, że prześladują go wyrzuty sumienia po dzisiejszej rozprawie, ktoś inny – że w końcu obudziła się w nim przyzwoitość. Prawda była jednak inna. Nosiła zimną kliniczną nazwę: *hallucinosis alcoholica Wernickiana*.

Pani o tym nazwisku była ostatnią towarzyszką życia filozofa. Nie opuszczała go nigdy przez kolejny rok. Skutecznie odpędzała od niego ukojenie, które oferował jej wróg, lek haloperidol. Była wierna Zinowiewowi. Aż do samej jego śmierci.

Powieść ukończyłem w sobotę 9 lutego 2013 roku o godzinie 23.09.

POSŁOWIE

POWIEŚĆ *W OTCHŁANI MROKU* wcale by nie powstała, gdyby nie trzy ważne inspiracje.

Pierwszą z nich jest problem metafilozoficzny: ewidentny rozziew, jaki istnieje pomiędzy filozofią artystyczną (literacką, hermeneutyczną, egzegetyczną) a filozofią naukową (analityczną, ścisłą, logiczną). Zdając sobie sprawę z moich bardzo skromnych kompetencji filozoficznych, ośmielam się twierdzić, że obie te dyscypliny są prawie rozłączne. Kiedy w czasie rocznych studiów podyplomowych w Szkole Filozoficznej Tadeusza Gadacza przy Collegium Civitas zrozumiałem, jak ogromna jest różnica metodologiczna i językowa pomiędzy oboma stanowiskami filozoficznymi, natychmiast postanowiłem ten rozdźwięk wykorzystać literacko.

Drugą inspiracją był film Wojciecha Smarzowskiego pt. *Róża*, w którym w przenikliwy i wstrząsający sposób pokazano seksualne bestialstwo żołnierzy Armii Czerwonej.

Trzecim impulsem okazała się znakomita i fundamentalna praca Stevena Pinkera pt. *The Better Angels of Our Nature. The Decline of Violence in History and Its Causes* (London 2011, przeczytałem ją w przekładzie niemieckim pt. *Gewalt. Eine neue Geschichte der Menschheit*, Frankfurt am Main 2011). W książce tego wybitnego kanadyjsko-amerykańskiego psychologa, która – o zgrozo! – do dziś nie została w Polsce wydana, znalazłem przekonujące argumenty historyczne i statystyczne za starą ideą Piotra Teilharda de Chardin – iż ludzkość ewoluuje ku coraz większemu dobru.

Zanim *W otchłani mroku* pojawiła się na biurku redaktora i przeszła do kolejnych etapów opracowania wydawniczego, przestudiowało ją sześciu czytelników-ekspertów, których wiedza jest ogromna i wprost proporcjonalna do ich życzliwości wobec mojej osoby. Ich szczegółowe i celne uwagi można zebrać – w zależności od dyscyplin, które reprezentowali – w następującej klasyfikacji:

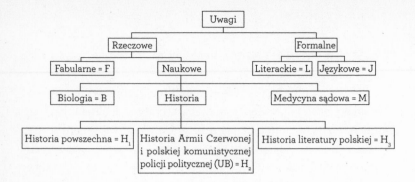

Z ZAKRESU TYCH DYSCYPLIN naukowych i artystycznych udzieliły mi konsultacji następujące osoby (w nawiasie skrót danej dyscypliny jw.):

- Joanna Dubis (B),
- Leszek Duszyński (H_3, J, L),
- Jerzy Kawecki (M),
- Zbigniew Kowerczyk (F, J, L),
- Gościwit Malinowski (H_1, H_2, J),
- Paweł Piotrowski (H_2).

Za trud i pomoc wymienionych osób bardzo dziękuję. Oświadczam ponadto, że za wszelkie błędy winę ponoszę wyłącznie ja sam.

Marek Krajewski

ANEKSY

Cierniogaj – dzis. Tarnogaj

dworzec Odra – dzis. dworzec Wrocław-Nadodrze

Fritz-Geisler-Strasse – dzis. ul. Ładna

Kleine Scheitniger Strasse – dzis. ul. Ładna

most Katowicki – dzis. most Warszawski

most Wojewódzki – dzis. most Pokoju

park Nowowiejski – dzis. park Stanisława Tołpy

plac Stanisława Piaskowskiego – dzis. pl. Powstańców Warszawy

plac Jerzego Żuławskiego – dzis. pl. Józefa Piłsudskiego

szpital Bethesda – dzis. szpital przy ul. Dyrekcyjnej

ulica Józefa Stalina – dzis. ul. Jedności Narodowej

ulica Karłowicka – dzis. ul. Piotra Czajkowskiego

ulica Świętego Wojciecha – dzis. ul. Kardynała Stefana Wyszyńskiego

ulica Wincentego Witosa – dzis. ul. Ludwika Rydygiera

SŁOWNICZEK WYRAŻEŃ I ZWROTÓW DIALEKTYCZNYCH
ORAZ OBCOJĘZYCZNYCH

Ab ovo – (łac.) od początku

Ad infinitum – (łac.) w nieskończoność

Ad rem – (łac.) do rzeczy

Ad vocem – (łac.) co się tyczy, w sprawie

Arbiter elegantiae – (łac.) wyrocznia w sprawach elegancji

Aufstehen – (niem.) wstawać

Ave atque vale – (łac.) bądź pozdrowiony i żegnaj

Ballo – (gr.) rzucać

binia – (dial.) dziewczyna

Carpe diem – (łac.) korzystaj z chwili

Cave canem – (łac.) strzeż się psa

Comme il faut – (fr.) jak należy

Cursus studiorum – (łac.) przebieg nauki

Curyk – (dial.) z powrotem

De facto – (łac.) faktycznie

De iure – (łac.) zgodnie z prawem

De providentia – (łac.) o opatrzności

Dies ater – (łac) czarny, żałobny dzień

Do, ut des – (łac.) daję ci po to, abyś i ty mi coś dał

Doctor philosophiae – (łac.) doktor filozofii

Doctoris utriusque iuris – (łac.) doktora obojga praw

Ego te absolvo – (łac.) ja ci odpuszczam (grzechy)

Eintopf – potrawa jednogarnkowa

En masse – (fr.) w całości rzecz biorąc

Et cetera – (łac.) i tak dalej

Et consortes – (łac.) i kompani

Exequiae – (łac.) ceremonia pogrzebowa

Expressis verbis – (łac.) wyraźnie, bez ogródek

Finis coronat opus – (łac.) koniec wieńczy dzieło

Funio – (dial.) ważniak

Gutta cavat lapidem non vi, sed saepe cadendo – (łac.) kropla drąży kamień nie siłą, lecz ciągłym kapaniem

Imprimatur – (łac.) zezwolenie (na drukowanie)

In dubio pro reo – (łac.) wątpliwości rozstrzygać na korzyść oskarżonego

Investigator sagacissimus – (łac.) nadzwyczaj bystry śledczy

Ipse dixit – (łac.) on sam (tzn. jakiś autorytet) to powiedział

kinder – (dial.) zawadiaka, swój chłop

Liźć – (dial.) iść

Mea culpa – (łac.) moja wina

Modus operandi – (łac.) sposób działania

Nolens volens – (łac.) chcąc nie chcąc

Ordo ex chao – (łac.) porządek z chaosu

Omne animal post coitum triste – (łac.) Każde zwierzę po stosunku jest smutne

Pater familias – (łac.) ojciec rodziny

Pax – (łac.) pokój, spokój

Phaino – (gr.) pojawiać się

Ruhe – (niem.) cisza

Salus aegroti suprema lex – (łac.) dobro chorego najwyższym prawem

Salve Regina, Mater misericordiae – (łac.) Witaj Królowo, Matko miłosierdzia

Sic transit gloria mundi – (łac.) tak przemija chwała świata

Sit venia verbo – (łac.) niech mi będzie wolno powiedzieć, że się tak wyrażę

Soliloquium – (łac.) rozmowa z samym sobą

szac – (dial.) piękny, ładny, elegancki

Tempus fugit – czas ucieka

Terra incognita – (łac.) ziemia nieznana

Tertium non datur – (łac.) trzeciej możliwości nie ma

Zerkało – (dial.) oko

Książki Marka Krajewskiego w Znaku

Erynie
Liczby Charona
Rzeki Hadesu
Śmierć w Breslau
Koniec świata w Breslau
Widma w mieście Breslau